A MATERNIDADE

e o encontro com a própria sombra

LAURA GUTMAN

A MATERNIDADE

e o encontro com a própria sombra

Tradução
Luís Carlos Cabral
Mariana Laura Corullón

29ª edição

Rio de Janeiro | 2024

CIP-BRASIL. CATALOGAÇÃO NA FONTE
SINDICATO NACIONAL DOS EDITORES DE LIVROS, RJ.

Gutman, Laura, 1958-
G995m A maternidade e o encontro com a própria sombra /
29ª ed. Laura Gutman; tradução Luís Carlos Cabral, Mariana Laura Corullón. – 29ª ed. – Rio de Janeiro: Best*Seller*, 2024.
il.

Tradução de: La maternidad y el encuentro con la propria sombra
ISBN 978-85-465-0011-6

1. Psicologia. 2. Maternidade. 3. Gravidez. 4. Mães. I. Título.

16-36048 CDD: 155
CDU: 159.92

Texto revisado segundo o novo Acordo Ortográfico da Língua Portuguesa.

Título original
LA MATERNIDAD Y EL ENCUENTRO CON LA PROPRIA SOMBRA

Capa: Rafael Nobre
Imagem da capa: Artistic Captures Photography/iStockfhoto
Editoração eletrônica: Abreu's System

Impresso no Brasil

ISBN 978-85-465-0011-6

Dedico este livro a meus filhos,
Micaël, Maïara e Gaia.

Sumário

Prefácio a esta nova edição

Quero compartilhar com os leitores a história de amor e de desencontro que mantenho com *A maternidade e o encontro com a própria sombra* há 15 anos. Como todo vínculo afetivo estabelecido, essa "relação" não tem sido fácil, e até hoje me gera contradições, fúria e uma ou outra alegria de vez em quando. É possível manter um caso de amor com um livro escrito por mim? E, nesse caso, seria possível que eu me divorciasse dele? Brincadeiras à parte, mais de uma vez quis queimá-lo, desejando que ninguém nunca mais entrasse em contato com este texto. O que aconteceu? Ele passou a ter vida própria. Já não me pertence. Não faz o que eu digo. Como uma criança crescida que se converteu em um jovem adulto e independente, que assume seus próprios riscos e decisões, e como se não bastasse, comunicando-se com os leitores como bem entende. E, inversamente, com os leitores interpretando o que a cada um convém.

Também ocorre que durante esses anos amadureci profissionalmente (em minha vida particular também, claro). A cada dia encontro novas palavras, afino a pontaria, tento ser mais direta, clara e concisa. Busco melhores sistemas para nomear as realidades emocionais dos indivíduos, sigo inventando modos cada vez mais simples para abordar os universos emocionais, propondo que nós, adultos, assumamos com maturidade nossas escolhas, para que floresçam decisões conscientes. Tudo isso enquanto o livro continua "sendo" exatamente o mesmo, ou seja, cristalizado tal como foi escrito no passado. Aí se produz um franco desencontro: entre os pensamentos e as palavras que utilizava "antes" e as que utilizo "agora".

Mas existe um fenômeno mais complexo. Muitíssimas mulheres (e alguns homens), de diferentes países, culturas e modelos de vida, me confessaram, entre lágrimas, que este livro lhes mudou a vida, que tem magia, que os salvou, que foi um antes e depois, que se transformou em seu guia espiritual, que o conservam como um tesouro e muitas outras frases lindas que sempre agradeci com amabilidade, mas nunca acreditei. E, ao mesmo tempo, há anos recebo cotidianamente (não é exagero, isso significa que recebo todos os dias, absolutamente todos os dias) inúmeras mensagens de mulheres que usaram este livro a partir do refúgio mais infantil possível: o de acreditar que alguém (neste caso eu, na qualidade de autora) tem as respostas para cada pequena dificuldade cotidiana. Que sou "especialista" em questões de criação dos filhos. Que defendo que se durma com as crianças, a amamentação prolongada ou os partos em casa. Que tenho as respostas justas para aconselhar cada um. Que estou a favor de não sei o quê e contra não sei o quê. Lógico que não vão encontrar nada disso neste livro. Simplesmente, ele foi usado para superar batalhas pessoais. Aquela mulher que está a favor porque se sentiu identificada com alguma frase, utiliza o livro na qualidade de aliado para brigar com uma cunhada, a sogra ou uma vizinha que é contra não sei muito bem o quê. Misteriosamente, estes textos vêm sendo usados até a exaustão em absurdas guerras emocionais, fruto de interpretações infantis que nada têm a ver com a proposta — presente em cada uma destas páginas — de **se questionar mais,** para se compreender melhor e para compreender a criança pela qual somos responsáveis. Foram — e continuam sendo — tantos os pedidos de aliança disfarçados de ajuda, dos lugares mais infantis e irresponsáveis, que pensei muitas vezes em fazer desaparecer qualquer rastro deste livro.

Eu poderia relatar múltiplos casos e lutas ridículas que me deixaram atônita, supostamente surgidas a partir da leitura destas páginas. Mas não vou aborrecê-los. Somente pretendo explicar que as interpretações a favor ou contra os meus pensamentos são construções que pertencem a cada indivíduo. De minha parte, apenas proponho que **observemos mais e melhor nossos próprios cenários,** que entremos em contato com nossa realidade interior, que possamos nos compadecer do menino ou da menina que fomos e que tomemos decisões conscientes. Sejam elas quais forem.

É verdade que me utilizei da experiência de **nos transformarmos em mães** como uma das crises mais profundas que nós, mulheres, atravessamos. Também sei que sou capaz de **denominar com palavras simples** situações similares que compartilhamos neste **dificílimo exercício de maternar as crianças.** Entendo que contar com essas palavras pode facilitar nossa vida. E celebro que muitas mulheres possam utilizar algumas palavras escritas para fazer delas, assim, uma visão ampla e transcendental de nossos contextos, e gerá-las. Mas isso é tudo.

Após 15 anos de encontros e desencontros com meus leitores (sobretudo com as mulheres que viraram mães), decidi revisar o texto e modificar alguns parágrafos para deixar claro que — nos doa ou nos assombre, nos identifiquemos ou nos irritemos — encontraremos as respostas se **assumirmos um doloroso e corajoso percurso de questionamento pessoal.** Repetirei isso em cada parágrafo se for necessário. Também recomendarei às leitoras e aos leitores que leiam todos os meus livros publicados desde então, especialmente *A biografia humana*, *O poder do discurso materno* e *Amor o dominación. Los estragos del patriarcado*, já que são roteiros a serviço das buscas de nossas zonas escuras.

Quero esclarecer, também, que os casos aqui relatados correspondem a uma época em que eu tinha um consultório e atendia pessoalmente quem chegava buscando se conhecer mais. **Hoje não atendo ninguém pessoalmente.** Entretanto, me dedico a treinar profissionais — que começaram a carreira em minha Escola —, que a cada dia trabalham melhor e conservam uma **ternura** e uma disponibilidade emocional que eu perdi. Também me dei conta de que, quando escrevi este livro, eu mesma tinha um bebê: minha filha menor nasceu em 1996 e este livro foi escrito no ano seguinte. Espero que minhas correções atuais não façam desaparecer a sensibilidade e a suavidade que fizeram desta obra uma companhia indispensável para milhares de jovens mães.

Por fim, reconhecer-se em palavras que denominam sentimentos compartilhados, feridas emocionais e solidões, é sempre um alívio.

Mas insisto em dizer que nós, as mulheres transformadas em mães, temos a obrigação de empreender um caminho de questionamento profundo. É verdade que **é difícil se transformar em mãe.** É verdade que representa uma crise pouco reconhecida socialmente. Mas também é verdade que somos adultas e que **a verdadeira vítima** das cadeias transgeracionais de desamparo **é a criança pequena.** Por isso, depois de **nos reconhecermos nestas páginas,** nos aguarda um percurso obrigatório: o de abordar nossa realidade emocional forjada durante **nossa infância** para nomeá-la, ambientá-la, compreendê-la e entrar em contato com o que nos aconteceu. **Só então poderemos** compreender, acomodar, contactar e amparar a criança real que depende absolutamente de nós, as mães. **Depende de nossa capacidade para amá-la, mesmo que nós mesmas não tenhamos sido amadas.**

A decisão de voltar a publicar *A maternidade e o encontro com a própria sombra* atualiza em mim dolorosas ambivalências. Quero acreditar que sendo mais contundente em minha proposta básica de **nos questionarmos** mais, assumindo os custos de "trair" o discurso de nossa própria mãe para encontrar nosso próprio adulto e observar com olhos novos nossas histórias antigas... talvez valha a pena.

Também aceito algo sutil e me regozijo com o que este livro transmite, e que as mulheres com filhos pequenos agradecem: este texto **habilita todas as mães,** nos aceita tal qual somos, propõe que tomemos decisões com a barriga e não com a razão, nos apoia para seguir nossas **intuições** como único guia em meio ao caos e ao desespero. A realidade é: criar filhos é muito difícil, é doloroso, é insuportável. Nós, mães, estamos inundadas de conselhos e opiniões e, no entanto, dolorosamente sozinhas e isoladas. Neste sentido, as palavras que encontrarão aqui trazem **boas notícias** para muitas mães, e isso é o que me obriga a considerar a reedição do presente livro, mesmo que eu continue naufragando em uma relação complexa de amor e ódio. Provavelmente, porque ainda não entendi o que é que este livro veio ensinar.

Laura Gutman 2014

Prefácio

Este é um livro escrito — a princípio — para mulheres. Embora muitos homens também se identifiquem com ele. Não pretende ser um guia para mães desesperadas. Ao contrário, é uma espécie de "alto lá!" no caminho para que possamos pensar como mães que estão criando seus filhos, com nossas luzes e sombras emergindo e explodindo em nossos vulcões em erupção.

Muitos aspectos ocultos de nossa psique feminina são revelados e ativados com a chegada dos filhos. Esses momentos são, habitualmente, de revelação e de experiências místicas, se estivermos dispostas a vivê-los nesse sentido e se encontrarmos ajuda e apoio para enfrentá-los. Também são uma oportunidade de reformularmos as ideias preconcebidas, os preconceitos e os autoritarismos encarnados em opiniões discutíveis sobre a maternidade, a criação dos filhos, a educação, as formas de criar vínculos e a comunicação entre adultos e crianças.

Este livro pretende tratar a experiência vital da maternidade como vibração energética mais do que como pensamento linear. Abordar as experiências que todas as mulheres atravessam como se fossem únicas, sabendo, ao mesmo tempo, que são compartilhadas com as demais fêmeas humanas e fazem parte de uma rede intangível em permanente movimento. Mesmo sendo muito diferentes umas das outras, as mulheres ingressam em um território onde circula uma afinidade essencial comum a toda mãe. Refiro-me ao encontro com a experiência maternal como arquétipo, em que cada uma se procura e se encontra em um espaço universal, mas buscando também a especificidade individual.

Por meio de diversas situações cotidianas descreveremos um leque de sensações em que qualquer mulher que tenha se tornado mãe poderá facilmente se identificar. Paradoxalmente, o uso da linguagem escrita como ferramenta para transmitir essas experiências pode ser um obstáculo, pois atende a uma estrutura em que vários elementos vão se ordenando para construir um discurso. A abordagem do universo da psique feminina, que pertence a uma construção oculta do ponto de vista de nossa cultura ocidental, então se complica. Nesse sentido, para acessar e compreender este livro serão muito úteis a intuição ou as sensações espontâneas que nos permitam interagir com o que nos acontece quando percorremos alguma página escolhida ao acaso.

De qualquer maneira, é de se imaginar que ficaremos presas à tentação de discutir calorosamente quais são os pontos em que estamos de acordo ou em profundo desacordo. Embora as discussões que venham a surgir entre as mulheres — ou entre homens e mulheres — possam ampliar o pensamento, insisto em tentar uma leitura mais emocional, esperando que tenha ressonância no infinito. Ou seja, captar o conteúdo sensorial, imaginativo ou perceptivo, em vez de aprender ou avaliar os conceitos linearmente. Isso tem a ver com deixar abertas as portas sutis e estar atenta às que vibram com especial candura. Permitamos que aquelas que não nos sirvam sigam seu caminho, sem nos distrair.

Suspeito que há vários pontos de partida para a leitura: o mais evidente é a partir do "ser mãe". Espero, também, que o livro seja interessante para os profissionais de saúde, comunicação ou educação que tenham contato com mães, cada uma esperando, com suas próprias ferramentas intelectuais, obter resultados convincentes no que se refere ao comportamento e ao desenvolvimento das crianças. Acredito que é possível conservar as duas visões simultaneamente; de fato, muitas de nós somos profissionais no campo das relações humanas e também — no caso das mulheres — mães de crianças pequenas.

Espero conseguir transmitir a energia que circulava nos grupos que coordenei durante anos (que se chamavam Grupos de Crianza, que não existem mais neste formato), nos quais as mães se permitiam ser elas mesmas, rindo dos preconceitos e dos muros que erguemos por medo de sermos diferentes ou de não sermos amadas. Neles foi gestada a maioria dos conceitos que fui nomeando nestes últimos anos e que, tocados por uma varinha mágica, começaram a existir. Na Escuela de Capacitación Profesional de Crianza, instituição que dirijo, continuamos inventando palavras para nomear o indefinível, os estados alterados de consciência do puerpério, os campos emocionais em que ingressamos com os bebês, a loucura indefectível e esse permanente não reconhecer mais a si mesma. No intercâmbio criativo, os profissionais tentam encontrar as palavras corretas para nomear o que acontece conosco. Arrependo-me de não ter filmado centenas de aulas ou as entrevistas individuais com as mães que nos consultam, porque esse poder, esse florescer dos sentimentos femininos, raramente pode ser traduzido com exatidão pela palavra escrita. Conto, assim, com a capacidade de cada leitora de se identificar com os relatos, imaginando a essência e sentindo que, definitivamente, todas somos uma.

Por último, convido-as a fazer esta viagem juntas, preservando a liberdade de levar em consideração apenas o que nos seja útil ou possa nos apoiar. Esta é minha maneira de contribuir para gerar mais perguntas, criar espaços de encontro, de intercâmbio, de comunicação e de solidariedade entre as mulheres. Este é meu desejo mais sincero.

Laura Gutman

CAPÍTULO

1

Uma emoção para dois corpos

A fusão emocional • As crianças são seres fusionais • Início da separação emocional • Por que é importante compreender o fenômeno da fusão emocional? • O que é a sombra? • Por que é tão árduo criar um bebê? • As depressões pós-parto existem ou são criadas? • O caso Romina • A perda da identidade durante o puerpério • Entre o externo e o interno.

A FUSÃO EMOCIONAL

Quando pensamos no nascimento de um bebê, nos parece evidente falar de **separação.** O corpo do bebê que estava dentro da mãe, alimentando-se do mesmo sangue, se separa e começa a funcionar de maneira independente. Tem de colocar em andamento seus mecanismos de respiração, digestão, ajuste da temperatura e outros para viver no meio aéreo. O corpo físico do bebê começa a funcionar separadamente do corpo da mãe.

Em nossa cultura, tão acostumada a ver apenas com os olhos, acreditamos que tudo o que há para compreender acerca do nascimento de um ser humano refere-se ao desprendimento físico. No entanto, se elevarmos nossos pensamentos, conseguiremos imaginar que esse corpo recém-nascido não é apenas matéria, mas também um corpo sutil, emocional, espiritual. Embora a separação física aconteça efetivamente, persiste uma união que pertence a outra ordem.

De fato, o bebê e sua mãe continuam **fundidos** no mundo emocional. Esse recém-nascido, saído das entranhas físicas e espirituais da mãe, ainda faz parte do entorno emocional no qual está submerso. Pelo fato de ainda não ter começado a desenvolver o intelecto, conserva suas capacidades intuitivas, telepáticas, sutis, que estão absolutamente conectadas com a alma da mãe. Portanto, esse bebê se constitui de um sistema de representação da alma materna. Dito de outro modo, o bebê **vive como se fosse dele** tudo aquilo que a mãe sente e recorda, aquilo que a preocupa ou que ela rejeita. Porque, nesse sentido, são dois seres em um.

Assim, de agora em diante, em vez de falarmos de "bebê", faremos referência a "**bebê-mãe**". Quero dizer que o bebê *é*, na medida em que está fundido com sua mãe. E para falar de "mãe", também será mais correto nos referirmos à "**mãe-bebê**", porque a mãe *é*, na medida em que permanece fundida com seu bebê. No campo emocional, a mãe atravessa esse período "desdobrada", pois sua alma se manifesta tanto em seu próprio corpo como no corpo do bebê. E o mais incrível é que o bebê sente como próprio tudo o que sua mãe sente, sobretudo o que ela não consegue reconhecer, aquilo que não reside em sua consciência, o que relegou à **sombra**.

Continuando nessa linha de pensamento, quando um bebê adoece, chora desmedidamente ou se altera, precisamos, além de nos fazer perguntas no plano físico, atender ao corpo espiritual da mãe — para chamá-lo de alguma maneira, reconhecendo que a doença da criança revela uma parte da sombra materna. Quando o medo ou a ansiedade nos levam a anular o sintoma ou o comportamento indesejável da criança, perdemos de vista o significado dessa manifestação. Ou seja, perdemos de vista algumas pedras preciosas que emergiram do vulcão interno da mãe, trazendo mensagens exatas para ela mesma, cujo desconhecimento seria lamentável.

Nossa tendência costuma ser rejeitar as partes de sombra que escoam pelos desvãos da alma. Por algum motivo se chama "sombra". Não é fácil vê-la, nem reconhecê-la, tampouco aceitá-la, a menos que insista em se refletir nos espelhos cristalinos e puros que são os corpos dos filhos pequenos.

Concretamente, se um bebê chora muito, se não é possível acalmá-lo nem amamentando nem ninando, enfim, depois de atender às suas necessidades básicas, a pergunta deveria ser: por que sua mãe chora tanto? Se um bebê tem uma erupção, a pergunta deveria ser: por que a mãe está tão vulnerável? Se ele não se conecta, parece deprimido, pergunte-se: quais são os pensamentos que inundam a mente da mãe? Se rejeita o seio: quais são os motivos que levam a mãe a rejeitar o bebê?, entre outras questões. As respostas residem no interior de cada mãe, mesmo que não sejam evidentes. É nesse sentido que devemos dirigir nossa busca, **na medida em que a mãe tenha a intenção genuína de encontrar a si mesma e se permita receber ajuda.**

Estamos acostumados a rotular as situações nomeando-as de maneira superficial: "chora por capricho", "pegou um vírus", "precisa de limites!" etc. Claro que as bactérias e os vírus são necessários para ocorrer a doença, permitindo que a sombra se materialize em algum lugar propício para ser vista e reconhecida.

Nesse sentido, cada bebê é uma oportunidade para sua mãe ou figura materna retificar o caminho do conhecimento pessoal. Muitas mulheres iniciam, com a experiência da maternidade, um caminho de superação, apoiadas por perguntas fundamentais. E muitas outras desperdiçam sem cessar os espelhos multicoloridos que aparecem diante delas nesse período, ignorando sua intuição e achando que ficaram loucas, que não podem nem devem sentir esse emaranhado de sensações disparatadas.

O bebê é sempre um mestre, graças a seu corpo pequeno, que lhe permite maior expansão no campo sensível. Por isso, consegue manifestar **todas** as nossas emoções, sobretudo as que ocultamos de nós mesmas. Aquelas que não são apresentáveis socialmente. As que desejaríamos esquecer. As que pertencem ao passado.

Esse período de fusão emocional entre o bebê e a mãe se estende quase sem alterações pelos primeiros nove meses, quando o bebê consegue se deslocar de maneira autônoma. Só por volta do nono mês o bebê humano consegue atingir um estágio de desenvolvimento que os demais mamíferos alcançam poucos dias depois de nascer. Nesse sentido, podemos nos comparar com as fêmeas dos cangurus, que carregam suas crias algum tempo no útero e, depois, ao longo de um período semelhante, fora dele, completando o desenvolvimento necessário para que o bebê comece a manifestar sinais de autonomia.

AS CRIANÇAS SÃO SERES FUSIONAIS

Este modo intrínseco de se relacionar fusionalmente é comum a todas as crianças, e transcorre lentamente. De fato, o recém-nascido, que só está fundido com a emoção da mãe ou da figura materna, necessita, à medida que vai crescendo e para entrar em relação com os demais, ir criando laços de fusão com cada pessoa ou objeto que ingressa em seu campo de intercâmbio. Assim, vai se transformando em "bebê-pai", "bebê-irmãos", "bebê-pessoa-que-cuida-de--mim", "bebê-objeto-que-tenho-nas-mãos", em "bebê-outras-pessoas" etc. O bebê *é*, na medida em que se funde com aquilo que o cerca, com os seres que se comunicam com ele e com os objetos que existem ao seu redor, os quais, quando ele os toca, se transformam em parte de seu próprio ser. Isso significa que os bebês e as crianças pequenas são "**seres fusionais**", ou seja, que, para serem, precisam entrar em fusão emocional com os outros. Esse ser **com** o outro é um caminho relativamente longo de construção psíquica em direção ao "eu sou".

Podemos ver um exemplo muito claro quando levamos uma criança pequena a uma festa de aniversário: as mães ficam ansiosas para que ela participe da empolgação, mas o pequeno não consegue sair da barra da saia do adulto. Depois, se aproxima dos animadores e observa. Quando a festa está chegando ao fim, a criança está entusiasmada, excitada, participativa e com vontade de ficar. Naturalmente, não raciocina quando o adulto a puxa para ir embora. O que acontece? É um bebê caprichoso? Não, é uma criança saudável em franca fusão emocional. Precisa de **tempo** para estabelecer uma relação com o lugar, o ruído, o cheiro, a dinâmica, a atividade e os novos rostos... E quando já está pronto para se inter--relacionar, é exigido dele, mais uma vez, que mude de realidade e recomece a fusão emocional com outra situação: a rua, a volta para casa, a pressa, o carro etc. Normalmente, as crianças aceitam se retirar **quando levam consigo algo que as conecte com o lugar em que entraram em relação fusional.** É fundamental compreender que não estão sendo mal-educadas quando querem levar algum objeto, mesmo que seja insignificante (um carrinho, um doce, um enfeite), mas estão atendendo ao ser essencial da criança pequena. E que aquilo que os adultos têm de lhes oferecer é **tempo** para permitir que passem de uma fusão à outra. Alguns adultos se irritam diante da insistência das crianças em levar algum objeto da casa dos parentes ou amigos. Minha sugestão é que permitam, com o compromisso de devolver o objeto na próxima visita; caso contrário, as crianças acabam escondendo nos bolsos tudo o que podem, para horror dos pais, que, quando descobrem isso, ficam achando que a criança virou uma ladra!

Esse estado fusional das crianças vai diminuindo com o passar dos anos, à medida que seu "eu sou" vai amadurecendo em seu interior psíquico e emocional. Mas cabe destacar que uma criança que foi levada a suportar grandes separações quando era muito pequena tenderá a permanecer em relações fusionais por muito mais tempo. Na idade adulta, isso se transforma em relações possessivas, cansativas, baseadas em ciúmes e desconfiança, que, na realidade, não passam de um grito desesperado de quem não quer ficar eternamente só.

INÍCIO DA SEPARAÇÃO EMOCIONAL

As crianças dão o grande salto por volta dos 2 anos, 2 anos e 5 meses. É quando dão início, naturalmente, à sua lenta **separação emocional**. O que acontece nessa fase? Começa o desenvolvimento da linguagem verbal. No princípio, chamam a si mesmas por seu nome na terceira pessoa do singular: "Matías quer água." Dentro da vivência da fusão emocional o menino está dizendo que Matías e mamãe querem água, porque são dois em um.

Finalmente, um belo dia acordam dizendo "eu": "Eu quero água." Esse é o ponto de partida no caminho da separação emocional que leva à constituição do "eu sou", que será concluído na adolescência.

Como podem perceber, essa passagem da fusão à separação requer do ser humano longos 13 ou 14 anos, conforme cada indivíduo. Como ficamos sabendo? Limitando-nos a observar as crianças e levando em conta como as situações emocionais de seus pais influem nelas.

A título de curiosidade, pensemos nas crianças de 1 ou de 2 anos, que ao olhar uma foto de si mesmas costumam exclamar: "Mamãe!" É que elas e a mãe são uma coisa só.

Chegar aos 2 anos e pensar, de maneira organizada, em si mesma separada dos outros representa um salto importantíssimo no processo de desenvolvimento da estrutura psíquica da criança. Não estamos nos referindo apenas ao domínio da linguagem verbal, mas a toda uma concepção de si mesmo como ser **separado**, capaz de interagir com os outros.

A vivência emocional e a sensação de completude com a mãe deixam de ser tão absolutas. Perdem, definitivamente, o paradisíaco, pois através da fusão com a mãe os bebês se sentem unidos ao Universo. Talvez os adultos não devessem esquecer que todos somos uma coisa só e que a separação nunca vai ser total.

POR QUE É IMPORTANTE COMPREENDER O FENÔMENO DA FUSÃO EMOCIONAL?

Enfrentamos, diariamente, todo tipo de manifestações incômodas protagonizadas por bebês ou crianças pequenas. Com nossa visão puramente material, nos contentamos com respostas fechadas, diagnósticos duvidosos, de tão desprovidos que estamos de ferramentas para nos fazer perguntas. É claro que é importante saber por que uma coisa acontece, mas saber "para que" o bebê manifesta uma dor, uma queixa, um incômodo, uma doença ou chora, também é. Anular um sintoma do bebê não deveria jamais ser um objetivo. Pelo contrário. Deveríamos ser capazes de sustentar o sintoma até entender o que está acontecendo e qual é a situação emocional que a mãe precisa compreender ou atravessar. Parte-se do fato de que, se o bebê o manifesta, é porque faz parte da sombra da mãe. Quer dizer, é independente dos problemas concretos que a mãe atravessa, sejam econômicos, afetivos, emocionais, familiares ou psíquicos.

O bebê manifesta a sombra, aquilo que não é reconhecido conscientemente pela mãe.

Não importa o nível de conflitos que a mãe experimente durante a criação do filho. Destacamos a necessidade imperiosa de que tenha consciência de sua própria busca. Quando a mãe se questiona, imediatamente libera o filho, pois assume a própria sombra (não chega, necessariamente, a resolver de maneira concreta suas dificuldades, pois esta tarefa pode requerer toda uma vida).

O QUE É A SOMBRA?

Este termo, usado e difundido por Carl Gustav Jung, tenta ser mais abrangente do que o termo "inconsciente", defendido por Sigmund Freud. Refere-se às partes desconhecidas de nossa psique e, também, àquelas de nosso mundo espiritual que são desconhecidas.

Nosso mundo é polar, tudo no Universo tem seu oposto: luz e sombra, dia e noite, em cima e embaixo, duro e mole, masculino e feminino, terra e ar, positivo e negativo, doce e salgado, homem e mulher etc. Nosso mundo psíquico e espiritual também é formado por uma parte luminosa e uma parte escura que, mesmo que não a vejamos, não quer dizer que não exista. Esta é a tarefa de cada ser humano: atravessar a vida terrena em busca da própria sombra, para levá-la à luz e trilhar sua vereda de cura.

A sombra pessoal é desenvolvida a partir da infância. Naturalmente, nos identificamos com certos aspectos, como a generosidade e a bondade, e, ao mesmo tempo, desprezamos os opostos, que, neste caso, seriam o egoísmo e a maldade. Desta maneira, nossa luz e nossa sombra vão se construindo de forma simultânea.

Roberto Bly dizia que passamos os primeiros vinte anos de nossa vida enchendo uma mochila com todo tipo de vivências e experiências... E depois passamos o resto do tempo tentando esvaziá-la. Esse é um trabalho de reconhecimento da própria sombra. Se nos recusarmos a esvaziar a mochila, ela se tornará cada vez mais pesada, e cada tentativa de abri-la será mais perigosa. Dito de outro modo: não há alternativa no encontro consigo mesmo. Ou questionaremos com sinceridade nossos aspectos mais ocultos, sofridos ou dolorosos, ou então esses aspectos procurarão se infiltrar nos momentos menos oportunos de nossa existência.

Usar as manifestações do bebê como reflexo da própria sombra é uma alternativa, entre outras, para o crescimento espiritual de cada mãe. Neste sentido, o bebê é mais uma oportunidade. É a possibilidade de nos reconhecermos, de centrarmos nosso eixo, de nos fazermos perguntas fundamentais. De parar de mentir para nós mesmas e iniciar um caminho de superação.

O bebê se transforma em mestre, em guia, graças à sua magnífica sensibilidade e também ao seu estado de fusão com a mãe ou a figura materna. Como é totalmente puro e inocente, não pode ainda decidir conscientemente relegar à sombra aqueles aspectos que todo adulto decente desprezaria. Por isso, manifesta sem rodeios todos os sentimentos que não são apresentáveis à sociedade. Aquilo que desejaríamos esquecer, o que pertence ao passado. O bebê se transforma em um espelho cristalino de nossos aspectos mais ocultos. Por isso, o contato profundo com um bebê deveria ser um período a ser aproveitado ao máximo.

POR QUE É TÃO ÁRDUO CRIAR UM BEBÊ?

Todas as mães são capazes, desde que tenham um mínimo de apoio emocional, de amamentar, ninar, higienizar um bebê, de proporcionar os cuidados físicos necessários à sua sobrevivência. São treinadas para esta tarefa brincando com bonecas na infância. A dificuldade aparece quando é necessário reconhecer, no corpo físico do bebê, o surgimento da alma da mãe, em toda a sua dimensão. Devem admitir sua fragilidade, como "mães-bebês". Cuidar-se como tal. Respeitar-se com essas novas qualidades. Ser paciente nesta fase tão especial e não exigir de si um rendimento igual ao habitual. Abrir-se à sensibilidade que é aguçada e à percepção das sensações que são vividas com um coração imenso e um corpo que elas, mães, sentem pequeno porque são, ao mesmo tempo, bebê e pessoa adulta.

É como ter o coração aberto, com suas misérias, alegrias, inseguranças, com todas as situações que precisam ser resolvidas, com o que lhes falta compreender. É uma frágil carta de apresentação: isto é o que sou, no fundo de minha alma; sou este bebê que chora.

Poderíamos considerar uma vantagem exclusiva das mulheres a possibilidade de desdobrar o corpo físico e espiritual, permitindo que as dificuldades ou as dores pessoais se manifestem com absoluta clareza. O bebê sente, como se fossem seus, todos os sentimentos da mãe, sobretudo aqueles dos quais ela não tem consciência. A maioria das mulheres não aproveita esta vantagem de ter a alma exposta; é arriscado encarar a própria verdade. No entanto, este é um caminho que inevitavelmente elas percorrerão, embora seja pessoal a decisão de fazê-lo com maior ou menor consciência.

Por isso, ao tentar entender o processo de compreensão dos bebês e das crianças muito pequenas, é indispensável não esquecer que o ser com quem tentamos nos comunicar é, ao mesmo tempo, a mãe que o habita. De fato, as pessoas que trabalham com crianças pequenas deveriam encontrar uma maneira de agir em união com a mãe. Sem a informação pessoal da mãe, sobretudo a informação a que se deve recorrer para que venham à tona, as manifestações das crianças carecem de sentido. Qualquer expressão incômoda do bebê é apenas a melhor linguagem que encontrou para se comunicar. **Não é o que acontece; é apenas um modo viável de se expressar.**

Quando nossa alma é exposta no corpo do bebê, é possível ver mais claramente as crises que ficaram guardadas, os sentimentos que não nos atrevemos a reconhecer, os nós que continuam enredando nossa vida, o que está pendente de resolução, o que descartamos, o que é inoportuno. Às vezes, as crianças expõem as crises de maneira tão contundente que só assim tomamos consciência da importância ou da dimensão de nossos sentimentos. Porque tendemos a não lhes dar maior atenção, a considerá-los banais e a relegá-los à nossa sombra.

Criar bebês é muito árduo porque, assim como a criança, para ser, entra em fusão emocional com a mãe, esta, por sua vez, entra em fusão emocional com o filho, para ser. A mãe passa por um processo análogo de união emocional. Ou seja, durante os dois primeiros anos ela é, fundamentalmente, uma "mãe-bebê". As mulheres puérperas têm a sensação de enlouquecer, de perder todos os espaços de identificação ou de referência conhecidos; os ruídos são imensos, a vontade de chorar é constante, tudo é incômodo, acreditam ter perdido a capacidade intelectual, racional. Não estão em condições de tomar decisões a respeito da vida doméstica. Vivem como se estivessem fora do mundo; vivem, exatamente, dentro do "mundo-bebê".

E é indispensável que seja assim. A fusão emocional da mãe com o filho é o que garante que a mulher estará em condições emocionais de se desdobrar para que a cria sobreviva. Podemos cuidar do nosso bebê se estivermos em sintonia perfeita, porque só assim podemos compreender, sentir, traduzir e vivenciar o que a criança precisa.

O desdobramento da alma feminina ou sua fusão emocional com a alma do bebê é indefectível, mesmo que o processo seja inconsciente. **A decisão de trazê-lo à consciência é pessoal.** Vale a pena esclarecer que esse processo nos surpreende porque não o esperávamos, e, em geral, costumamos rotular de mil maneiras as sensações incongruentes das mães e as queixas indecifráveis dos bebês. Em muitos casos, são diagnosticadas "depressões pós-parto", quando a única coisa que acontece é um brutal encontro da mãe com a própria sombra.

AS DEPRESSÕES PÓS-PARTO EXISTEM OU SÃO CRIADAS?

Quando levo em conta minha experiência profissional, sinto necessidade de denunciar a incrível quantidade de mulheres que são diagnosticadas com "depressão puerperal" (ou "depressão pós-parto") e, então, medicadas com remédios psiquiátricos. Todos se assustam com as sensações extremas da mãe que deu à luz e, em vez de acompanhá-la às profundezas de sua alma feminina, apoiada e afetivamente segura, optam por adormecê-la, conseguindo apaziguar o espírito dos demais e deixando a mulher sem condições físicas ou emocionais para cuidar do bebê, que é entregue a outra pessoa, para que desempenhe o papel materno. Com frequência, a lactância é interrompida e a mãe fica com a certeza de que é incapaz e está agindo terrivelmente mal.

Para que uma depressão pós-parto real se instale é necessário haver um importante desequilíbrio emocional ou psíquico anterior ao parto, somado à experiência de um parto malcuidado (uma cesariana abusiva, ter passado pelo parto sozinha ou sem a companhia de afetos, ter sido vítima de ameaças durante o trabalho de parto ou ter sofrido desprezo ou humilhações por parte dos assistentes), agregando também uma cota importante de desproteção emocional depois dele. Mesmo assim, praticamente qualquer mãe com um mínimo de apoio emocional, interlocução, solidariedade, companhia ou apoio superará sem dificuldades o desconcerto que pode ser produzido por sua queda emocional.

Há certa confusão entre depressão pós-parto e encontro com a própria sombra. Ou, pelo menos, surge um nível de ignorância generalizado sobre as realidades emocionais das parturientes. É melhor aprender algo sobre as realidades do puerpério do que medicar, sem medir as consequências, qualquer mulher que chora porque se sente perdida ou deslocada.

O encontro com a sombra, a partir da presença de um bebê, é indefectível, mas há mulheres que conseguem disfarçar e mentir melhor do que outras. Para ilustrar este conceito vou contar brevemente o caso de Romina (todos os casos narrados neste livro pertencem a uma época quando eu ainda fazia atendimentos pessoais. Como assinalei, isso já não ocorre hoje em dia. Atualmente, conto com uma equipe de profissionais formados, treinados e supervisionados por mim, mas atendemos somente aquelas mulheres e aqueles homens dispostos a indagar a totalidade de sua vida através da construção de sua **biografia humana**, explicada nos livros citados anteriormente).

O CASO ROMINA

Romina chegou a meu consultório acompanhada pelo marido, com sua menininha de 2 meses nos braços. Delirava, achava que via coisas que não aconteciam. O casal estava assustado.

Decidi começar pelo início: sua biografia humana. Não podíamos avaliar o que estava acontecendo se não montássemos o quebra-cabeça da totalidade da sua vida, abordando o que ela conhecia de si mesma, mas acrescentando também aquilo que não conhecia, ou seja, sua **sombra**. Romina era filha de um casal muito jovem que se separou quando ela tinha 3 anos, deixando-a aos cuidados de uma avó muito rígida e autoritária. Houve momentos em que a mãe quis levá-la para viver no interior com seu segundo marido, mas, para Romina, sua mãe biológica era praticamente uma desconhecida. Viveu na casa de seus avós, tentando não incomodar, sempre achando que era um "fardo" para a avó, que desprezava a vida libertina de sua mãe. Por lá, circulava um tio que era político, uma figura ameaçadora que achava que Romina devia pagar por sua criação e educação. Ela tinha 19 anos quando a avó morreu, então esse tio a expulsou de casa. Romina foi morar sozinha na França, onde viveu por 14 anos, durante os quais empreendeu uma busca pessoal, espiritual e, às vezes, religiosa. Teve bons momentos; conseguiu construir amizades muito estreitas, trabalhou e passou por diversas experiências em vários países europeus.

Por fim, resolveu passar férias na Argentina. Seu objetivo era procurar seus pais verdadeiros e enfrentar os fantasmas do passado. Curiosamente, os pais haviam voltado a viver juntos após quase trinta anos de separação, depois de cada um romper com seus companheiros da época. No meio dessa viagem, Romina reencontrou um velho amigo de infância, se apaixonou e engravidou.

Resolveu viver na Argentina e tentar uma nova vida. A gravidez transcorreu com calma, assim como o parto.

O que aconteceu pouco depois do nascimento da menina? Romina achou que estava enlouquecendo. Sentia que o mundo lhe era hostil. A presença do marido lhe parecia ameaçadora. Sugeri que elaborássemos, juntas, seu mapa familiar, as recordações do passado e a realidade do presente. Começamos a separar cada necessidade real da "Romina adulta" das antigas necessidades da "Romina menina". Descobrimos que havia uma relação entre os conflitos aparentemente graves com seu marido e os pedidos que não haviam sido atendidos em sua infância. Por outro lado, descobrimos que sua orfandade entrava em ação como vivência básica e a inundava no presente, e por isso ela se sentia terrivelmente só e desamparada. Fomos separando o que era atual daquilo que era primário. Porque tudo o que lhe acontecia no campo emocional acontecia com ela de verdade; isso era indiscutível, embora a dimensão do que lhe acontecia parecesse exagerada, do ponto de vista dos demais. Esse holograma entre passado e presente foi se tornando compreensível à medida que fomos analisando as experiências de abandono na infância, revividas, agora, na alma de uma mulher puerperal, quer dizer, desdobrada, fragilizada pelo rompimento espiritual decorrente do parto e da fusão emocional com o bebê.

Pouco a pouco Romina começou a aceitar suas visões, que não passavam de imagens de sua infelicidade. E teve a coragem de ir recordando, a cada dia, algo mais, de relacionar datas, histórias incompreensíveis aos olhos da menina que havia sido, mas que aos poucos foram se tornando compreensíveis para a mulher adulta que as recordava; despertando entendimento em relação a si própria e aos demais.

Esse processo terapêutico durou quase um ano. Enquanto isso, o bebê nunca foi separado da mãe, foi amamentado completamente, nunca adoeceu, não teve dificuldades para dormir nem manifestou qualquer problema.

Por quê? Porque, à medida que uma mulher vai assumindo a própria sombra, observa-a, indaga, investiga, questiona a si mesma, **libera o filho da manifestação dessa sombra.**

Há uma infinidade de casos semelhantes ao de Romina. O puerpério é o momento privilegiado para enfrentar — com acompanhamento e apoio — o surgimento de uma parte da sombra. Se a decisão pessoal for a de não querer saber, simplesmente o bebê manifestará, no plano que lhe for possível, em geral no corpo, a mensagem que a mulher estiver enviando a si própria. A decisão consiste em como e quando lidar com isso.

Creio que é indispensável saber de antemão que a sombra fará uma aparição desmedida durante o pós-parto; caso contrário, cada nova sensação assustará, em primeiro lugar, a mãe que a experimenta e, depois, todas as pessoas que a cercam, gerando desconcerto e levando-as a pensar que aquela loucura precisa ter um fim. É assim que se diagnostica apressadamente a "depressão pós-parto", partindo da premissa de que uma mãe "deve estar feliz porque seu filho é saudável", "não deve ficar triste", "seu choro não faz bem ao bebê" e tantas outras suposições baseadas na ignorância do processo previsível do puerpério.

Transformar-se em "mãe-bebê" é atravessar o puerpério em um estado de consciência de outra ordem. É preciso que as mães enlouqueçam um pouco, e para isso elas precisam do apoio daqueles que as amam, que lhes permitam abandonar sem risco o mundo racional, as decisões lógicas, o intelecto, as ideias, a atividade, os horários, as obrigações. É indispensável submergir nas águas do oceano do recém-nascido, aceitar as sensações oníricas e abandonar o mundo material.

Outros casos da manifestação da sombra, relatados por mães:

- "Uma noite tive uma discussão com meu marido sobre uma questão que já havíamos abordado sem chegar a um acordo. Insone, fitando o teto na escuridão, ouvi minha filha vomitando no quarto ao lado. Na realidade — percebo agora —, eu queria que essa situação se afastasse radicalmente de mim."
- "Tomei a decisão de dizer aos meus pais que não viessem passar as férias conosco. Eles me colocavam em uma posição infantil, e eu não conseguia ter autonomia em relação ao funcionamento de minha pequena família. Estava tão ner-

vosa que ficava sobressaltada toda vez que o telefone tocava. De repente, vi Nacho cheio de manchas, com a pele e os lábios vermelhos. Resolvi não esperar mais. Liguei para minha mãe e lhe disse, simplesmente, que estava precisando passar as férias sozinha com meu marido e meus dois filhos. Acho que ela não entendeu. Naquela mesma tarde Nacho já não tinha irritação alguma, e meu marido acabou achando que havia sido um exagero de minha parte ter me assustado tanto."

A PERDA DA IDENTIDADE DURANTE O PUERPÉRIO

Ao lado do fenômeno da fusão emocional, da aparição da sombra e da loucura necessária para que se internem em uma nova esfera de consciência, as mulheres se veem fora do mundo concreto, mas com a obrigação de continuar funcionando de acordo com suas regras. São as primeiras a se surpreender ao reconhecer que o espaço do trabalho, das amizades e dos interesses pessoais, que até poucos dias atrás consumiam suas energias, foi transformado em meras recordações abafadas pelo choro do bebê que as chama. Esta realidade as deixa assustadas e acreditando que nunca mais voltarão a ser a mulher maravilhosa, ativa, encantadora, inteligente e elegante que se tornaram com muita dedicação.

Com o surgimento do primeiro bebê, além da desestruturação física e emocional, torna-se evidente a **perda dos espaços de identificação**: ausentamo-nos do trabalho, do estudo, deixamos de frequentar os espaços de lazer, ficamos submersas em uma rotina aflitiva, sempre à disposição das demandas do bebê; cada vez menos pessoas nos visitam e, sobretudo, temos a sensação de estar "perdendo o trem", de ter ficado fora do mundo. A vida cotidiana é passada entre quatro paredes, pois sair com um bebê muito pequeno é quase sempre desanimador.

Somos puérperas durante um período que dura, em minha opinião, muito mais do que os famosos quarenta dias. O puerpério não termina quando o obstetra dá alta após a cicatrização da cesariana ou da perineotomia. Não se trata da recuperação definitiva do corpo físico depois da gravidez e do parto, mas tem a ver, sim, com a emoção compartilhada e a percepção do mundo com olhos de bebê. Doloridas, cortadas, humilhadas em muitíssimos casos pelos maus-tratos durante o parto (embora poucas mulheres tenham consciência disso), expelindo líquidos por cima e por baixo e com um bebê que chora sem que possamos acalmá-lo, deparamos com uma angústia terrível, que piora depois das seis da tarde, coincidindo dramaticamente com o horário mais difícil para a criança... Algumas mulheres também sofrem com a solidão, a falta de parentes ou amigos que as compreendam e abracem, um marido (caso tenham um) que trabalha o dia inteiro e o vazio produzido pelo fato de não reconhecerem a si mesmas.

Quando planejamos uma mudança para outro país, presumimos um período de adaptação, o aprendizado de outro idioma, a aceitação de novos códigos de convivência, a ausência de amigos e um mundo novo a descobrir. A chegada de um primeiro filho produz nas mulheres uma perda de identidade semelhante, embora parir não seja exatamente como mudar de país: é mudar para outro planeta!

As mulheres puérperas têm a capacidade de sintonizar a mesma frequência do bebê, o que lhes facilita criá-los, interpretar suas necessidades mais sutis e se adaptar à nova vida. Por isso, é frequente a sensação de estar flutuando em outro mundo, sensíveis e emotivas, com as percepções distorcidas e os sentimentos confusos.

A situação é inversa, mas não menos complicada, para as mães que querem ou devem voltar ao trabalho quando seu bebê ainda é muito pequeno... Normalmente, exige-se da mulher puérpera que renda no trabalho e lhe dedique longas horas, como fazia antes do nascimento do bebê. As mulheres têm de fazer de conta que nada mudou. São obrigadas a entrar imediatamente em contato com o mundo exterior ativo e colocar a mente em funcionamento. Para conseguir isso precisam ignorar o estado de fusão emocional com o bebê que deixaram em casa, pois, em geral, o entorno profissional não avaliza nem facilita estados regressivos. Nesses casos, as mães não se permitem unir o mundo interno com o de fora. E nem sequer têm registro desse corte fictício.

Essa integração não é muito facilitada por nossa sociedade, e então surge um transtorno: **"Se trabalho, tenho de abandonar meu filho. Se fico com meu filho, não pertenço mais ao mundo."** São poucos os lugares públicos que toleram os bebês, fato que traz como acréscimo a separação dos espaços da vida social da mulher-sem-bebê de outro âmbito, extremamente privado, da mulher-com-bebê. Sair com o pequeno nas costas requer esforço e imaginação, mas são as mulheres que devem instalar seu ser mães-pessoas nos lugares de pertencimento que sejam prioritários a cada uma.

Tanto a sensação de estar enclausurada como a situação de desconexão são estados não escolhidos conscientemente pelas mães, que, em sua maioria, vivem a maternidade como um sinônimo de solidão e ausência de um mundo externo, sem ter imaginado antes o que significaria na realidade a presença do bebê.

Tampouco contamos com grande ajuda exterior, pois nossa sociedade desconhece profundamente a essência do bebê humano. Observa-o com desconcerto, tentando compreendê-lo do ponto de vista do adulto e pretendendo que se adapte ao mundo funcional dos mais velhos. Essa grande distância entre as duas "frequências" aumenta a sensação de solidão e incompreensão das mães recentes.

ENTRE O EXTERNO E O INTERNO

Nesse período tão crítico pode ser útil, no sentido de tornar a vida mais fácil, procurar novos pontos de referência que tenham relação com as necessidades concretas do aqui e agora, pois uma coisa é se inteirar do que acontece com as mulheres e outra, muito diferente, se transformar em mãe.

Os espaços de pertencimento devem ser procurados entre iguais; neste caso, entre outras mães que buscam um lugar no mundo.

Descobrimos, assim, que não estamos tão sós, que nossos temores e preocupações são semelhantes e que trocar experiências nos fortalece.

Um grupo de apoio permite que os estados regressivos, as intuições e as emoções fluam, reavaliando socialmente as facetas da personalidade que estavam escondidas e que, ao ficar em evidência, nos completam. Dito de outro modo, quando as mães encontram espaços nos quais **o que lhes acontece** não só é compartilhado, mas, além disso, é **aconselhável**, o pós-parto deixa de ser um monstro temido e pode se converter em uma mágica travessia. Definitivamente, **o puerpério é uma abertura do espírito.** A astúcia consiste em compartilhar esse período com mulheres que tenham a intenção de atravessar essa experiência em vez de perder tempo com pessoas que temem as mudanças, tentando justificar o que acontece com elas e fazendo de conta que não estão submersas na loucura.

A quantidade de conselhos que as mães recebem a partir do surgimento do bebê — um leque de sugestões contraditórias — produz, logicamente, uma desorientação e uma infantilização que as obrigam a se conectar ao que é correto, em vez de atender aos caprichos de sua sombra, ditados pela parte mais oculta de seu coração.

As necessidades da mãe puérpera têm a ver com a contenção afetiva, a aceitação de suas emoções e a confiança que podemos lhe oferecer para que se conecte com o que acontece com ela. Os conselhos carecem de sentido quando não guardam estreita relação com a história emocional de cada mulher. Em termos gerais, devemos recordar que as mulheres puérperas perderam seu equilíbrio emocional, que estão funcionando simultaneamente em dois aspectos (o aspecto adulto e o aspecto bebê) e que também perderam suas referências externas. Por isso, só precisam de pontos de apoio para se sustentar nas **referências internas**, na essência do que cada uma é e na experiência de vida que tivemos até o momento. Sobretudo, nas experiências, dificuldades, obstáculos e temores que não admitimos.

Uma mãe com um recém-nascido cheira a sexualidade, exuberância, sangue, leite, aromas, fluidos. O nascimento, uma irrupção no mundo físico, gera sentimentos tão intensos que ninguém permanece indiferente. Por isso, cada pessoa que tenta uma aproximação o faz marcada pelo impacto pessoal provocado por cada caso.

Frequentemente, os observadores do fenômeno fusional da díade mãe-filho se instalam confortavelmente na lógica racional e passam a ditar leis incompreensíveis para o universo das mães e seus bebês. O que é certo ou errado se constitui em guia, e todos se sentem mais tranquilos. Menos as próprias mães.

Poderíamos, por outro lado, acompanhar esses processos com toda a nossa capacidade emocional. Reconhecer que nossa subjetividade está envolvida. Permitir que cada mulher construa sua maneira pessoal de se tornar mãe. Oferecer informações à medida que estejam a serviço do outro como indivíduo único e diferenciado. Esta atitude é válida para profissionais de saúde, maridos, parentes, amigas, vizinhos e professores.

Sabemos muito pouco quando o que sugerimos não é sustentado por um conhecimento mínimo da história pessoal da mãe. A única pessoa que sabe — sem saber que sabe — é a mãe. Por isso, a principal contribuição que podemos lhe dar consiste em ajudá-la a avaliar suas necessidades e sua intuição, para tomar decisões com respeito à criação de seu bebê. Há milhões de maneiras ótimas de criar os bebês, tantas quanto há mães no mundo, desde que as adotem com total sinceridade em relação a elas próprias. Para tal é indispensável se comprometer em um árduo e corajoso trabalho de indagação e introspecção pessoal. Sugiro a leitura dos meus livros dedicados a descrever a construção da biografia humana.

Nossa sociedade tem pressa em voltar à normalidade. Todos querem que a mãe volte a ser a mesma de antes, que emagreça depressa, que interrompa a lactação, que volte ao trabalho, que se mostre esplêndida... Enfim, que esteja afinada com os tempos que vivemos. É a era da internet, do e-mail, do telefone celular, da televisão via satélite, dos aviões e das estradas de alta velocidade.

O mundo anda na velocidade da luz enquanto as mães submergem nas trevas do recolhimento, conservando suas novas formas e pedindo silêncio. Gostaríamos que as mães e seus bebês não fossem tão diferentes do resto das pessoas...

Compreender essas duas realidades superpostas nos permite tolerar que as mães atravessem lentamente o processo maternal. Estar perto das mulheres puérperas é, antes de tudo, defendê-las de exigências sociais absurdas e predatórias.

O mundo poderá se transformar. Chegaremos a Marte, Júpiter ou Netuno, mas necessitaremos sempre de nove longos meses para gerar nossos filhos, de outros nove meses para que comecem a se deslocar com autonomia e de longuíssimos anos para que sejam capazes de enfrentar o mundo sem a ajuda dos pais.

Para atravessar o puerpério é preciso distinguir a necessidade pessoal de mergulhar na fusão e o medo ou incompreensão dos outros, que aceleram os processos, pois o que eles percebem é muito diferente de tudo o que se sabe. Mas este é um problema dos outros. Ter clareza a respeito do próprio desejo, confiar na intuição e impulsionar o voo em direção ao interior da alma feminina são atitudes que facilitam a travessia.

CAPÍTULO

2

O parto

O parto como desestruturação espiritual • Institucionalização do parto • A submissão durante o parto ocidental: rotinas • Reflexões sobre os maus-tratos • A opção de parir cercada de respeito e cuidados • Acompanhar o parto de cada mulher • Existe um lugar absolutamente ideal para parir? • Parto e sexualidade • Recordando meu segundo e terceiro partos.

O PARTO COMO DESESTRUTURAÇÃO ESPIRITUAL

Para que o parto aconteça é necessário que o corpo físico da mãe se abra para deixar passar o corpo do bebê, permitindo certo rompimento. Quando elevamos nosso pensamento, podemos perceber outro rompimento que também se realiza, agora em um plano mais sutil, e corresponde à nossa estrutura emocional. Há um "algo" que se quebra ou se desestrutura para possibilitar a transição do "ser apenas um para ser dois".

É uma pena que atravessemos a maioria dos partos com uma consciência precária a respeito de nossos poderes e limitações, pois vivê-los plenamente permitiria, também, que nos quebrássemos por completo. Porque o parto é isso: um corte, uma abertura forçada, semelhante à erupção de um vulcão que geme a partir das entranhas e que, ao expelir partes mais profundas, rompe necessariamente a aparente solidez, criando uma estrutura renovada.

Hoje os partos conduzidos, as anestesias e analgesias rotineiras e a pressa de todo o sistema para terminar rapidamente o trâmite (o parto) não convidam a aproveitar esse momento fundador na vida sexual das mulheres como ponto de partida para conhecer nossa verdadeira estrutura emocional, que precisamos fortalecer.

O fato é que — conscientemente ou não, acordadas ou adormecidas, bem-acompanhadas ou sozinhas — o nascimento acontece.

Depois da erupção do vulcão (o parto), as mulheres se veem com um filho nos braços e, além disso, com seus pedacinhos emocionais (as pedras que se desprendem) esparramados por aí, rodando, meio rotos e atordoados, em direção ao infinito, ardendo em fogo e temendo destruir tudo o que tocam. Os pedacinhos emocionais se desintegram e caem onde podem. Em geral, se manifestam no corpo do bebê ou da criança pequena, nos quais conseguem se plasmar, pois os pequenos têm, por um lado, uma abertura emocional e espiritual disposta (como uma planície com pasto úmido que recebe as pedras) e, por outro, carecem de pensamentos ou ideias que os obriguem a rechaçá-los. Simplesmente, as emoções desarmadas, quando sofrem, se fazem sentir no corpo do bebê, que permanece disponível.

Assim como um vulcão, uma vez que expelimos nosso fogo, o conteúdo fica exposto nos vales receptores. **É a sombra, expulsa do corpo.**

Atravessar um parto é se preparar para a erupção do vulcão interno, e essa experiência é tão avassaladora que requer muita preparação emocional, apoio, acompanhamento, amor, compreensão e coragem por parte da mulher e de quem pretende assisti-la.

De maneira lamentável, hoje em dia consideramos o parto um ato puramente corporal e médico. Um trâmite que, com certa manipulação, anestésicos para que a parturiente não seja um obstáculo, drogas que permitam decidir quando e como programar a operação e uma equipe de profissionais que trabalhem coordenados, possa extrair um bebê corporalmente são e comemorar o triunfo da ciência. Esta modalidade está tão arraigada em nossa sociedade que as mulheres nem sequer se questionam se foram atrizes ou meras espectadoras de seu parto. Se aquele foi um ato íntimo, vivido na mais profunda animalidade, ou se fizeram o que se esperava delas.

Conforme atravessamos situações essenciais de rompimento espiritual inconscientes, anestesiadas, adormecidas, infantilizadas e assustadas, ficamos sem ferramentas emocionais para rearmar nossos "pedacinhos em chamas" e permitir que o parto seja uma verdadeira passagem da alma.

INSTITUCIONALIZAÇÃO DO PARTO

O início do vínculo "mãe-bebê" está muito condicionado à experiência do parto e aos primeiros encontros entre mãe e filho. Em geral, não são tão ideais como descrevem as revistas e os livros especializados. Por isso, parecem-me pertinentes algumas considerações sobre a institucionalização e consequente desumanização desse momento fundador, que perdeu sua conotação de acontecimento íntimo, sexual, amoroso, pessoal, único e mágico.

O parto deveria ser revelador, no sentido de que cada mulher deveria ter a possibilidade de parir da maneira mais próxima daquilo que ela **é em essência**. São poucas as mulheres que conseguem se ver refletidas no parto que acabam de atravessar. Os partos não são bons nem ruins, mas a vivência de cada mãe é fundamental para a compreensão posterior de suas dificuldades no início do vínculo com seu filho.

Não é possível falar de partos sem dirigir um olhar honesto ao que acontece em 99 por cento deles na sociedade ocidental. A maioria transcorre em uma instituição médica — clínica ou hospital —, em que ninguém acredita que valha a pena levar em conta as condições emocionais da parturiente. A assistência aos partos — da maneira como são vividos hoje em dia — foi dominada pelo pensamento funcional, e, neste sentido, o pessoal assistente tem um único objetivo: extrair um bebê relativamente saudável. Não importa como, nem a que preço emocional (que lhes é invisível). Creio que a partir deste pensamento se estabeleceu uma série de rotinas que, como tais, perderam o sentido original, o objetivo específico que pode tornar necessárias algumas intervenções. A banalização e a generalização dessas práticas cresceram em detrimento do corpo e das emoções da mãe.

A SUBMISSÃO DURANTE O PARTO OCIDENTAL: ROTINAS

Na maioria dos partos as mulheres recebem um atendimento massificado. Isto significa que os partos tendem a ser parecidos, em relação à duração, à dor e aos resultados. Quase todas as decisões são tomadas em função do objetivo de terminar o mais rápido possível.

Rápido se converteu em **melhor**. Quando uma mulher atravessa um parto em pouco tempo, o considera "um bom parto". Quando dura 24 horas ou mais, acredita que foi um fracasso. Obviamente, esta crença não está baseada em nada.

Prevalece, também, a intenção de evitar a dor, embora "dor" seja diferente de "sofrimento". O sofrimento é vivenciado quando a mulher se sente só, desprotegida, desamparada, humilhada ou acha que não está fazendo o correto. Quando está em posição dorsal (deitada), com soro (que não permite que se levante da maca nem se vire), ouvindo as pulsações do bebê amplificadas e tentando adivinhar o que significa a expressão do obstetra ou da parteira depois de cada toque. Quando lhe dão um ultimato ("Se em meia hora você não terminar a dilatação, vamos para a cesariana."). Quando não permitem que se queixe, grite ou chore. Quando a única coisa que anseia é acabar com o pesadelo. Quando não lhe ocorreu pedir a companhia de um ser querido. Quando não tem ideia do que precisa, porque nunca pensou nisso e não perguntou a ninguém. Quando se sente uma porcaria, sem identidade, sem história, sem vida. Quando é chamada de "a gordinha do quarto 8" ou "a bolsa rompida que foi internada à meia-noite". Isso é tudo o que ela é, com os pés e as mãos amarrados, sofrendo câimbras na cadeira obstétrica, com a genitália descoberta, enquanto assiste à troca de turno das enfermeiras e o tempo corre a favor dos demais.

O parto — tal como é vivido hoje em dia — se transformou em uma sucessão de atos rotineiros, a saber:

Internação precoce: A mulher chega com contrações à instituição médica. Depois, é submetida a um exame de toque em que dificilmente olharão mais do que seus órgãos genitais. Decidirão pela internação se acharem que "está na data do parto" (a partir da 38ª semana de gravidez), mesmo que não tenha nenhuma ou muito pouca dilatação do colo do útero. Isso significa que a mulher pode estar em trabalho pré-parto, com início de contrações, mas não necessariamente em franco trabalho de parto.

A internação pressupõe permanecer deitada e ficar à mercê de frequentes exames de toque vaginais, realizados por várias pessoas (nos hospitais públicos, vários estudantes de obstetrícia fazem suas práticas). A desumanização e a falta de individualidade jogam contra.

Depilação e lavagem: Prática humilhante e incômoda para a mulher, inteiramente desnecessária. No caso de precisar de uma perineotomia, o lugar por onde se faz o corte é praticamente desprovido de pelos. A respeito das lavagens, a maioria das mães movimenta o ventre uma ou várias vezes durante o trabalho de parto, devido à própria pressão que as contrações uterinas exercem sobre o ânus. A consequência de uma lavagem é um gotejar permanente de matéria fecal líquida que a mãe não pode controlar e a humilha. As consequências da depilação são também uma humilhação desnecessária e, depois, um crescimento do pelo púbico que pica e incomoda em uma zona tão frágil como é a da vagina. Vale a pena questionar se há algum motivo lógico que justifique essas práticas.

Indução: Quase todas as mulheres, ao serem internadas para o trabalho de parto, são submetidas à famosa indução. Trata-se da aplicação de oxitocina sintética (que é um hormônio produzido naturalmente pelo organismo para provocar as contrações uterinas), e tem o único objetivo de acelerar as contrações, para que o parto seja mais rápido. Deveríamos nos perguntar por que um parto rápido é melhor. Quem tem tanta pressa? Esta prática também é chamada de indução do parto. É utilizada quando a data já chegou, ou seja, entre a 38ª e a 40ª semana de gravidez, e a mulher não está dilatando. Essa via aberta permite aos médicos administrar drogas para estender o trabalho de parto, se assim desejarem, por comodidade de horários, superposição de partos ou troca de plantão, ou, ainda, para acelerá-lo, por razões que poucas vezes têm relação direta com a parturiente.

Muitas mulheres comentam, como se tivessem um defeito natural, que "não dilatam". Todas as mulheres dilatam... Basta esperar o momento em que o trabalho de parto comece espontaneamente.

É interessante notar que nas clínicas particulares nascem, às sextas-feiras, muitíssimos bebês depois de induções de parto. Para os obstetras, parteiras e assistentes, é mais tranquilizador concluir os partos que podem acontecer de forma espontânea nos fins de semana.

Todos os livros de obstetrícia consideram a 40ª semana — com uma margem de erro de 15 dias para mais ou para menos — como a data provável do parto. Ou seja, a data provável do parto vai da 38ª à 42ª semana. Mas são cada vez mais raros os médicos dispostos a esperar pela 42ª semana. Os cálculos são estimativos. Outra consequência das induções de parto é o elevadíssimo número de bebês nascidos com baixo peso, que requerem assistência médica, com a consequente separação corporal da mãe, estresse para a criança e sua família, dificuldade para o início da lactância etc. Quando o parto não acontece e se supõe que a mulher já completou a 40ª semana, com frequência o parto é induzido, e depois se constata que o peso e a maturidade do bebê correspondem à 38ª semana. Diante da evidência da quantidade de bebês que lotam os serviços de recuperação neonatológica vale a pena questionar essa pressa generalizada e sem sentido.

As induções rotineiras do parto trazem outra consequência gravíssima: ao introduzir oxitocina em maior quantidade do que aquela que o corpo da mãe produz naturalmente, as contrações se tornam muito mais dolorosas, intensas e contínuas. Em alguns casos, o parto se acelera tanto que acontece em poucas horas. Outras vezes, as contrações uterinas são mais intensas do que as que o bebê pode suportar e aceleram o ritmo das batidas do coração para enfrentar a falta de oxigênio. Quando ele se cansa, as batidas caem para menos de 120 por minuto. Isto significa sofrimento fetal. O bebê precisa de oxigênio. A indicação correta é fazer uma cesariana.

É assim que fabricamos a impressionante quantidade de cesarianas no mundo ocidental.

Permitir que uma mulher atravesse o trabalho de parto ao ritmo de suas contrações naturais, com os devidos cuidados e acompanhamento, faz com que o sofrimento fetal dos bebês seja uma exceção. O elevadíssimo número de cesarianas realizadas hoje em dia tem em parte seus motivos, uma vez que todos os partos são precedidos pelas induções de rotina. "De rotina" significa que não se avalia de forma prévia cada situação, mas que, por determinação da instituição, são aplicadas a toda mulher que se interne com contrações. Vale esclarecer que, embora já tenham contrações, muitas mulheres não começaram o trabalho de parto propriamente dito. Quando é feita uma cesariana, a mulher é condenada a outras cesarianas e tem, por fim, sua maternidade limitada a três filhos.

Perineotomia: É o corte que costumam fazer em pleno períneo, atingindo uma parte do lábio da vagina. O objetivo é acelerar o período de expulsão. Esta prática é adotada em quase todos os partos naturais. O músculo é cortado de forma oblíqua, e por isso a cicatrização é muito dolorosa e leva as puérperas a um sofrimento tal que isso acaba repercutindo, necessariamente, na disponibilidade da mãe em cuidar do recém-nascido. Com a perineotomia tenta-se evitar a possibilidade de uma rasgadura. No entanto, se as rasgaduras podem ser importantes quando a mãe está recostada, são pequenas quando o parto é vertical.

Cesarianas: Quando se transforma a indução dos partos em rotina, é lógico que a maioria das cesarianas é "fabricada". Por ter sido exigida da mãe e do bebê uma dinâmica artificial no trabalho de parto que finalmente acaba explodindo, ambos são salvos graças à cesariana.

Uma cesariana é tão grave? Não, não é gravíssima em si: hoje em dia as cesarianas salvam muitas crianças e muitas mães, e é uma maravilha que exista esta possibilidade sem grandes riscos. A única coisa grave é o número de **cesarianas desnecessárias** que são praticadas no mundo ocidental por desconhecimento, por dinheiro, por estarem a serviço da comodidade dos profissionais e pela banalização desta prática. E também devido ao pouquíssimo questionamento de práticas médicas e paramédicas que permita discernir entre o que é necessário fazer e o que é prescindível quando há um custo demasiadamente elevado para o ser humano que está sendo atendido. Está claro que o preço da desumanização é pago pelas mulheres com seus corpos. O desconhecimento de nós mesmas, a desconexão com a qual levamos adiante nosso porvir e a infantilização e falta de maturidade para enfrentar os desafios de nossa vida são aspectos culturais suficientes para que nos submetamos a qualquer situação enquanto são outras pessoas que tomam as decisões.

Os maus-tratos: As mulheres relatam com riqueza de detalhes os maus-tratos que sofrem nos hospitais e nas salas de primeiros-socorros, ainda que na obstetrícia os maus-tratos não ocorram apenas com os pobres. As mulheres passam horas com as pernas amarradas, abertas, sem poder se mexer, cheias de câimbras, com os órgãos genitais desnudos à vista de enfermeiras, parteiras e estudantes de medicina que entram constantemente nas salas de parto, compartilhadas, além do mais, com outras parturientes que gritam de dor, de solidão, de desamparo, de maus-tratos e da falta de respeito a esse ser fragilizado que está prestes a dar à luz. É claro que, diante dessas circunstâncias, as mulheres preferem ser anestesiadas, dormir e desejam que a tortura termine o quanto antes.

Anestesia peridural: As mulheres acreditam, no meio da solidão, do desamparo e do medo, que a dor será intolerável. Quando o parto é induzido, de fato as contrações são muito dolorosas. Quando a mulher está em posição dorsal (deitada), imobilizada, amarrada à mesa obstétrica, com as pernas levantadas e tomadas por câimbras, com um braço imobilizado pelo processo de indução, com os aparelhos de monitoração cercando sua cintura, com o som das batidas do coração do bebê inundando seu temor, costuma pedir aos gritos uma anestesia peridural que a salve desse inferno. Por sorte, ela existe. Muitos médicos preferem administrá-la desde o princípio, pois assim a paciente não incomoda e, então, eles podem trabalhar em paz. Desta maneira, as mulheres se livram da dor, mas também do prazer; perdem o medo, mas também a luxúria da ruptura. Claro que, para se internar na dor, as condições do trabalho de parto deveriam ser outras: movimento livre do corpo, acompanhamento amoroso, progressão natural do trabalho de parto. A anestesia que é experimentada como se fosse salvadora é, muitas vezes, um recurso dentro da situação prévia de submissão na qual a mulher entra com total ingenuidade e sem vontade de saber a verdade.

REFLEXÕES SOBRE OS MAUS-TRATOS

As mulheres têm dores de parto, mas quando relatam suas experiências, sem que se deem conta, se referem aos maus-tratos que geram sofrimento, e que elas confundem com "dor".

Cada parto é diferente. Naturalmente, duram mais tempo do que hoje se admite como tolerável. Entre 12 e 24 horas é um tempo médio razoável; até mesmo dois ou três dias de parto podem ser necessários para que a mulher "elabore" inconscientemente o desprendimento e se sinta capaz de abrir o corpo e se entregar ao rito de passagem.

"Eu não dilato" costuma ser a explicação que algumas mulheres dão para justificar a cesariana. No entanto, todas as mulheres dilatam. Simplesmente, não se esperou tempo suficiente. **Uma mulher que não dilata é alguém que não começou o trabalho de parto.**

Cada vez que uma mulher tem a coragem de relatar os maus-tratos que recebeu durante o trabalho de parto, adquirindo consciência do vivido, se produz uma avalanche de identificações em suas recordações. E aí, com espanto, cada uma constata o que não se atreveu a dizer, o que não conseguiu pedir, o que não exigiu, o que não soube.

Devemos notar que em outras práticas médicas correntes, como uma operação de apêndice, ninguém é tão maltratado como uma parturiente. Talvez isso se deva ao fato de que ao redor de um nascimento, assim como ao redor da morte, todos estamos envolvidos. Nada nos é indiferente. Cada nascimento nos remete ao *nosso*, aos filhos que tivemos, aos que não tivemos, aos que gostaríamos de ter, aos que perdemos. E um fato tão comovente precisa ser acompanhado por pessoas capazes de se envolver emocionalmente, além de conhecer e saber lidar com algumas técnicas que possam ajudar o nascimento. Se os acompanhantes não têm esta consciência, advêm os maus-tratos, porque o que se vive é demasiadamente intenso, demasiadamente animal para que se possa tolerá-lo como simples espectadores.

Ser testemunha de um rompimento espiritual de tais dimensões pressupõe ter clareza sobre o próprio caminho. Acompanhar um parto da posição profissional não é o mesmo que dar assistência a uma prática médica de qualquer outra ordem. Creio que a falta de consciência sobre a ruptura que se está produzindo e a pouca conexão consigo mesma é o que motiva a necessidade de estabelecer distâncias regulamentares com o que acontece. Por isso, os maus-tratos a que está submetida a maioria das mulheres em situação de parto funcionam como um resguardo para não ser sugada pela intensidade emocional que toma conta do cenário.

Vejamos alguns relatos de parturientes:

- "No hospital, eu não me atrevia a gritar, porque ouvi outra parturiente gritando muito e lhe deram uma bofetada. Então, eu me disse: 'Quem sabe se não vão bater em mim também...'"
- "O nível socioeconômico nada tem a ver. Eu fiquei em uma clínica particular de prestígio e quando a enfermeira chegou me descobriu e me censurou porque eu havia manchado os lençóis. Recém-saída da sala de cirurgia, eu estava meio adormecida..."
- "Eu tive uma rasgadura e não acreditavam em mim; queriam que me levantasse a todo custo. Eu chorava de dor, até que consegui que um médico me examinasse e dissesse que de fato tinha uma rasgadura e eu não podia caminhar."
- "Tinham me prometido que meu marido poderia entrar na sala de parto comigo, mas, quando chegou o momento, ninguém ouviu nossos pedidos."

- "Cada vez que eu gritava por causa da dor de uma contração, a enfermeira ria e me dizia: 'Quando você fez, gostou muito.' Eu não podia acreditar que naquele momento alguém estivesse me dizendo uma coisa daquelas."
- "Quando disse ao meu médico que queria esperar que o parto se desencadeasse sozinho, sem provocá-lo, ele me disse: 'Se você quer que seu filho morra, o problema é seu.'"

A maioria das mulheres guarda recordações de sofrimento, mas não tem consciência dos maus-tratos que recebeu.

Antes da era dos partos feitos por médicos e sistematicamente institucionalizados, as mulheres pariam acompanhadas de alguma mulher experiente e assistidas por outras mulheres: mães, primas, irmãs. É verdade que os partos difíceis eram dramáticos; as condições de higiene geravam uma mortalidade perinatal muito superior à de hoje em dia. Mas, em outro sentido, tinham melhor qualidade de parto; desfrutavam de proteção, tempo e respeito. Ninguém as apressava. Ninguém as obrigava a se deitar. Ninguém as espetava ou cortava. E, logicamente, as complicações nos partos eram menos frequentes do que atualmente.

O corpo fala. O corpo tem memória: aquilo que aquela mãe e aquele bebê atravessam juntos vai deixar marcas em ambos. Os partos descuidados e as promessas não cumpridas deixam marcas. Quase não há médicos que aceitam fazer partos sem indução e sem realizar perineotomias de rotina. O sistema econômico exige que os partos sejam apressados. No entanto, cada parto é único e merece ter o próprio tempo. As empresas de plano de saúde pagam muito pouco a médicos e enfermeiras pelo atendimento de um parto e, por essa razão, os profissionais costumam se encarregar de muitos partos por mês, com a consequente falta de disponibilidade. Falar de partos em nossa sociedade é falar de maus-tratos à mulher, de desumanização e de falta de respeito.

O mundo seria outro se pudéssemos acompanhar cada parturiente em seu processo pessoal, sem nenhuma outra ciência além de envolver o coração, sendo capazes de estar atentos para o caso de aparecer algum risco e avaliar com seriedade as intervenções absolutamente necessárias e benéficas para um bom nascer.

A OPÇÃO DE PARIR CERCADA DE RESPEITO E CUIDADOS

Creio que chegou a hora de cuidarmos de nossos partos. É insólito que em matéria de partos as mulheres estejam tão desconectadas, sejam tão ignorantes e se vejam sem condições de fazer boas escolhas. Isto se contrapõe a outros aspectos de nossa vida cotidiana, como o trabalho e as relações sociais, familiares ou afetivas, em que lidamos com diversos graus de autonomia e liberdade.

Há alguma possibilidade de imaginarmos um parto diferente? É importante?

Comecemos pensando que o parto não é apenas um fato físico que começa com as contrações uterinas e termina com o nascimento do bebê e o desprendimento da placenta. É, acima de tudo, uma experiência mística, talvez o fato mais importante da vida sexual das mulheres. E por se tratar de um fato sexual temos o direito de vivê-lo na intimidade e com profundo respeito à pessoa como ser único, com sua história, suas necessidades e seus desejos pessoais.

Intimidade significa conexão com nosso ser profundo, sem avaliações externas do que é bom ou ruim. Como na nossa vida sexual, na qual tentamos desenvolver nossas capacidades essenciais, acomodando nossas idiossincrasias, maneira de ser, impulsos e desejos pessoais, assim deveriam ser os partos. Diferentes e únicos.

A dor — tão desprestigiada nos tempos modernos — é necessária no resguardo. Para se conectar com partes muito escondidas de nosso ser, para investigar bem lá dentro e sair do tempo e do espaço reais. Para entrar em um nível de consciência intermediário, um pouco fora da realidade. A dor permite que nos desliguemos do mundo pensante, percamos o controle, esqueçamos a forma, o correto. A dor é nossa amiga, nos leva pela mão até um mundo sutil, onde o bebê reside e se conecta conosco. Perdemos a noção de tempo e espaço. Para entrar no túnel da ruptura é indispensável abandonar mentalmente o mundo concreto. Porque parir é passar de um estágio a outro. É um rompimento espiritual. E como todo rompimento, provoca dor. **O parto não é uma enfermidade a ser curada. É uma passagem para outra dimensão.**

Pois bem, isto só é possível quando alguém nos apoia. Quando contamos com um acompanhamento amoroso por parte de um profissional ou de um ser querido disposto a nos olhar e a se colocar a nosso serviço.

Quando as mulheres precisam estar atentas para se defender dos maus-tratos e da desumanização, é subtraída delas a capacidade de examinar as profundidades de seu ser. Por isso, é imprescindível escolher a melhor companhia para essa viagem. Não nos conformemos com o que todo mundo escolhe, com os médicos da moda ou prestigiados. Ao contrário, devemos avaliar quem está disposto a observar nosso personalíssimo encontro com a sombra, cuidando de nós e fazendo tudo que não coloque em risco nossa saúde física e espiritual.

ACOMPANHAR O PARTO DE CADA MULHER

Dar assistência a um parto é tarefa muito complexa, devido à dimensão do fazer humano. E a situação é tão imensa e misteriosa que a maioria dos profissionais opta por desconhecer "o humano" no atendimento e acompanhamento dos partos, refugiando-se na intervenção, que os acalma e lhes dá a sensação de terem "feito tudo o que havia a fazer".

Levando em conta que a parturiente precisa de muita proteção para que se sinta incentivada a se deixar levar pelo rompimento físico e espiritual que tem de ser produzido para permitir a saída do bebê, deveríamos considerar esse momento (às vezes, longuíssimas horas, inclusive dias) merecedor da maior amorosidade. Só com amor uma pessoa pode mergulhar em uma viagem ao desconhecido, chegar a um limite imaginário entre vida e morte e se lançar ao infinito.

E é tamanho o desconhecimento que temos sobre o alcance dessa passagem que fazemos todo o possível para pensar e produzir fatos que nos mantenham aferrados ao plano material. Impomos regras, horários, datas, tempos, posições; cortamos, espetamos, medimos, analisamos, medicamos, anestesiamos, de maneira que tudo seja bem concreto, palpável e indiscutível. Em outras palavras, tratamos de estar muito preocupados com os aspectos corporais, de modo que não haja lugar para outro tipo de considerações. É uma possível explicação para compreender por que os partos se transformaram em um contexto em que as mulheres se perdem em vez de se encontrarem com o que são.

Quase todas as rotinas impostas a partir da entrada de uma parturiente em uma instituição médica têm por objetivo desumanizar o evento. A mulher perde a identidade, ninguém a chama pelo nome, não é informada com amabilidade sobre o desenvolvimento do parto, é deitada em uma maca incômoda, não lhe é permitido caminhar para se deslocar até a sala de parto e, naturalmente, não pode gritar sem ser castigada; a maioria dos partos é induzida, ou seja, eles são acelerados deliberadamente ou, então, as contrações são retardadas, de acordo com a disponibilidade de horários da equipe médica.

Estas práticas são tão comuns que quase ninguém as questiona. Nisso reside meu maior desconcerto. Quando as situações injustas são correntes, perdemos a noção de liberdade.

Historicamente, as mulheres atravessaram seus partos cercadas de mulheres experientes. Foi só no século XVII que os médicos homens ingressaram nesse terreno, deitando a mulher para terem mais comodidade na investigação, e começando a tratar os partos como enfermidades. Hoje em dia isso está tão incorporado à cultura ocidental que não podemos imaginar um parto fora de uma instituição médica.

Sem desmerecer os avanços obtidos e a redução da mortalidade perinatal, é uma pena que os avanços conseguidos graças ao conhecimento se voltem contra a integridade emocional das mulheres que dão à luz uma criança.

Pois bem, para usar a tecnologia em benefício das parturientes é necessário estabelecer uma aproximação humana que permita conhecer cada mulher em particular. Aquela pessoa fez uma opção de vida e tem uma história, uma situação afetiva, econômica e psíquica únicas. E a melhor maneira de nos aproximarmos é perguntando: "Como vai você? Precisa de alguma coisa? O que posso lhe oferecer? Está com medo? Sentindo dor? Quer a companhia de alguém? Está confortável? Quer me contar algo que eu não saiba? Quem está cuidando de seus outros filhos? Quer mandar algum recado? Você tem mãe? Tem boa relação com ela?", entre outras questões.

Claro que o ideal é chegar ao parto com algum vínculo preestabelecido. Falo de vínculo, não de visitas obstétricas destinadas a monitorar a gravidez.

Quando há um acompanhamento humano, o parto pode ser doloroso, longo, cansativo ou complicado, mas a mulher o atravessa buscando recursos genuínos. Caso contrário, qualquer situação de dor ou de medo se transforma em sofrimento e desamparo. E assim, nesse estado de desintegração psíquica, as mães têm de se ocupar de seus bebês: destruídas.

Compreendo que não tenhamos muita vontade de pensar — justo em um momento que todos querem considerar muito feliz — nos níveis de violência e de submissão que ocorrem nas salas de parto, provocados, também, por enfermeiras, parteiras e pelo pessoal de limpeza. Talvez este seja o espaço mais sutil encontrado por toda a sociedade para se permitir exercer o controle, os maus-tratos e o ódio sobre o poder infinito das mulheres que estão parindo.

Vale a pena pensar e procurar modelos mais felizes de viver todos os aspectos de nossa vida. Isto concerne a nós, mulheres. E são as próprias mulheres que podem gerar modelos alternativos.

EXISTE UM LUGAR ABSOLUTAMENTE IDEAL PARA PARIR?

Nos países mais desenvolvidos as mulheres estão criando modelos autônomos e livres para parir. Na França, foi muito reconhecido o trabalho realizado, a partir da década de 1960, pelo doutor Michel Odent no Hospital de Pithiviers, em Loiret, ao sudoeste de Paris. Desde os anos 1980 Michel Odent se dedicou a percorrer o mundo para compartilhar suas pesquisas a respeito de partos respeitados, partos com intervenção e suas consequências. Recomendo todos os seus livros. Na Inglaterra, Alemanha e Holanda, cada vez mais mulheres optam por parir em casa, acompanhadas por parteiras, ou em "casas de nascimento", que se assemelham menos a um hospital e mais a um lar. Desta maneira conseguiu-se diminuir consideravelmente o número de cesarianas e de intervenções desnecessárias. Na Espanha, cresce o fenômeno de parir em casa. Nos Estados Unidos, a metade das mulheres tem filhos em "casas de nascimento", acompanhadas por parteiras.

Em geral, essas casas de nascimento estão associadas a um hospital próximo, para onde, em caso de necessidade de uma intervenção, a parturiente é transferida. A iatrogenia e o número de intervenções são muito baixos. E esse tipo de atendimento é muito econômico!

Na Argentina, há alguns poucos profissionais trabalhando nesse sentido. Depende da maturidade de cada mulher e da introspecção que cada uma esteja disposta a atravessar, para encontrar um profissional idôneo e disposto. Não existem ainda casas de nascimento, mas, sim, a possibilidade de se ter um parto humanizado, respeitado, protegido, no qual também se dá importância à qualidade da experiência, em termos de introspecção, distanciamento do mundo racional, tempo ilimitado, enquanto a saúde da mãe e da criança não corre risco, ajuda espiritual e possibilidade de desmoronar e se quebrar sem temor, porque não é o mundo das formas que precisa ser cuidado, e sim o espaço sutil.

PARTO E SEXUALIDADE

O parto pode ser uma experiência mística de grande aprendizado. Na realidade, é a experiência sexual mais importante na vida de uma mulher. E, observando-o do ponto de vista da sexualidade, gostaria de comparar o parto com a relação sexual: uma coisa é fazer amor com a pessoa amada e outra, muito diferente, sofrer uma violação. Fisicamente falando, as duas são relações sexuais com penetração.

No entanto, quando uma mulher faz amor, vai ao encontro de si mesma e do outro, é profundamente ela mesma. Reconhece a si mesma no que ativamente dá e no que recebe. A relação sexual não é nem boa nem ruim. É, simplesmente. Não poderia catalogá-la nem por sua duração, nem pela intensidade das sensações, nem pelas palavras ditas, nem pelo objetivo. Não há resultados; há apenas encontro humano.

Quando uma mulher é violentada, procura fazer com que o inferno termine o quanto antes, faz todo o possível para não "irritar" o outro, pois seu sadismo pode recrudescer. "Comporte-se bem", não grite, não se queixe, não peça, não fale. Quando o pesadelo chega ao fim, esquece os detalhes do que aconteceu, e apenas se recorda do que a "salvou", que, em geral, é o estuprador, pois foi ele quem lhe poupou a vida.

Lamento comparar as experiências de parto com os estupros, mas as mulheres têm pouquíssima consciência das situações de violação de sua intimidade durante o atendimento ao parto. E é exatamente porque, quando recebem o bebê como recompensa, ainda que destruídas emocionalmente, acreditam que não têm o menor direito de recordar nem de reconhecer as situações de extremos maus-tratos físicos e emocionais.

Os mecanismos rotineiros e abusivos de atendimento aos partos tiram da mulher a possibilidade de introspecção em um dos momentos-chave de sua vida. O nascimento, a criação dos filhos e os vínculos familiares, carentes de um olhar interior, perdem o sentido, a razão de ser, e se transformam em situações alienantes para todos.

As tão renomadas depressões pós-parto, ou até mesmo as psicoses pós-parto, têm mais relação com a desumanização e os maus-tratos atrozes por parte do pessoal assistente do que com a síndrome do ventre vazio. Também é preciso que uma fragilidade psicológica prévia ao parto e um cenário de violência, solidão e rígidas regras morais e repressivas ajudem uma suposta "depressão" a se instalar como um grito desesperado. É inegável que a falta de reconhecimento e suporte em relação a uma mulher que precisa de muito apoio, proteção, afeto e aceitação para atravessar um parto e se desprender do corpo de seu filho leva facilmente a sentimentos de tristeza e solidão, de incompreensão e confusão. Mas há um abismo entre a tristeza e a suposta depressão pós-parto.

É surpreendente que esses maus-tratos, tão instalados em nossa sociedade, não sejam percebidos como tais. As mulheres, em sua maioria, não têm registro de ter sofrido humilhações desnecessárias. Nem sequer podem imaginar como teriam gostado de parir. Acham que é inconcebível, possivelmente porque as mulheres que conhecem pariram em condições similares às suas, então, não ficam vestígios de acontecimentos de partos íntimos nem amorosos.

Um parto respeitado deveria ser a oportunidade de permitir que as mulheres vivessem as regressões necessárias que lhes facilitassem o desprendimento do corpo de seu filho. E as manifestações regressivas costumam ser impactantes. As mulheres talvez precisem chorar, gritar, pedir, rezar, se movimentar, conectar-se com as recordações, enfim, usar a inteligência intuitiva que o ser humano foi desenvolvendo ao longo de milhões de anos, para serem protagonistas ativas do melhor parto possível.

As mulheres deveriam parir sem o condicionamento de infraestruturas inadequadas e sem os preconceitos e a pressa da equipe médica. As salas de parto deveriam ser lugares amenos, nos quais as parturientes pudessem gritar à vontade, descansar, ficar em intimidade com o pai do bebê ou com quem elas desejassem, e pedir a ajuda que realmente necessitassem. E os sistemas de atendimento deveriam encontrar uma maneira de não desumanizar os partos a esses extremos, lembrando que o ato de parir mal se aproxima dos atos médicos, e com um pouco de atenção e apoio a maioria dos partos pode ser acompanhada como o que é: um processo saudável, natural, pertencente à vida sexual e emocional das mulheres.

As pessoas que têm a oportunidade de testemunhar partos respeitados experimentam a sensação de testemunhar uma evidência. O mundo seria outro se as salas de parto fossem ambientes amorosos e acolhedores, se no início da relação entre seres humanos houvesse espaço para as emoções, se a desumanização não abrangesse as áreas das boas-vindas ao mundo.

Quero demonstrar que a qualidade da relação e da entrega à fusão emocional que uma mãe poderá desenvolver de imediato com o recém-nascido estará marcada pelos estigmas dos maus-tratos vividos, pela despersonalização e a infantilização de seu ser essencial. A criança se encontra com uma mãe destruída psiquicamente, que sequer tem consciência disso.

RECORDANDO MEU SEGUNDO E TERCEIRO PARTOS

Meu primeiro parto foi uma cesariana, que depois compreendi ter sido desnecessária, realizada em fevereiro de 1982, em Paris. Ocorreu no famoso Hospital Saint Vicent de Paul, no 14 *arrondissement*, a poucas quadras da minha casa. Simplesmente naquela tarde havia muitas parturientes e “nos concediam” uma hora a cada uma. Se passasse da hora estabelecida, íamos direto para a faca. Para o segundo parto fui ver o doutor Michel Odent, no Hospital de Pithiviers, que, após escutar-me atentamente, me disse que cada parto é diferente e que, a princípio, não havia motivo para realizar uma segunda cesariana. Estava previsto para 3 de março, mas os dias foram passando e o parto não se desencadeava. Eu era controlada diariamente por monitoração e também olhavam a cor do líquido amniótico. Chegou o dia 26 de março! A preocupação era geral, mas a menininha parecia muito feliz no útero e nada indicava uma complicação. Finalmente, apareceram as contrações. Cheguei tão feliz e triunfante que a parteira, ao me ver, disse: "Falta muito, você ainda está muito sorridente." Efetivamente, o trabalho de parto durou 24 horas. Nesse dia e nessa noite me propuseram todo tipo de trabalhos, caminhadas, conversas, cantos e mimos. O trabalho de parto se prolongava. Em determinado momento, no meio da noite, chegou ao hospital uma parturiente que parecia desenvolver um trabalho de parto muito rápido. A parteira me pegou pelo braço e me levou correndo à sala de parto selvagem, como eles a chamavam, porque parecia mais o quarto de um casal jovem da década de 1970 do que uma sala de parto convencional: colchão no chão, almofadões, paredes de madeira, pôsteres e um toca-discos! (Foi antes da era dos CDs.) Aquela mulher de cabelos longos e pretos estava em pé, descalça, com outra parteira apoiando suas costas, fazendo força. Eu, que também estava ali, a seu lado, a meio metro de distância, vi o bebê nascer, senti o cheiro de sangue fresco e fui invadida por uma emoção tal que explodi em choro, soluçando de alegria. Essa emoção acelerou minhas contrações.

Minutos depois terminei minha dilatação, entregue e emocionada diante do milagre da vida.

Meu homem amado me apoiou pelas costas, mas a força da contração me fazia chegar quase acocorada ao chão. Vi minha bebê aparecer e a peguei com meus braços enquanto saía suavemente do canal de parto. Depois me sentaram no chão, sobre um lençol branco, e colocaram uma banheirinha de plástico com água morna entre as minhas pernas. O pai a submergiu na água enquanto nossa filha abria os olhos e sorria. Um pouco depois, cortou o cordão umbilical, que já não pulsava. A pequena não chorou, nem sequer gemeu. Só sorria. E me olhava com olhos amorosos, como se me conhecesse. Chorando, eu a coloquei no peito. Agradeci eternamente à parteira, Georgette, que havia procurado a maneira de me fazer soltar as amarras de meu controle para que enfim me lançasse a parir. Foi a força do parto de uma mulher desconhecida que me permitiu a entrega. Depois, voltei caminhando para meu quarto, com minha filhinha nos braços.

Muitos anos depois, em Buenos Aires e com outro amor em minha vida, experimentei o terceiro nascimento. Havíamos decidido parir em casa, com Raquel Schallman como parteira e amiga íntima, e o doutor Carlos Burgo por segurança. Esse parto também atrasou duas semanas em relação à data provável, mas eu tinha a sensação de já ter vivido essa novela. Dedicava-me a acalmar as pessoas que se alarmavam ao redor de mim porque os dias iam passando "e o doutor não fazia nada comigo". Uma noite começaram as contrações. Avisei aos meus filhos adolescentes, Raquel Schallmann chegou logo depois e passamos a noite rindo em casa, comendo algo leve, cochichando, fazendo piadas, só interrompidas pelas contrações, que se tornavam cada vez mais dolorosas e contínuas, até que precisei ficar de quatro para aliviar a dor. Cheguei a entrar em uma banheira cheia d'água, mas depois me senti incomodada e preferi sair. Às 5 horas da manhã saiu do fundo do meu ser um grito, e ouvi que Raquel dizia: "É o grito do parto, o bebê está para sair." Contam (eu não tenho um registro exato do que aconteceu) que, tal como estava, de pé, com uma das mãos agarrei com toda a força o cabelo do meu marido e com a outra abracei Raquel, enquanto Carlos recebia o bebê. Coloquei-o no peito e o neném não sugou. Perguntei, desesperada: "O que está acontecendo que ele não mama?", enquanto todos explodiam em gargalhadas e respondiam: "Vamos chamar uma especialista em amamentação chamada Laura Gutman!"

Nesse momento soube que meus filhos mais velhos haviam passado a noite inteira sentados na escada, em silêncio, esperando, e perguntaram a Raquel se já podiam descer. Os dois banharam e vestiram o neném, enquanto me davam alguns pontos por causa de uma pequena rasgadura. Depois dormimos todos abraçados na grande cama de casal. Acordamos ao meio-dia... O sonho era real e, acima de tudo, **incrivelmente** simples. Embora estivéssemos em abril, o dia era primaveril. Vestimo-nos e fomos passear — com uma recém-nascida nos braços. Fim da história.

CAPÍTULO

3

Lactação

Amamentar: uma forma de amar • O encontro consigo mesma • O início da lactação • As rotinas que prejudicam a lactação • O bebê que não engorda • O caso Estela • Há mulheres que não têm leite? • Os bebês que dormem muito • O caso Sofia • Algumas reflexões sobre o desmame • Valeria quer desmamar sua filha.

AMAMENTAR: UMA FORMA DE AMAR

Todas as mães, absolutamente todas, podem amamentar seus filhos.

Em vez de falar de técnicas, horários, posições e mamilos, vamos falar de amor.

Amamentar nosso filho será simples se nos dermos conta de que é semelhante a fazer amor: no princípio, precisamos nos conhecer. E isso se consegue melhor estando sozinhos, sem pressa.

Quando fazemos amor com o homem que amamos, não nos importamos com o tempo, nem se o coito dura mais ou menos de 15 minutos, se ficamos mais em um lado da cama ou no outro, se estamos por cima ou por baixo. Não nos importa se amamos várias vezes em uma hora ou se dormimos, esgotados e abraçados, um dia inteiro. Não há objetivos, salvo o de nos amarmos.

Quando o bebê nasce, o reflexo de sucção é muito intenso. Como as palavras indicam, ele age sob o reflexo de procurar, encontrar e sugar o peito materno. Para isso só é preciso que o bebê fique perto do peito. Muito tempo. Todo o tempo. Porque o estímulo é o corpo da mãe, o cheiro, o tom, o ritmo cardíaco, o calor, a voz, enfim, tudo que ele conhece.

Como nas relações amorosas — e trata-se disso —, precisamos de tempo e privacidade. As mulheres precisam entrar em comunicação com o homem para aceitar o ato sexual. Não há diferença no ato de amamentar. O bebê precisa estar em comunhão e amparado pelo corpo materno para sentir o contato e poder sugar. As mulheres precisam do mesmo para produzir leite e gerar amor.

Simples assim.

Se recordarmos que o leite materno não é apenas alimento, mas, sobretudo, amor, comunicação, apoio, presença, abrigo, calor, palavra, sentido, acharemos absurdo negar o peito porque "não precisa", "já comeu" ou "é capricho". Então, é capricho quando precisamos de um abraço prolongado do homem que amamos?

Só o distanciamento de nossa essência e uma infância pessoal atroz — que temos que abordar e atualizar — nos leva a pensamentos tão violentos em relação a nós mesmas e nossos bebês.

O ENCONTRO CONSIGO MESMA

Quando as mulheres reafirmam sua relação com a natureza selvagem, adquirem conhecimento, visão, inspiração, intuição, e a própria vida vibra por dentro e por fora. Não digo selvagem no sentido moderno, pejorativo, que quer dizer desprovido de controle, mas no original, que significa viver uma existência natural, em que a criatura se desenvolve com sua integridade inata e saudável.

Esta qualidade selvagem faz parte da natureza instintiva e fundamental das mulheres. E é o conhecimento dessa natureza que lhes permite perceber os sons dos ritmos internos e viver ao som deles para não perder o equilíbrio espiritual. Quando as mulheres se afastam da fonte básica, perdem os instintos, e os ciclos vitais naturais ficam submetidos à cultura, ao intelecto ou ao ego, seja o próprio ou o dos demais. O selvagem torna todas as mulheres saudáveis. Sem o lado selvagem, a psicologia feminina fica desprovida de sentido.

As melhores oportunidades para que cada mulher se conecte com os aspectos mais naturais, animais e selvagens de seu ser essencial são o parto e a lactância. É claro que bem poucas o conseguem, porque homens e mulheres, aterrorizados por esses aspectos animais, fazem o possível para que eles não interfiram em sua maneira de ser. Gostaríamos de parir só com a cabeça, sem integrar nossas regiões baixas. Talvez seja por isso que todos ficam mais tranquilos com as cesarianas: o nascimento ocorre em um lugar mais elevado, mais limpo e decoroso.

A lactação é a continuação e o desenvolvimento de nossos aspectos mais terrenos, selvagens, diretos, filogenéticos. Para dar de mamar as mulheres deveriam passar quase todo o tempo nuas, sem largar sua cria, imersas em um tempo fora do tempo, sem intelecto nem elaboração de pensamentos, sem a necessidade de se defender de nada nem de ninguém, mas tão somente abstraídas em um espaço imaginário e invisível aos demais.

Dar de mamar é isso. É deixar aflorar nossos recantos ancestralmente esquecidos ou negados, nossos instintos animais que surgem sem que imaginemos que estavam aninhados em nosso âmago. É deixar-se levar pela surpresa de nos vermos lambendo nossos bebês, de cheirar o frescor de seu sangue, de se lançar de um corpo a outro, de se converter em corpo e fluídos dançantes.

Dar de mamar é se despojar das mentiras que nos contamos durante toda a vida sobre quem somos ou deveríamos ser. É estarmos soltas, poderosas, famintas, como lobas, leoas, tigresas, cangurus ou gatas. Muito semelhantes às mamíferas de outras espécies em seu total apego pelas crias, ignorando o resto da comunidade, mas atentas, milimetricamente, às necessidades do recém-nascido.

Extasiadas diante do milagre, tentando reconhecer que fomos nós mesmas que o tornamos possível, e nos reencontrando com o que é sublime. É uma experiência mística se nos permitirmos que assim seja.

Isto é tudo de que se necessita para poder amamentar um filho. Nem métodos, nem horários, nem conselhos, nem relógios, nem cursos. Apenas apoio, proteção e confiança em ser você mesma mais do que nunca. Apenas permissão para ser o que queremos, fazer o que queremos e nos deixar levar pela loucura do selvagem.

Isto é possível quando se compreende que esse profundo vínculo com a mãe terra faz parte da psicologia feminina, que a união com a natureza é intrínseca ao ser essencial da mulher e que, quando esse aspecto não se manifesta na lactância, simplesmente não flui. As mulheres não são muito diferentes dos rios, dos vulcões ou dos bosques. Só é necessário preservá-los de ataques.

As mulheres que desejam amamentar têm o desafio de não se distanciar de forma desmedida de seus instintos selvagens. Costumam raciocinar, ler livros de puericultura e assim, entre tantos conselhos supostamente “profissionais”, acabam perdendo o eixo.

Há uma ideia que atravessa e desativa a animalidade da lactação: a insistência para que a mãe se afaste do corpo do bebê. Ao contrário do que se supõe, a mãe deveria carregar o bebê o tempo todo, **inclusive e principalmente enquanto dorme.** A separação física a que nos submetemos como díade entorpece a fluidez da lactância. Os bebês ocidentais passam muitas horas dormindo no moisés, no carrinho ou em seus berços. Esta conduta é, simplesmente, um atentado contra a lactância. Porque amamentar é uma constante atividade corporal e energética. É como um rio que não pode parar de fluir: se as pedras são muito numerosas, desviam seu caudal.

A maioria das mães que me consultam por dificuldades na lactação está preocupada em saber como fazer as coisas corretamente, em vez de procurar o silêncio interior, as raízes profundas, os vestígios de feminilidade e o apoio do homem (se o temos por perto), da família ou da comunidade que favoreçam o encontro com sua essência pessoal.

Por isso, quando as mães se sentem reconfortadas ao receber algumas palavras simples de conforto e proteção, surge das entranhas a certeza de não querer deixar o bebê e de mantê-lo junto ao corpo. Em instantes as tensões da mãe e da criança desaparecem e o leite passa a fluir. O bebê adormece. Nesse momento, vale a pena registrar que não é necessário afastar-se do corpo da criança, já que — ainda que esteja dormindo — ela continua bebendo da energia, da aura, do corpo materno. Se ela é colocada longe do corpo materno, a alimentação é cortada.

A preocupação com os horários é a maior adversária do leite materno que conheço. As famosas três horas ainda recomendadas entre as mamadas são fruto da ignorância e da falta de respeito pelos ritmos internos da espécie humana. São cansativas e acabam sendo confusas para as mães, que tentam não se equivocar durante a criação de seus filhos pequenos. O mundo ocidental está cheio de "opinólogos" diplomados que sufocam a essência feminina e seus esforços para se revelar por meio de um fato tão mágico e simples como é o do leite que jorra dos seios de uma mulher.

Outra adversária do leite é a absurda ideia de que o bebê vai ficar "mal-acostumado". Qualquer outra espécie de mamífero morreria de rir (e também morreria) se aquilo que o recém-nascido reclama para sua subsistência lhe fosse negado. Os seres humanos são muito menos inteligentes do que acreditam quando pretendem negar as leis da natureza, complicando a existência.

Amamentar nossos bebês é ecológico, no sentido mais amplo da palavra. É voltar a ser o que somos. É nossa salvação. É um ponto de partida e de encontro com seu eu. É nos despojarmos de cultura e nos saciarmos com a natureza. É levar nossas crianças a penetrar em um mundo de cores, ritmos, sangue e fogo e dançar com elas a dança da vida.

Para conseguir isso é indispensável procurar proteção, estando sempre centradas na sabedoria poderosa e natural de nosso coração.

O INÍCIO DA LACTAÇÃO

Quando, durante o parto, forem utilizadas anestesias e outras drogas, pode acontecer de o bebê nascer um pouco deprimido. Nesses casos, quanto mais depressa voltar aos braços da mãe, de maneira mais eficaz será estimulado.

O reflexo de sucção é muito forte nos bebês nas primeiras horas após o nascimento. Se o bebê é separado da mãe — isso só deveria acontecer por razões estritas de risco à saúde, mas, lamentavelmente, às vezes, se faz por pura burocracia —, à medida que as horas vão passando, o reflexo vai se apagando lentamente. Os bebês afastados da mãe por alguns dias recuperam a capacidade de sugar, mas é necessário que a mãe tenha muita paciência, vontade e desejo de amamentar. Ao serem colocados ao peito, esses bebês não sugam instintivamente, como ao nascer, mas, se os embalamos, mantemos sobre o corpo e ficamos tentando, acabam se lembrando dessa habilidade e reaprendem tudo o que haviam esquecido.

Aqui a palavra-chave é **paciência**, que é a **ciência da paz.** O bebê e a mãe necessitam de paz e tranquilidade. E de apoio emocional. Se o bebê não consegue sugar, então, temos ainda mais motivos para deixá-lo sobre o peito, em contato íntimo durante **todo o tempo.** Como quando fazemos amor: quanto mais frágeis, temerosos, tristes ou estressados, mais precisamos do corpo cálido do outro que nos espera, nos recebe e nos aceita, até que adquirimos segurança e, então, entramos em atividade.

As dificuldades que as mães enfrentam ao amamentar seus filhos passam pela não compreensão de que se trata de um ato de amor, e não de optar pela administração de proteínas e vitaminas. O amor não é mensurável: portanto, é absurdo negar o peito a um bebê depois de certo intervalo "razoável", exatamente porque não há motivo. Quando o bebê continua chorando, médicos e "opinólogos" passam a achar que o leite não é suficiente e é necessário subministrar-lhe um complemento de leite de vaca, em vez de permitir que continue sugando o peito materno o tempo que ele quiser! É uma coisa absurda, violenta e contrária à natureza.

AS ROTINAS QUE PREJUDICAM A LACTAÇÃO

A separação da mãe. O bebê não deve estar em nenhum outro lugar que não seja os braços da mãe. Um bebê saudável pode receber os primeiros cuidados e exames médicos deitado no corpo da mãe. Sei perfeitamente que isso ocorre a bem poucos neonatólogos, mas é hora de começar a ocorrer.

No entanto, na maioria das maternidades, as rotinas são muito diferentes daquilo com que sonhamos. Poucos minutos depois de nascer os bebês são retirados e levados à sala de neonatologia, onde os submetem a uma série de manipulações e exames que, em geral, poderiam ser evitados ou feitos mais tarde. Esquecemos que nascer é uma experiência extremamente traumática. O bebê passa do meio aquático ao meio aéreo, a temperatura muda radicalmente e a única coisa que o bebê conhece e o apazigua é o contato com a pele de sua mãe, que conserva a temperatura ideal para ele, e o ritmo cardíaco, o cheiro e a voz, o tônus muscular e a energia que o envolveram ao longo de nove meses.

Corte prematuro do cordão umbilical. Creio ser a mais atroz das rotinas, totalmente desnecessária e a causa das rotinas seguintes, que se impõe logo depois. Em situações de respeito e calma, observaríamos que, ao nascer, o bebê segue recebendo oxigênio através do cordão umbilical, que continua batendo ainda alguns minutos, enquanto vão abrindo, lentamente, as vias respiratórias e o ar entra nos pulmões. Sem que haja motivos — além da crueldade instalada nos adultos como consequência dos desamparos vividos durante nossa própria infância —, ao cortar imediatamente o cordão umbilical deixamos o bebê sem a possibilidade de se acostumar aos poucos com a entrada do ar. É como se cortássemos, de repente, o tubo de oxigênio de um mergulhador que está no fundo do mar. O que aconteceria? Ele se veria obrigado a subir a toda velocidade até a superfície, sair da água e logo abrir a boca para aspirar, desesperado, grandes lufadas de ar. Pois bem, é o que o bebê faz quando lhe cortamos o cordão umbilical enquanto este ainda está batendo: ele se vê obrigado a aspirar rapidamente o ar frio do ambiente. Os pulmões rebentam e doem, por isso, o bebê chora. "Isso" que festejamos é o grito lancinante de dor. Desta forma, tal é o desespero que, nessa busca desesperada pelo ar, o bebê aspira as próprias secreções. Isso tem como consequência a seguinte rotina:

Aspiração. Os profissionais que dão assistência a partos naturais observam que os bebês vão largando, naturalmente, restos de líquido amniótico várias horas depois do nascimento, sem traumas nem incômodos, habitualmente tossindo ou espirrando. A rotina de invadir, de maneira violenta, com uma sonda, as cavidades bucais e nasais para limpar as vias respiratórias e digestivas dos bebês que acabaram de nascer é atroz e desnecessária. Infelizmente, é necessária em alguns casos, provocada pelos adultos.

Pesar e medir. Pesar um bebê em uma balança que está envolta em um pano suave e morno não é traumático. Mas estirar o corpo do bebê para medi-lo, é. Importa tanto se mede 49 ou 51 cm? Por outro lado, é tão difícil estirar um bebê que essas medições raramente são exatas — e violentam o bebê, que procura desesperadamente voltar à sua posição fetal.

Ruído e presença de muitas pessoas. O bebê deve permanecer ininterruptamente sobre o peito da mãe para que possa colocar em prática o reflexo da sucção — presente em todos os bebês saudáveis e nascidos dentro do prazo —, que lhe permite procurar, encontrar e sugar o peito materno. Em um ambiente relaxado, os bebês normalmente sugam entre o décimo e o trigésimo minuto posterior ao nascimento. Para isso é necessário que a mulher não esteja deitada. Em caso de cesariana, depende de uma assistente amável (parteira ou enfermeira) que a ajude a sustentar o filho para colocá-lo ao peito.

Por outro lado, a sucção precoce do mamilo estimula o desprendimento da placenta, esse órgão escuro que sangra. Poucas mulheres têm a sorte de ver, cheirar, tocar e se despedir da placenta, que materializa a sombra da criança que deram à luz. Como sempre, preferimos evitar a sombra, fazer de conta que não existe. No entanto, nosso filho se alimentou dela e, depois do nascimento, fica faltando o ritual de despedida da placenta, que morre para que nosso filho possa viver. Quantas mulheres viram pelo menos a própria placenta? Quantas mulheres levaram-na para casa, já que lhes pertence?

O berçário. É uma invenção estranha da sociedade industrial. Nele, cada bebê está desesperadamente só, em um oceano escuro, ao lado de outras almas que uivam de desconcerto e medo igual ao seu. Duas ou três enfermeiras os atendem sem qualquer capacidade de cuidar de vários bebês ao mesmo tempo, enquanto a mãe recebe visitas e flores em seu quarto. As mães mais conectadas costumam chamar as enfermeiras para que lhes tragam seus bebês, e algumas, temendo ser insistentes, só o conseguem depois de várias horas.

Há bebês que chegam "adormecidos", uma vez que lhes administram — sem o consentimento da mãe — glicose. Os bebês devem ficar com a mãe. É o único lugar aceitável para um recém-nascido. E as mães, capazes de se conectar com seu ser interior, também precisam disso, a menos que tenham sido maltratadas demais e que queiram somente dormir e, na medida do possível, desaparecer desta vida.

Por outro lado, é possível providenciar espaços para a recepção das visitas, com comidas e bebidas, mas **fora do entorno** da díade mãe-bebê. A mãe pode e deve descansar com o bebê a seu lado, na medida em que o quarto não esteja repleto de parentes, amigos e conhecidos, que interferem na aproximação inicial e não preservam o silêncio necessário ao início da lactação.

O BEBÊ QUE NÃO ENGORDA

Quando o bebê não engorda é porque, em primeiro lugar, precisa de mais peito. Mais tempo, maior frequência. É ridículo dar leite de vaca à criança quando é possível lhe dar leite de mãe!

Tentemos nos imaginar no corpinho do bebê. A fome surge de repente e invade todas as sensações em uma onda de desespero e angústia. A única coisa que o acalma é o peito da mãe, que apazigua a fome, a dor e a escuridão. Também angustiante é a sensação de quietude, pois o ventre materno era dominado por movimentos e sons. A quietude provoca desamparo. Os bebês ficam mais tranquilos nos braços de suas mães. Na maioria das culturas não ocidentais as mães carregam seus filhos em tipoias, bolsas ou "cangurus" amarrados e pendurados nas costas, portando os bebês sem deixar de ter os braços livres. **Carregar o bebê é parte da lactação.**

Estamos acostumados em insistir nas questões físicas: quantidade de leite, tempo de cada amamentação, peso do bebê etc., em vez de sentir o corpo do outro e se deixar levar pelas sensações de prazer. Porque se trata de prazer! As mães que amamentam com prazer são aquelas que estão sempre carregando seus bebês e as que, além disso, estão em permanente comunicação com nossas percepções, sensações e angústias.

As mães que são induzidas muito cedo a alimentar os bebês com mamadeira — "você tem pouco leite", "seu leite é aguado" — dão início ao processo de separação do bebê. Como ficam menos tempo com eles no colo, têm mais disponibilidade para lavar pratos, falar ao telefone, cuidar dos filhos mais velhos e atender às inúmeras obrigações que fazem parte do cotidiano das donas de casa. Assim, vai sendo tecida a separação gradual do bebê, que terá repercussões mais adiante, na fase de construção dos vínculos íntimos. As mães que abandonam a lactação acreditam-se incapazes de amamentar e vivem na dependência de resultados materiais. O aumento do peso do bebê é apenas um entre muitos outros fatores que devem ser levados em conta antes de se tentar convencer uma mãe a abandonar a maravilhosa experiência de dar de mamar.

Para amamentar uma mãe necessita de introspecção, de estar em contato com seu eu e de apoio emocional.

Precisa sair do mundo material e entrar no mundo sutil, no mundo das sensações e da intuição. Amamentar é conhecimento mútuo e entrega. O bebê se alimenta de leite, mas, acima de tudo, se alimenta do contato corporal permanente com sua mãe.

Quando um bebê não engorda o suficiente, a primeira recomendação é carregá-lo no colo de dia e de noite, porque, assim, o bebê terá estímulo constante e, sem que se dê conta, a mãe o estará alimentando mais vezes, com mais frequência. Diante desta proposta, as mães costumam reclamar: "Mas, então, não vai me sobrar tempo para fazer nada!" Trata-se exatamente disso, se há uma decisão genuína de amamentar o bebê.

O CASO ESTELA

Estela veio me consultar sobre sua menina de 2 meses que não adquiria peso. O pediatra me pediu que fosse observá-la em sua casa. (Isso aconteceu há muitos anos — recém-chegada em Buenos Aires do exílio, comecei a atender mães puérperas em domicilio.) Estela amamentara sua primeira filha sem problemas durante um ano, e achava estranho — era uma mãe experiente — estar com esse problema. Em um dia muito quente de dezembro fui a seu pequeno apartamento, onde saltitava a menina mais velha, Laurita, de 5 anos. Estela sentia muita culpa por cuidar do bebê e deixar de lado essa outra filha, que também queria atenção. Perguntei se Laurita não tinha nenhuma atividade, um avô que a levasse para passear, uma colônia de férias... Não, não haviam pensado nisso. Ela achava que a menina ficaria com ciúmes e que não seria recomendável "expulsá-la" de casa. Estela se deu conta de que, desde o nascimento do neném, ela não tivera um só instante de solidão com ele. Eu mesma testemunhei Estela preparando o almoço de Laurita com a filhinha nos braços.

Sugeri que ela pensasse em atividades que a filha pudesse fazer diariamente, durante algumas horas, fora de casa. Elas seriam muito mais divertidas e permitiriam que Estela tivesse a oportunidade de oferecer alguns momentos de exclusividade a seu bebezinho, pois, embora produzisse um bom leite e a recém-nascida sugasse com força, o fato de não engordar era uma demonstração de que ambas precisavam de um pouco de intimidade, solidão e introspecção.

Os bebês não crescem só devido à quantidade de leite que ingerem, mas também — e acima de tudo — em consequência do contato emocional com a mãe. Para isso, além do corpo físico que nutre, é necessário estar emocionalmente disponível. Estela resolveu rapidamente a situação organizando passeios para Laurita, e o bebê recuperou seu peso com vertiginosa velocidade.

De qualquer maneira, o peso do bebê é apenas um indício entre muitos outros: também são indicadores importantes a presença, a personalidade, o olhar, o choro, o sono, a vigília, os movimentos, o tom, a conexão etc. Todas essas manifestações nos dão conta da saúde e do desenvolvimento esperado do bebê.

HÁ MULHERES QUE NÃO TÊM LEITE?

Depois de parir, todas as mamíferas dispõem de leite para alimentar a cria. O que pode impedir a produção de leite é a falta de apoio e de informação adequada. Quando se diz a uma mulher: "Seu leite não presta, está aguado", ela imediatamente deixa de produzi-lo. Se não descansa, ou sofre de uma situação pontual de estresse, se sofreu situações de violência durante o parto e não tem capacidade emocional ou apoio para superar essa fase, é óbvio que tudo isso age contra o início da lactação.

O corpo produz leite, mas somos regidos pela mente e pelo coração. Há mães que têm motivos muito primários para não amamentar, referentes a experiências da primeira infância. No entanto, eles sempre refletem problemas emocionais e não são gerados por impossibilidades físicas.

Todas as mulheres têm motivos internos tanto para amamentar quanto para não fazê-lo. Aquelas que sofrem por não poder amamentar deveriam receber uma ajuda sincera da parte de outra mulher experiente capaz de fazer perguntas, investigar em seu âmago, aproximar-se de seus sentimentos primários e encontrar o nó das dificuldades que não lhes permitem se conectar com elas mesmas e, portanto, com seu bebê. Eu sugiro, em todos os casos, que se adentre na experiência da construção da **biografia humana.** Os conselhos vindos de fora têm poucas possibilidades de cumprir sua função, porque estão tingidos de preconceitos, opiniões e práticas que podem ter sido válidos para a pessoa que, com a melhor das intenções, os defende, mas não atendem, necessariamente, ao material da **sombra de cada mãe.** Em todos os casos, há de se indagar cada vida em particular.

Quando há uma situação exterior pontual, como o falecimento de uma pessoa querida, outra perda qualquer, um acidente ou uma má notícia que a envolve de perto, é pertinente sugerir à mãe que conte a seu bebê o que a deixa tão pesarosa. Com palavras. Com frases completas. Como falam com outros adultos. Porque o bebê compreende e, ao saber com exatidão o que está acontecendo, se afasta da emoção da mãe e pode acompanhá-la sem precisar manifestar o sintoma. Porque já está dito.

O bebê pode continuar preso ao peito, alimentando-se corretamente, mesmo que a mãe esteja passando por um momento de estresse, porque os dois sabem do que se trata. Os bebês costumam ser muito solidários com suas mães. Desenvolveremos este tema mais extensamente no capítulo "As crianças e o direito à verdade".

Quando um bebê reclama a cada hora, é porque o leite não é suficiente? O leite sempre é suficiente. Um bebê recém-nascido não quer ficar sozinho no moisés, onde tudo é quietude. Precisa dormir sobre o peito da mãe. Normalmente, é assim que ele dorme mais tempo, e a mãe pode descansar um pouco mais. Tentemos imaginar o corpo do bebê: suas sensações são imensas e o envolvem por completo. Ele ficou durante nove meses em contato permanente com o movimento, o som e o calor. Pode precisar mamar várias vezes à noite — não necessariamente a cada três horas. Quero destacar que essas famosas três horas de "espera" entre cada mamada surgiram com o início da alimentação com leite de vaca, porque, sendo tão indigesta, devia-se esperar a "recuperação" do bebê. Mas essa recomendação é totalmente obsoleta e ilógica tratando-se de leite humano. Quando mama com mais frequência, isso não acontece, necessariamente, pelo fato de o leite não ser suficiente. Pelo contrário: é porque é um bebê ativo, conectado e feliz.

No caso de a mãe não estar disponível e o bebê ficar sob os cuidados de um terceiro, sempre é melhor que essa pessoa também o mantenha nos braços, porque, assim, ele poderá viver aquele período em que espera a mãe acompanhado pelo movimento, o ritmo cardíaco e a energia da outra figura materna.

O leite flui quando a presença constante do bebê gera na mãe a energia vital, a magia indescritível que só o contato e a proximidade amorosa podem produzir. Por outro lado, os horários, os preconceitos, a separação do corpo do bebê e a preocupação em não deixá-lo mal-acostumado conseguem "cortar" o leite. A lactação precisa se despojar do mundo material, daquilo que é mensurável. O leite só consegue jorrar com abundância quando se entra na lógica dos mundos sutis.

OS BEBÊS QUE DORMEM MUITO

Os pediatras costumam recomendar que se acorde o bebê a cada três horas. O que acontece nestes casos é que, se o bebê estiver dormindo profundamente, mal sugará o peito e voltará a dormir. Então, os pediatras recomendam a mamadeira, uma vez que o bebê, mesmo adormecido, ingere seu conteúdo com uma atitude passiva.

No entanto, se observamos com mais amplitude, é provável que esteja acontecendo algo com o "bebê-mamãe" pelo qual ele prefira não acordar. Temos que descobrir o que é. Para isso, insisto, será necessário empreender uma indagação pessoal completa e verdadeira. E, ao mesmo tempo, estimular o bebê para que tenha desejo de viver. Na medida em que ele esteja em contato com nosso corpo em permanente movimento, vai despertar mais e, portanto, vai reclamar mais alimento. Um bebê que dorme em excesso não é boníssimo: pode ser um bebê deprimido. Pode também estar manifestando uma depressão da mãe que ninguém percebeu, pois uma puérpera deprimida pode ser capaz de alimentar e higienizar de forma correta o bebê, mas entrar em contato emocional é outra coisa bem diferente.

Françoise Dolto (pediatra e psicanalista francesa, já falecida) dizia que a **primeira necessidade do bebê é a comunicação e, em segunda instância, o alimento**. Creio fervorosamente em suas palavras.

Frédérique Leboyer (pediatra francês que divulgou a ideia do "parto sem violência") o descreve poeticamente em seu livro *Shantala**

> *Serem carregadas, embaladas, acariciadas, tocadas, massageadas, cada uma dessas coisas é alimento para as crianças pequenas. Tão indispensáveis, se não mais, que vitaminas, sais*

---

* *Shantala*, F. Leboyer, Editora Ground, 2009.

minerais e proteínas. Quando são privadas de tudo isso e do cheiro e do calor e da voz que tão bem conhecem, as crianças, ainda que estejam fartas de leite, se deixam morrer de fome.

Os bebês que dormem muito estão sozinhos. Precisam de mais contato emocional e corporal. Não serve para nada despertá-los para lhes introduzir alimentos se poucos minutos depois serão abandonados de novo no moisés.

De qualquer maneira, é indispensável se aproximar do universo de cada díade antes de fazer propostas ou dar conselhos. Além da falta de informação adequada, cada mãe conta com a própria história emocional, sua vida sexual (lembremos que lactação é manifestação da sexualidade) e certa consciência de suas dificuldades. Uma mulher que não tem boa relação com o próprio corpo, com a sexualidade e com a energia vital em seu conjunto, que padeceu uma infância sufocada em repressão e autoritarismo, raramente poderá amamentar em liberdade. Neste sentido, amamentar não é um objetivo, mas apenas uma boa maneira de se relacionar com o bebê. Há mães que rejeitam a simples ideia do contato do mamilo com a boca do bebê; há quem não tenha consciência da sensação de repúdio que lhes produz a ideia de amamentar. Quando não há consciência de uma determinada vivência interna, esta opera de qualquer maneira. Ou é operada pelo bebê. Por exemplo, quando o bebê rejeita o peito, é mais suportável dizer "meu bebê não se conecta" do que "uma parte de mim, que não compreendo, mas está presente, não quer ou não pode dar o peito ao bebê".

A única coisa que podemos esperar é que cada mãe entre em harmonia com seu bebê. E a melhor maneira de conseguir isso é sendo sincera. Rejeitar o bebê é uma atitude muito malvista. No entanto, os sentimentos costumam ser ambivalentes, e, sem dúvida, há razões suficientes para sentir tal ou qual coisa. Negar um sentimento, mesmo que ele seja negativo segundo nossa avaliação, é fazê-lo aparecer automaticamente no corpo do bebê, como manifestação da **sombra**.

O CASO SOFIA

Sofia chegou ao Grupo de Crianza* com Joaquín, de 20 dias. Uma moça encantadora, jovem e sensual. Tivera um parto excelente.

Chegou pedindo ajuda porque só conseguia dar um dos peitos: o outro não produzia leite, embora tentasse colocar o bebê para sugá-lo. Foi a várias instituições de ajuda a lactantes e recebeu excelentes orientações técnicas (como colocar sempre o filho primeiro no peito que não produzia), mas nenhuma surtiu resultado.

Então, pensei em investigar o que seus seios queriam dizer por meio da disfunção. Perguntei-lhe sobre sua vida, sua profissão, seu marido, sua família... Soube, então, que Sofia tinha um vínculo muito conflituoso com a mãe e essas dificuldades se haviam acentuado a partir do nascimento de Joaquín.

Sofia fora criada, praticamente, por sua avó materna, porque sua mãe trabalhava. Quando Joaquín nasceu, a mãe de Sofia achou que era sua vez de criar o primeiro neto, e que Sofia devia, portanto, entregá-lo a ela para poder continuar trabalhando. Essa senhora, transformada em avó, seguia um pensamento lógico coerente com sua estrutura, mas Sofia não havia planejado as coisas dessa maneira. Pelo contrário, ela queria criar seu bebê, e, diante de seu desejo e do desejo de sua mãe, entrou em contradição. Um peito representava seu desejo, e o outro, o desejo de sua mãe. Era óbvio que os dois desejos conviviam em seu interior. Perguntando e unindo dados, fui fiando o tecido dessa história (há uma série de detalhes que não vou mencionar aqui) que lhe causava muito sofrimento e a inundava de sentimentos ambivalentes. Dei-lhe todo o meu apoio no que se referia à conexão com o próprio desejo, enquanto vislumbrava o trabalho interior que a esperava em sua relação com a própria mãe.

---

* Grupos da Crianza: grupos de encontro para mães e pais com crianças de 0 a 6 anos, que funcionaram em minha instituição até alguns anos atrás. Já não funcionam mais, atualmente faço apenas o trabalho **individual** de organização de cada **biografia humana**.

Ao voltar ao grupo, uma semana depois, os dois peitos estavam produzindo harmonicamente. O interessante é que a ideia que Sofia e sua mãe tinham sobre a criação e o vínculo com os filhos era um desacordo histórico entre elas, que se manifestou nos seios de Sofia depois do nascimento de seu primeiro filho.

Entender do que se trata nos permite encontrar o sentido lógico daquilo que se manifesta no corpo, para depois tentar um caminho que leve a uma solução. Em todos os casos, insisto que tenhamos um olhar amplo, que vá além da manifestação do meramente físico ou evidente.

As mulheres, quando amamentam, não são apenas dois seios imensos. São pessoas com as quais acontecem coisas. E Sofia, por via dessa situação singular, teve a possibilidade de compreender e empreender um percurso diferente de reconstrução do vínculo com a mãe. Todas as pessoas têm nós centrais em sua vida, histórias não resolvidas, abandonos afetivos, enganos, necessidades especiais, lugares estabelecidos na família e desamores. Quando a mulher rompe a estrutura emocional por meio do parto e da lactância, quando rompem suas estruturas emocionais, a possibilidade de desatar os feixes de situações passadas e confusas se abre. Em geral, a sombra surge com maior nitidez durante o primeiro ano do bebê, quando a díade "mãe-bebê" ainda está em funcionamento. As dificuldades são possibilidades de crescimento.

No caso de Sofia, o objetivo não era que desse de mamar com os dois seios — poderia ter amamentado com um só. O importante era compreender e resolver aspectos dolorosos no vínculo dela com a própria mãe e, de fato, trabalhamos depois esses temas e outros que surgiram durante sua participação nos Grupos de Crianza.

ALGUMAS REFLEXÕES SOBRE O DESMAME

As mulheres precisam ser iniciadas em rituais que lhes permitam compreender os sinais dos mundos interiores, que nem sempre são lugares fáceis. O que é aprendido recomenda, sobretudo, que sejam amáveis, e isto as induz a relevar suas intuições. Esta desconexão com as profundidades da alma gera submissão. E a submissão emocional leva a perigos reais, como a falta de cuidado em relação a si mesmas ou a seus filhos. Imaginemos uma mãe loba ensinando suas filhas a serem amáveis na presença de um predador... Os lobinhos correm o risco de morrer se cometerem o pecado da ingenuidade.

Quando temos pouca experiência, como pode acontecer no início da maternidade, a atitude feminina costuma ser de ingenuidade, o que quer dizer que a compreensão emocional do oculto é muito fraca. Para evitar esta tendência deve-se recorrer aos ensinamentos primitivos dos pais. Eles é que devem autorizar e reconhecer as capacidades intuitivas de seus filhos e que devem incentivá-los a desenvolvê-las em benefício da espécie. De fato, mulheres muito imaturas, que não foram mimadas, ou não se beneficiaram do olhar atento e profundo de seus progenitores, costumam ser ingênuas a ponto de acreditar em qualquer coisa e em qualquer um que se apresente diante delas com autoridade. Dizendo de outra maneira: ou contamos com um aprendizado primário adquirido por meio de cuidados, "olfato", sensações e percepções críveis ou, então, não foi dado o devido valor a essas qualidades e, portanto, carecemos de apoio e ficamos disponíveis para os "predadores".

Em relação ao desmame, são tantas as mulheres distanciadas de sua essência que fica fácil impor comportamentos que atentem contra a lactação defendendo o desmame precoce, às vezes de maneira sub-reptícia. A mais comum ocorre nas visitas pediátricas dos 3, 4 ou 5 meses, quando o médico entrega uma "receita", prescrevendo os alimentos que o bebê deve começar a ingerir. A primeira sensação das mães é de angústia. Mas, acostumadas a deixar de lado suas intuições naturais, aceitam a interferência. Obedientes e submissas, elas tentam desesperadamente enfiar uma colherzinha de algo na boca do bebê e se sentem satisfeitas quando o conseguem.

Assim, vão se somando preocupações não imaginadas antes pelas mães que estavam começando a se acomodar ao ritmo prazeroso da amamentação. Será preciso adicionar à agenda uma hora específica para preparar o purê, depois, lavar as panelas e limpar a sujeira gerada pela intenção de fazer a criança engolir algum tipo de alimento sólido.

O bebê não pediu e a mãe nunca precisou daquilo, e o purê de cenoura acaba sendo menos nutritivo do que o leite materno. Aos poucos, as rações diárias vão aumentando, até que, na melhor das hipóteses, o bebê aceita o alimento e vai perdendo o interesse e a força necessária para sugar. Um mês mais tarde, em algumas ocasiões, a mãe para de produzir leite e a criança é desmamada muito precocemente, sem necessidade, pois a mãe tinha disponibilidade de lhe dar de mamar e tempo suficiente para se ocupar dela.

O que me parece espantoso é a facilidade com que as mães acreditam no pediatra que lhes entrega uma receita com o cardápio diário. Completamente dissociadas de sua intuição e de sua relação íntima com os códigos específicos que conseguiram estabelecer com a criança, caem em um abismo escuro, julgando-se incapazes de decidir e negando o vínculo poderoso que as une a seus filhos por causa de um papel assinado, carimbado e abençoado pelo manto do "suposto saber".

As mulheres se escondem atrás da ingenuidade para "não saber" o que sabem. Negam-se a abrir a porta de sua consciência, embora sejam as únicas donas da chave. Ou seja, são as únicas que estão em condições de investigar suas competências e reconhecer os saberes ancestrais, mas se esforçam para esquecê-los.

Sabemos muito bem que a amamentação humana é naturalmente mais prolongada do que estamos acostumadas a pensar no mundo ocidental. De qualquer maneira, os tempos são muito pessoais, ou "bipessoais", pois se trata de uma díade mãe-filho que funciona em conjunto.

Em vez de perguntar a outros supostos especialistas no assunto qual é o momento ideal para o desmame, cada mãe conectada com sua essência feminina poderia se questionar: como me sinto dando de mamar? Como meu bebê está amamentado? Sentimo-nos bem com isso? Temos algum empecilho para continuar? Ele cresce bem, é feliz? Alguém está sendo prejudicado? E se nos sentimos incomodados, não será por causa de problemas que outras pessoas precisam resolver? E assim por diante.

Se as mulheres se permitissem ser autênticas, prestando atenção na evolução natural da criança, veriam que alguns bebês começam a demonstrar interesse pelo alimento depois dos 6 meses, quando conseguem se sentar. Outros bebês não demonstram interesse antes dos 9 meses, e outros, inclusive, só quando completam 1 ano. Simplesmente, não os atrai. Estão ainda muito absortos na relação idílica com o seio. É preciso avaliar, então, se o bebê tem interesse (por exemplo, quando fica com água na boca ao ver os pais ou irmãos comendo ou quando peleja para ganhar um pedaço de pão). Às vezes, acontece que estão muito interessados no pedaço de pão, mas não têm interesse pelo purê, o que significa que querem experimentar sensações com a boca, mas não necessariamente se alimentar. É importante compreender a diferença. Então, determinaremos **se aquela criança em particular** está madura para a introdução de alimentos sólidos em sua dieta e **se a mãe também o deseja.**

O desmame deveria ser espontâneo, e cada díade mãe-bebê teria de administrá-lo de acordo com seus tempos, absolutamente pessoais. Por outro lado, há bebês que ingerem comida e, além disso, continuam mamando durante muito tempo. Na realidade, cada díade tem a própria história, sempre original.

Eu creio que não "**é preciso**" desmamá-lo porque nasceram os dois primeiros dentes ou completou 6 meses ou já está crescidinho. Cada mãe, quando lhe é permitido, consegue reconhecer suas necessidades e as de seu filho e qual é a situação que os torna mais harmônicos e felizes.

Ninguém de fora da relação tem o direito de dar **sugestões genéricas** sobre como e quando se deve desmamar um bebê, se ainda não foi formulado um pedido de ajuda concreto nesse sentido. Muitas mães me perguntam, angustiadas, qual a maneira de agir quando "devem" negar o peito ao bebê que chora desconsoladamente. Quando lhes peço que levem as mãos ao coração e me contem o que desejam, invariavelmente, a resposta é que não têm problemas em continuar amamentando.

Deveríamos refletir sobre o que estamos permitindo que ocorra em nossa sociedade. Por que qualquer um pode palpitar sobre uma coisa tão íntima como é o início ou o fim da lactação e por que as mulheres admitem expor sua maior fragilidade e levar em conta qualquer lobo que se disfarça de vovozinha para comê-las? Por que insistimos em nos aferrar à menina que vive dentro de nós e não permitimos o desenvolvimento de nossa consciência? Qual é o risco de reconhecer nossas certezas íntimas e lhes dar credibilidade?

A administração autônoma da amamentação no que se refere à sua modalidade e duração, ao prazer e ao contato que provoca com o mundo interno permite que a essência feminina aflore, sem rodeios. É necessário, também, fortalecer a troca de informações entre as mulheres, para constatar, assim, a abundância de amor, entrega e perfeição presente em cada gota de leite.

VALERIA QUER DESMAMAR SUA FILHA

Valeria agendou uma consulta para dizer que queria desmamar Juliana, sua filhinha de 1 ano e 6 meses que parecia estar cada dia mais aferrada a seu peito. A mãe precisava tomar um remédio que requeria o desmame. Como de hábito, comecei indagando alguns detalhes de sua **biografia humana:** infância, discurso materno, recordações, cultura familiar, adolescência etc. Soube, então, que Valeria fora abusada por seu pai durante a infância, que sua mãe não percebia o que acontecia, pois trabalhava o dia inteiro, e o pai caíra em profunda depressão. E que, malpassada a adolescência, tornara-se responsável pela manutenção financeira do lar. Obviamente, ela se considerava a única responsável a respeito de si mesma e de seus pais.

Aos 28 anos, se casou com um homem pelo qual se apaixonou loucamente, e ambos quiseram conceber imediatamente uma criança. A gravidez veio logo. Valeria, uma contadora eficaz, muito trabalhadora e habituada a cuidar de tudo, chegou ao parto se dando conta de que Ignacio, seu companheiro, não seria capaz de sustentá-la em qualquer nível. Não tinha trabalho nem casa e não cuidava da filha que tivera em um casamento anterior.

Nasceu Juliana. A experiência do parto foi relativamente boa. Valeria resolveu viver sozinha com seu neném, uma vez que Ignacio era uma carga a mais para ela. No entanto, para que Juliana desenvolvesse uma relação afetiva com o pai, Ignacio aparecia para jantar e dormir em sua casa duas vezes por semana. Valeria o amava, mas tinha de cuidar de tudo, pois Ignacio não tinha dinheiro nem para comprar fraldas descartáveis.

Comentei com Valeria que me impressionava a solidão e a onipotência com que administrava sua vida. Para criar uma criança, precisamos de alguém que cuide de nossa retaguarda, de alguém que nos sustente emocionalmente, pois o peso da criação de um filho pequeno requer toda a nossa energia e força espiritual. Ela precisava que alguém (Ignacio ou quem fosse) se colocasse como mais uma figura maternal e permitisse que ela repousasse. Mas, na verdade, era Juliana quem estava cuidando de sua mãe, sugando sem descanso o peito materno, como se lhe dissesse: "Estou aqui, não vou abandoná-la." Com isso, Valeria irrompeu em lágrimas e me contou que sempre que Ignacio aparecia em sua casa Juliana ficava aflita, pedindo peito, e nada parecia saciá-la. Pensei que essa era a dimensão de seu desamparo e que "Juliana-mãe" absorvia com exasperação fusionada a orfandade da mãe.

"Mas eu amo Ignacio", respondia Valeria. Magnífico que seja seu namorado, seu amante ou seu marido. Mas isso não significa que você tenha de sustentar, além do mais, a hipotética relação dele com sua filha. Que facilite a sua vida, que a acompanhe ou ajude. Se só aparece para comer de sua comida ou brincar com a filha dos dois na casa que você mantém sozinha, esse desespero de Juliana se perpetuará para não abandoná-la, pois sente que você está terrivelmente sozinha e desamparada. Não há meio de forçar um desmame. É o recurso que lhe resta para sentir que está cuidando de você.

"Você precisa que alguém cuide de você, Valeria", repeti várias vezes, enquanto Valeria chorava dizendo que gostaria que sua mãe a protegesse. Na verdade, era isso o que não tinha acontecido no passado, quando Valeria era criança e foi entregue ao abuso do pai por parte de uma mãe que olhava para o outro lado. Sugeri que ela conversasse com sua mãe real sobre suas dificuldades e impossibilidades, agora que ela mesma virara uma mãe e não podia continuar desempenhando o papel de "Mulher-maravilha". Para imaginar novas conversas com a mãe era imprescindível retomar a verdadeira história familiar. Perguntei a Valeria se a realidade dos abusos sexuais do pai fora revelada. Valeria me olhou com os olhos fora de órbita: achava impensável. Claro. Como seria possível pedir ajuda concreta à mãe se durante sua infância Valeria nem sequer quis incomodá-la e se dedicou a protegê-la para que não se inteirasse da brutal realidade que era o comportamento abusivo do pai? Ela sempre cuidou da mãe, resguardou-a e a protegeu da violência, expondo-se, ela mesma, com seu corpo de menina. Era hora de pedir ajuda, de cuidar de si. Por ora, apenas Juliana com seu 1 ano e 6 meses, sugando com desespero, mostrava à sua mãe a dimensão de sua angústia, que brotava da sombra com inusitada franqueza.

Havia muito a resolver antes de desmamar brutalmente a menina. Frequentemente, as coisas não são aquilo que parecem. Juliana, como a maioria dos bebês, se desmamou por vontade própria, quando constatou que a mãe contava com a ajuda amorosa de alguém disposto a amá-la.

CAPÍTULO

4

Transformar-se em puérpera

Preparação para a maternidade: ao encontro da própria sombra • A relação amorosa no pós-parto • A doula: apoio e companhia • Feminilizar a sexualidade durante o pós-parto.

PREPARAÇÃO PARA A MATERNIDADE: AO ENCONTRO DA PRÓPRIA SOMBRA

As mulheres se dão o luxo de ficar tentadas com uma ingenuidade absoluta durante a gravidez. Há uma tendência social de apresentar as grávidas embelezadas com o ventre à mostra, observando, reclusas, o mundo a partir do próprio umbigo, infantilizadas e cercadas de pensamentos supérfluos, folheando revistas românticas ou de conselhos úteis.

Sempre chamou minha atenção o estado de aparente embriaguez no qual as mulheres nadam durante a "doce espera". Tentei, ao longo dos anos, dar informações sobre o pós-parto e a natureza da fusão emocional a mulheres que atravessavam o último período de gravidez, acreditando que perto do parto estariam dispostas a se conectar com os aspectos recônditos da alma. No entanto, a tendência cultural consegue congelá-las nessa "fantasia", um espaço no qual se vive de camisola cercada de flores de papel, achando que logo estarão brincando de boneca. Não estão dispostas a se preparar para encontrar a própria sombra, que, indefectivelmente, aproveitará o parto para entrar na festa sem ser convidada.

Preparam-se para o parto nesse estado infantil, acreditando em qualquer coisa que lhes digam, assustando-se e fazendo de conta que a gravidez durará uma eternidade.

Deleitam-se com o prazer de estarem redondas, transformam-se em meninas e, como elas, fazem ouvidos moucos às propostas de se fundir com sua alma sábia e ficarem em condições emocionais de se tornarem mães com maturidade e responsabilidade.

Dependendo da preparação para o parto que escolheram (entendendo como "preparação" aquela que permita uma verdadeira procura da consciência interior e do conhecimento das capacidades intrínsecas de cada uma), terão uma experiência de parto mais ou menos harmônica, com mais ou menos acompanhamento e apoio, de acordo com o que procuram (se é que procuram algo em particular). Ora, sem uma interrogação profunda não há escolha verdadeira. E, nesse "não escolher", preferem imaginar ilusoriamente qualquer coisa em vez de organizar no aqui e agora um parto harmonioso, respeitador, com envolvimento e responsável.

Quando temem entrar no mundo adulto e dão à luz em um estado infantil, o bebê real tem pouco a ver com o bebê imaginado, sonhado e fantasiado a partir do conto de fada que vêm contando a si mesmas desde pequenas. É um bebê que chora sem parar, suja as fraldas, não adere ao peito, é muito magro, muito comprido ou muito largo, não se conecta, é excessivamente inquieto, não permite que a mãe fique bem diante das visitas ou não a deixa em paz, ou, ainda, não se parece com ninguém. É menino quando se queria uma menina, ou vice-versa, nasceu antes ou depois do previsto, foi cesariana, quando o esperado era um parto normal, não engorda, ou não se acalma, ou não dorme, ou é nervoso. Seja como for, é diferente do que se esperava. É profundamente desconhecido. Um recém-nascido é isso: **a manifestação organizada da sombra da própria mãe**, ou seja, de tudo o que ela rejeita, desconhece ou dói em seu profundíssimo ser essencial.

Acontece um choque brutal entre o estado de embelezamento da barriga — e a apologia da gravidez entre tules e rendas — e o ser real de carne e osso que não para de chorar.

A maioria das mães se queixa "porque ninguém lhes contou como era realmente a criação de um bebê" e elas tiveram de aprender literalmente se expondo. É verdade que a experiência é individual, mas, nestes tempos em que abundam as ideias de preparação para o parto, chama minha atenção o fato de que as mulheres continuem chegando muito desvalidas ao momento de assumir a maternidade. As respostas estão na **biografia humana** de cada mulher, ou seja, na necessidade histórica de organizar fantasias para não se conectar com sua realidade infantil carregada de solidão, abuso, dor, abandono ou pobreza. Quem decide criar uma "realidade feliz" para não sofrer, do mesmo modo vai encarar a experiência do parto. O problema é que logo o bebê de carne e osso é real e não é possível devolvê-lo. Nesse momento, o castelo de cartas cai e não temos outra solução a não ser encarar a realidade tal como ela é. Por fim, a sombra sempre aparece.

Há preparações que tratam apenas do aspecto físico. Outras, dão algumas informações genéricas sobre dilatação, puxo e expulsão, além de noções sobre puericultura e lactação. Por outro lado, **os profissionais que trabalham com seriedade orientando a preparação no sentido de um encontro sólido com a própria sombra** em circunstâncias muito diversas devido ao surgimento do filho costumam deparar com aqueles estados infantis em que as mulheres são protegidas, para "não saber, não se inteirar, não se complicar" mais do que é conveniente.

Os profissionais que trabalham a favor das aptidões das mulheres para a maternidade se veem diante da encruzilhada de oferecer o que cada uma aparentemente quer ou, então, insistir em aproveitar a oportunidade para conhecer de antemão os riscos do processo de desestruturação emocional que acontecerá depois do parto. Ou seja, para lidar de maneira adulta com o que as mulheres têm de aprender com elas mesmas a respeito do que ainda não se manifestou, pois a criança não nasceu.

Os longos nove meses permitem que nos preparemos para a ruptura do corpo físico e a quebra da alma. Essa crise será aproveitada na medida em que estejamos dispostas a olhar as partes escuras ou temidas de nosso eu sou. E essa tarefa pertence à mulher-adulta, à mulher-terra, à mulher-sangue, à mulher-pássaro. Não consegue realizá-la a menina que vive em nós, temerosa de conhecer o mundo interno, desamparada e sozinha.

Creio que este é o tipo de preparação para a maternidade que as mulheres ativas estão em condições de almejar: poder se amparar em outras mulheres, sábias e experientes, que estejam dispostas a guiá-las e a cuidar delas nesse processo de botão frágil que se transforma em flor. Uma flor bela e altiva que conhece as leis da natureza e, acima de tudo, as emoções femininas. A criança que está para nascer nos dá a possibilidade de ingressar no mundo adulto, **mas a decisão de fazê-lo é pessoal.** Neste sentido, **ser cúmplice da ingenuidade em que a mulher grávida navega é uma decisão profissional.**

A RELAÇÃO AMOROSA NO PÓS-PARTO

Os primeiros quarenta dias depois do parto são chamados, vulgarmente, de "pós-parto". Suponho que isso deriva de costumes antigos, da época em que a parturiente ficava em quarentena, zelada por mulheres experientes e sem a obrigação de manter relações sexuais. Nas sociedades em que as mulheres se encarregavam comunitariamente da criação das crianças, enquanto os homens se ocupavam exclusivamente da procura de alimento, o puerpério (ou o pós-parto) funcionava como um tempo de repouso e de atenção exclusiva ao recém-nascido.

Nossa realidade social é outra. Vivemos em famílias nucleares, em apartamentos pequenos, às vezes, afastados de nossas famílias primárias e em cidades nas quais não é tão fácil encontrar algo semelhante a uma comunidade de mulheres que ajudam nas tarefas domésticas e constroem uma rede invisível de apoio. **Todas as puérperas precisam dessa rede** para não desmoronar diante das feridas físicas e emocionais deixadas pelo parto. Além do mais, quarenta dias é muito pouco para nos recuperarmos dentro de nosso esquema social, porque ninguém defende as necessidades impostergáveis da díade mãe-bebê, não há uma comunidade feminina que cuide de nós, e a maioria das mulheres são obrigadas a voltar precocemente ao trabalho.

O panorama é desalentador para as mulheres modernas e urbanas. Embora pensemos que isso faz parte da liberação feminina, creio que se trata de uma armadilha: não há uma escolha verdadeira, quase ninguém está em condições de decidir quanto tempo precisa ficar com o bebê e qual é o momento adequado para cada uma voltar à vida profissional.

Cada mulher está muito sozinha em sua situação: a desestruturação emocional causada pelo nascimento do filho, a falta de uma rede social, o homem como único interlocutor e os imperativos sociais que manipulam os fios das decisões pessoais e familiares.

Esta é a realidade com a qual deparam os profissionais ao abordar uma mulher puérpera desarmada. O aparente rompimento do vínculo de casal, os desacordos familiares, a solidão, a falta de referências, o distanciamento afetivo das pessoas que acreditávamos serem as mais próximas e um bebê que chora sem parar.

Dentro deste esquema, os profissionais podem oferecer **informações realistas** a respeito das surpresas apresentadas pelo puerpério a homens e mulheres. Devem difundir com a maior exatidão possível os conceitos sobre a natureza da fusão emocional entre mãe e recém-nascido, sobre as necessidades específicas de uma mulher puérpera, sobre os cuidados indispensáveis que precisa receber. Dessa maneira, cada casal poderá determinar se está em condições de gerar o cuidado necessário ou se é preciso procurar apoios complementares (substitutos da comunidade de mulheres das sociedades mais solidárias) **fora do núcleo familiar.**

Para isso, além de abordar a totalidade da biografia humana da mulher convertida em puérpera, também é preciso perguntar sobre os procedimentos mais banais. Porque é justamente ali, no espaço doméstico, que as mulheres costumam se desesperar diante da impossibilidade de cuidar da criança quando outro filho exige atenção, a comida queima no forno, o telefone toca e vem a vontade de fazer xixi. Elas ficam sozinhas o dia todo, desmanchando-se e tentando encontrar no espelho aquela mulher que recordam ter sido.

Há uma infinidade de recursos práticos que podem ser indicados e avaliados em sua justa medida por um profissional que mereça a confiança do casal. A ideia principal é a de que **uma mulher puérpera não deve ficar sozinha durante muito tempo.** Precisa de assistência, de companhia e da disponibilidade de outra pessoa, que não interfira nem abuse de sua autoridade, que não a julgue nem se intrometa, mas que esteja presente. Que se encarregue das tarefas delegáveis (cuidar dos filhos maiores, limpar, cozinhar, lavar roupa, arrumar a casa etc.) e tenha capacidade de atender às necessidades sutis de uma mãe com um bebê nos braços.

Dentro de nossa estrutura social, acreditamos que cabe delegar essas obrigações ao homem, pressupondo que, assim, ele se transformará em um pai moderno. No entanto, não é essa a tarefa primordial que torna o funcionamento familiar equilibrado. A esposa pede ao marido algo que ele não sabe, não conhece e não compreende e que, na maioria dos casos, não fez parte dos acordos do casal. Por sua vez, o marido, infantil e necessitado, exige da mulher que tenha mais disponibilidade para recebê-lo à noite com alegria e carinho, no formato de disponibilidade genital, já que a aproximação sexual fazia parte dos acordos prévios. A realidade é que a presença da criança faz vir à tona os desencontros que já existiam. Também é verdade que **uma mãe e um pai não são suficientes para criar um filho.** Esta ideia pode parecer extravagante, mas creio que somos "desenhados" para viver em comunidade, como a maioria dos mamíferos.

O que fazer? Em primeiro lugar, ver que existem opções. Os profissionais podem orientar fazendo perguntas até que os nomes de algumas pessoas próximas que possam passar a apoiar a mulher puérpera apareçam no rol das possibilidades: se a situação econômica da família permitir, podem sugerir que contratem alguém (uma empregada doméstica ou uma *baby-sitter*) que lhes permita delegar algumas tarefas, que possa ficar com o bebê nos braços enquanto a mãe come, toma banho ou sai para dar uma volta. Ou mesmo para, simplesmente, lhe fazer companhia. Às vezes, essa função pode ser exercida por um parente, um núcleo de amigas organizadas, uma rede de vizinhas. Mas quero destacar que **toda mulher puérpera precisa de apoio afetivo, e que isto é uma prioridade, não um luxo.**

Depois de compreendermos que as necessidades básicas de uma mãe puérpera precisam ser atendidas, poderemos pretender que se amplie sua capacidade de se relacionar com o homem. Ou seja, precisamos disponibilizar recursos que permitam ao casal se aliviar concretamente das obrigações cotidianas, de modo que, até mesmo com um bebê no meio, ambos tenham tempo de dizer um ao outro o que está acontecendo com eles e possuam disponibilidade física e emocional para se amar.

Todos os profissionais que trabalham com famílias sabem que os casais atravessam esses períodos como se fossem naufrágios em que poucos se salvam. E, em parte, é assim porque não contamos com recursos emocionais nem sociais que facilitem a criação dos filhos. Estamos demasiadamente sozinhos, temos famílias muito pequenas. Precisamos inventar outros modelos solidários para que o pós-parto não seja um suplício, mas um período de sabedoria celestial.

É um desafio para homens, mulheres e profissionais interessados nas problemáticas humanas.

A *DOULA*: APOIO E COMPANHIA

Doula é uma palavra que começou a ser usada nos Estados Unidos e depois na Europa nos anos 1970. Alguns asseguram que provém do hindu, outros insistem que vem do grego. Em todo caso, se denominam *doulas* as mulheres experientes que dão apoio emocional às parturientes durante os trabalhos de parto e depois se instalam na casa da mulher que deu à luz no período do puerpério, para acompanhá-la, instruí-la em sua nova tarefa de ser mãe e apoiá-la afetivamente. As *doulas* conhecem puericultura, enfermagem e funcionam como "grandes mães" das jovens e inexperientes mães.

Nos Estados Unidos esta palavra tão doce foi adotada (pronuncia-se "dula") e proliferaram as Escolas de Formação para *doulas*. Na Inglaterra e na Espanha essas escolas também têm muito sucesso. A maioria das *doulas* se prepara para acompanhar processos de parto. Do meu ponto de vista, uma *doula* tem que se formar também na construção da biografia humana ou em algum outro sistema que permita abordar a totalidade do fio de uma vida, para compreender o que se manifesta em um momento tão doloroso e sangrento como o puerpério, para, assim, poder acompanhar e vislumbrar aquilo que a mãe recém-parida intui, mas não consegue organizar de seu "eu".

O trabalho da *doula* é cada vez mais necessário em nossa sociedade, já que as mães se veem sozinhas, infantilizadas e, às vezes, sem referências internas ou externas para sentir que é possível chegar ao final do dia. Muitas mães experimentam uma confusão e um esgotamento emocional tão grandes que permanecer em pé até a volta do esposo de seu dia de trabalho se transforma em um terrível desafio.

Pessoalmente, decidi aceitar o desafio de profissionalizar mulheres que desejem ser *doulas* para dar assistência emocional e espiritual às puérperas. E, ao mesmo tempo, criar uma consciência coletiva feminina para que **as mulheres se deem conta de que a ajuda concreta, a assistência e o acompanhamento efetivo durante o puerpério não são um luxo, e sim, pelo contrário, uma prioridade, que todas as mulheres devem ter a seu alcance.** A criança recém-nascida depende do equilíbrio emocional da mãe. De fato, as mulheres construíram, ao longo da história, uma rede de apoios possíveis que lhes garantiu a sustentação necessária para criar seus filhos.

A *doula* deve estar em condições de dar assistência doméstica à mulher puérpera. Precisa se adaptar às jornadas prolongadas e estar emocionalmente disponível para entrar em contato com a frequência sutil da mãe recente. A *doula* deve atender, prioritariamente, ao mundo interno da mãe, que vai explorar sem ter parâmetros conhecidos e, além do mais, organizar e colaborar no mundo externo, que se torna caótico. Seu papel é, acima de tudo, oferecer suporte, apoio, atenção, proteção e solidariedade. Deve valorizar todas as sensações e levar em consideração a história pessoal de cada mãe, a experiência do parto, a realidade familiar e social, o nível de desenvolvimento pessoal, a história com sua própria mãe, o vínculo com filhos já nascidos e o conjunto de desejos, dificuldades e sonhos para que cada mãe — graças à ajuda da *doula* —, fique em melhores condições de amparar e amar a criança recém-nascida.

As mulheres deveriam aprender a se imaginar como rainhas, mesmo quando, de modo ambivalente, achem que é uma ajuda excessiva qualquer apoio que não seja absolutamente necessário para salvá-la de um nocaute. Por que esperar que nossas forças cheguem ao limite? Deveríamos poder requisitar uma *doula* na clínica ou no hospital logo depois do parto. Ou ao voltar para casa. Quando o homem retorna de seu trabalho e um pânico surdo e impronunciável começa a crescer. Quando surge o medo ou a sensação de perigo. Quando o bebê chora e não conseguimos acalmá-lo ou temos a sensação de que não somos capazes de dar conta de tão desafiadora façanha. Quando os seios sangram ou doem ou se transformam em uma luta perdida. Quando apenas temos vontade de chorar e chorar. Quando o bebê está irritado ou nós mesmas estamos irritadas ou desconectadas. Quando a solidão invade tudo. Quando é impossível conseguir se vestir ou sair de casa. Quando não sabemos a quem perguntar ou desconfiamos dos conselhos. Quando a casa está cheia de visitas e achamos que vamos afundar em um abismo incomensurável. Quando a culpa e o desconcerto nos levam a supor que estamos fazendo tudo ao contrário. Trim, trim, uma *doula* a domicílio, por favor, agora.

É muito importante insistir que a *doula* deve atender e dar assistência à mãe puérpera, e não à criança. Toda mulher bem-apoiada, afetivamente compreendida e ouvida com solidariedade terá boas condições de tomar conta do bebê. Com frequência, tudo é feito ao contrário: diante de tristezas não muito definidas, cansaços previsíveis, depressões pós-parto e outras ervas daninhas, retiramos o bebê dos braços da mãe e a deixamos sozinha. No entanto, as mães não devem nem podem estar sós. Também não há motivos para tirar o bebê delas — já que se converteram em "mamãe-bebê" —, ou seja, ainda que não saibamos conscientemente, só a presença constante de seu bebê a reabilita emocionalmente. **A *doula* não interfere na díade; ao contrário, torna-a possível, a protege e embala os dois.**

Para se transformar em *doula* é imprescindível trabalhar a própria **biografia humana**, compreender nossas zonas escuras e separar nossas vivências das da mãe que estamos assistindo. Também deve ter grande capacidade de ouvir e extrema generosidade, pois ela está a serviço de cada mãe e de seu mundo emocional particular. Não defende nenhuma ideia preconcebida nem dá conselhos;

oferece apenas uma visão fresca da gestão dos vínculos familiares. A *doula* tem um corpo disposto, tem tempo e traz o conhecimento de todas as mulheres, que confluem nela, para oferecê-lo à mulher que acabou de ser mãe. Tudo isso é uma *doula*.

As *doulas* são parte de uma rede solidária feminina que pode nos conectar com nossas mais íntimas sensações para que atravessemos fortalecidas o puerpério. Parece ser um período de guerra interior, mas se o atravessarmos com consciência, saberemos trilhar pacificamente a vereda correta. Todas as mulheres merecem o cuidado de uma *doula*. Algumas mulheres merecem se converter em *doulas*, porque isso é reparador, além de uma via aberta para dar amor.

FEMINILIZAR A SEXUALIDADE DURANTE O PÓS-PARTO

As mulheres ativas têm interesses pessoais e forte senso de seu lugar no mundo, pois aprenderam a se acomodar dentro do universo masculino. A ação, o sucesso, a razão, a inteligência cerebral, o dinheiro e aquilo que é material têm excelente reputação, por isso são obrigadas a funcionar de modo concreto para desenvolver uma vocação, um trabalho ou uma identidade social por meio de sua atividade.

O aprendizado e o desenvolvimento das práticas sexuais não representam uma exceção à regra: pelo contrário, acontecem dentro da cultura varonil, que é um parâmetro generalizado e conhecido, por isso os realizamos com uma atitude preponderantemente masculina: ativa, agressiva, penetrante, combativa, de tempos curtos, objetivos claros e resultados palpáveis. Naturalmente, também gostamos disso: oferecemos e obtemos prazer, gozamos e nos deleitamos com o outro.

Nosso acesso à busca da liberdade interior é muito recente em termos históricos, portanto, é lógico acreditar que temos muito a aprender com a feminilidade oculta: como gênero, contamos com bem pouca experiência, embora tenhamos a sensação de "ter superado todos os obstáculos" ou até mesmo a de nos sentir verdadeiras deusas quando fazemos amor. Assim transcorre nossa sexualidade: felizmente ativa e sedutora, independentemente dos acordos de intercâmbio que conseguimos estabelecer com o companheiro.

Um belo dia nasce o primeiro bebê. Sabemos que é difícil criar filhos — dão muito trabalho, que o corpo leva algum tempo para se reacomodar depois da gravidez e do parto... Mas supomos que logo tudo voltará a "ser como antes". A maior surpresa se dá quando o desejo sexual não irrompe como estávamos acostumadas. Sentimo-nos culpadas, sobretudo quando o obstetra nos dá permissão para retomar as relações sexuais, para a alegria do homem que, com cara de satisfação, nos pisca o olho sussurrando em nosso ouvido: "Você não tem mais desculpas."

Mas o corpo não responde. A libido foi transferida para os seios, onde se desenvolve uma atividade sexual permanente, tanto de dia quanto de noite. O esgotamento é total. As sensações afetivas e corporais se tornam muito sensíveis e a pele parece um fino cristal que precisa ser tocado com extrema delicadeza. O tempo se prolonga, qualquer ruído causa extrema agonia e nos fundimos com as sensações do bebê, ou seja, com a experiência de nadar em um oceano imenso e desconhecido.

É nossa a decisão intelectual de responder às demandas lógicas do homem, de satisfazê-lo e de reencontrá-lo. Mas não funciona, a menos que nos desconectemos das sensações íntimas e verdadeiras (para o que muitas de nós fomos bem treinadas). Estamos, normalmente, tão pouco conectadas com nossa sexualidade profunda e feminina que navegamos com facilidade no desejo do outro, parte pelo afã de fazer a vontade do outro, parte para ser amadas. Assim, afastamo-nos de nossa essência e nos acostumamos a sentir de acordo com os parâmetros de outro corpo, de outro gênero. Ficamos desorientadas diante do desconhecimento de nossas próprias regras, regidas por uma feminilidade que passa despercebida à profundidade de nosso ser essencial. É essa essência da alma feminina que explode com a aparição do filho e, sobretudo, com o vínculo fusional que se estabelece entre o bebê e a mulher florescida.

A que nos obriga a indubitável presença da criança? **A que ambos, homem e mulher, nos conectemos com a parte feminina de nossa essência e de nossa sexualidade**, que é sutil, lenta, sensível, feita de carícias e abraços. É uma sexualidade que não precisa de penetração nem de esforço corporal. Pelo contrário, prefere o tato, o ouvido, o olfato, o tempo, as palavras doces, o encontro, a música, o riso, as massagens e o beijo.

Nessa tonalidade não há risco, porque ela não machuca a alma feminina fusionada. Não há objetivos, às vezes não há nem orgasmos, pois o que importa é o encontro amoroso e humano. Há compreensão e acompanhamento da realidade física e emocional atravessada pela mulher que tem uma criança nos braços. Nesse sentido, é importante perceber que a criança **está sempre nos braços da mãe**, ainda que materialmente esteja dormindo em seu berço, ou seja, ela participa emocionalmente da relação amorosa de seus pais. Por isso, é indispensável que esta seja suave, sussurrante e acolhedora.

A aparição do filho nos dá a oportunidade de registrar e desenvolver pela primeira vez as práticas femininas que tanto homens como mulheres conservamos como parte de nossos funcionamentos sociais, afetivos e, naturalmente, sexuais. Dito de outro modo: sem objetivos, sem a obrigação de chegar ao orgasmo, sem demonstração de destrezas físicas... Podemos, simplesmente, descobrir essas outras maneiras femininas que enriquecerão nossa vida sexual futura, porque promovemos a integração de aspectos de nós mesmos que desconhecíamos.

Todas as mulheres desejam abraços prolongados, beijos apaixonados, massagens nas costas, conversas, olhares, calor e um homem disponível. Mas o mal-entendido gerado por qualquer aproximação física que possa ser interpretada como convite sexual com penetração obrigatória induz a mulher a se distanciar de antemão para se proteger, e a rejeitar qualquer gesto carinhoso, aprofundando o desconforto do homem ante o aparente desamor.

Por isso, é imprescindível que homens e mulheres **feminizem a sexualidade** no período da fusão emocional entre mãe e criança, ou seja, ao redor dos dois primeiros anos. Isto nos permite gozar e, ao mesmo tempo, explorar nossa capacidade de nos comunicar e dar afeto, que, em outras circunstâncias, não teríamos desenvolvido. O sexo pode ser muito mais pleno, mais terno e completo se nos dermos conta de que chegou a hora de descobrir o universo feminino, as formas redondas do corpo e a sensibilidade pura.

Troquemos carícias até morrer! Permitamos que os coitos sejam muitíssimo mais elevados do que as meras penetrações vaginais, que obtêm o título de "relações sexuais completas", como se o gozo se limitasse a práticas tão esquemáticas.

Creio que há uma luta cultural entre o que todos acham que é correto e o que acontece conosco. Com as mulheres acontece que não podem fazer amor como antes, e com os homens acontece que se irritam, ficam angustiados e se distanciam. Na verdade, os dois deveriam se envolver com o que acontece com eles como tríade (o bebê incluído).

Ao longo dos anos constatei um fenômeno que se repete nos grupos de encontro entre mulheres: ajudadas pelo riso, que libera uma energia profunda e aproxima cada mulher de suas próprias e mais íntimas sensações, conseguem criar uma cumplicidade que permite que as mulheres conversem com franqueza entre si. Invariavelmente, as "novas" participantes sentem-se aliviadas ao verificar que outras com mais experiência dentro dos grupos falam abertamente sobre as dificuldades de se atender as exigências sexuais do homem, e se entusiasmam com as propostas criativas que trocamos procurando aumentar as opções de gozo e relacionamento. Quero destacar que **disso não se fala**, a menos que haja um **espaço feminino** de verdade, no qual seja possível falar com o coração (e com o ventre, os seios e os órgãos genitais, que se queixam quando não são ouvidos).

Para os homens isso é um verdadeiro desafio. Ingressar no universo feminino é bastante estranho, pois a cultura **é masculina** e pensamos e sentimos com esse sistema incorporado. Da mesma maneira, a sexualidade foi pautada a partir da atividade e da ejaculação como sinônimos de êxito e poder desde gerações remotas.

Creio que o homem tem, ali, a opção de aprender com os próprios aspectos femininos (os que vivem dentro dele), por meio de uma aproximação sincera da realidade emocional da mulher que se transformou, indubitavelmente, desde o nascimento da criança. A intensidade com a qual decidir se comprometer e se vincular para sustentar a díade mãe-bebê lhe permitirá se acomodar, integrando a tríade. Não a partir do pedido infantil de atenção, mas do apoio e da observação do que ocorre, em vez de pretender que "as coisas aconteçam como eu gostaria". É também uma maneira possível de se transformar em adulto, de construir um ninho e de unir os talentos em benefício da família. Quero dizer que os homens podem vir a descobrir que há outros modos de gozar como deuses, e que a penetração e a ejaculação são algumas entre tantas maneiras possíveis, mas não necessariamente as melhores. Sobretudo se a época é de amamentação, de noites sem dormir e de costas doídas.

Por outro lado, talvez algumas mulheres reconheçam pela primeira vez o calor da sexualidade feminina, que, além da excitação corporal, inclui uma intensa consciência sensorial. Às vezes, desconhecemos os ritmos naturalmente femininos e nos esforçamos para pertencer a uma modernidade na qual não se presta atenção às sensações mais íntimas. A sexualidade precisa, de vez em quando, da visita de criaturas fantásticas, de fadas e duendes que despertem com sua varinha de condão os desejos ardentes da alma das mulheres para que o sexo despeje amor e fantasia.

Nessas ocasiões, suspeitamos que o sexo é sagrado e sensual: isso acontece quando uma brisa percorre o corpo físico, produzida por um beijo, uma palavra amorosa, uma piada, um olhar cheio de desejo. Nesses exatos momentos, estremecemos ao sentir que somos amadas, e rejuvenescemos em poucos segundos, em uma autêntica explosão de vida e paixão. Assim, o sexo é sagrado porque é curativo, como o riso e os sentimentos livres. É sagrado porque repara o coração. A sexualidade vivida em sua plenitude integrando o feminino e o masculino, o *yin* e o *yang*: é um remédio para o espírito, um remédio para a alma.

CAPÍTULO

5

O bebê, a criança e sua mãe fusionada

As necessidades básicas do bebê do nascimento aos 9 meses • O olhar exclusivo • A capacidade de compreensão das crianças pequenas (falar com elas) • Recursos concretos para falar com as crianças • Estrutura emocional e construção do pensamento • Separação emocional e comunicação • Cuidados com as crianças "com problemas" • O caso Norma • O caso Constanza • Cada situação é única.

AS NECESSIDADES BÁSICAS DO BEBÊ DO NASCIMENTO AOS 9 MESES

Para nos aproximarmos do universo do bebê é necessário usar o conhecimento intuitivo, e não o conhecimento racional, pois se trata de um ser regido por necessidades e leis que escapam às previsões mentais dos adultos. Esta aproximação intuitiva que aflora nas mães é muito desvalorizada socialmente. Por isso, as mulheres não respeitam os sentimentos óbvios que surgem pelo fenômeno de fusão emocional, que lhes permite ficar milimetricamente conectadas com as manifestações de seus bebês.

O bebê humano nasce prematuramente em relação aos demais mamíferos. Podemos considerar que são nove meses de gestação intrauterina e, depois, nove meses de gestação extrauterina. Quer dizer, quando a criança chega aos 9 meses de idade, tem um desenvolvimento semelhante ao de outros mamíferos poucos dias depois do nascimento (possibilidade de locomoção, por exemplo).

Durante os primeiros nove meses de vida extrauterina as necessidades básicas dos bebês são, essencialmente, semelhantes àquelas que eram satisfeitas com comodidade no ventre de suas mães, a saber: **comunicação, contato, movimento e alimentação permanente** (nessa ordem).

Comunicação: Refere-se à **comunicação permanente** com a figura materna (a mãe ou a pessoa que a substitui) através do olhar, das palavras, da percepção de sua presença e do amor. Um bebê se constitui em ser humano na medida em que está em total comunicação com o outro, de preferência a mãe. Permanente significa “o tempo todo”, 24 horas de colo, calor, abrigo, movimento, ritmo.

Contato: O bebê deveria ficar nos braços da mãe ou de algum substituto a maior parte do tempo, apoiado fisicamente, tocado, até mesmo apertado, como de fato estava no útero da mãe. É preciso que as mesmas vivências uterinas se assemelhem às vivências no meio aéreo, pois isso lhe proporciona segurança e confiança. Isso permite que ele fique em contato permanente com outro corpo, que delimita o próprio corpo, que o protege, balança, abriga e canta para ele.

Isto é aparentemente simples, no entanto, a maioria das mães não conta com apoio externo suficiente para permanecer com o bebê no colo a maior parte do dia. Também não conta com histórias de vida suficientemente amorosas nem repletas de confiança. Por isso, inconscientemente, elas travam uma luta interna entre a necessidade primária e filogenética que lhes é ditada pelo coração e aquilo que a sociedade, a família ou a cultura esperam delas e classificam de normal e saudável. De fato, em nossa sociedade ocidental, raras vezes temos oportunidade de encontrar mães carregando bebês pendurados em seu corpo. Pelo contrário, abundam os carrinhos de bebê, bercinhos, cadeirinhas ou qualquer outro objeto que mantenha o bebê afastadíssimo do corpo da mãe. Quero ressaltar que dentro do útero materno o bebê tinha **todas as partes de seu corpo** em contato com outro corpo, apertado e com limites muito precisos. É essa a sensação que o bebê precisa reproduzir. O espaço aéreo é infinito. Quando não há contato completo, a sensação é a de estar caindo em um precipício.

Movimento: Durante a vida intrauterina o bebê estava em contínuo movimento. Não somente pelos movimentos da mãe ao caminhar, se sentar, dormir ou escrever, mas também porque a criança permanecia em contato permanente com os movimentos dos órgãos internos, tanto de digestão, respiração ou circulação cardíaca. A quietude completa não existia e, no meio aéreo, a quietude representa um perigo para o bebê.

Alimentação permanente: Significa que, assim como no útero, a necessidade de alimento é quase constante, e não me refiro apenas ao alimento material que denominamos de leite. A possibilidade de sugar, ingerir e satisfazer a fome deveria estar disponível cada vez que o bebê pedisse. Prestemos atenção na facilidade com que as mães se negam a dar o peito à criança porque ela "já comeu". Deveríamos refletir sobre o poder que exercemos sobre elas como adultos, dizendo arbitrariamente quando é justo oferecer alimento e quando isso não é adequado ou merecido. No útero, não existia a espera. A criança era alimentada espontaneamente.

Estas considerações estão na contramão da maioria dos preconceitos usados na administração da sociedade industrial. Ora, os preconceitos são ideias preconcebidas que podem ser úteis em certas circunstâncias e depois passam a ser usadas de maneira indiscriminada. É o contrário de dispor de um olhar amplo, aberto e propenso a examinar cada situação em particular.

Para criar bebês atendendo às suas necessidades básicas é indispensável **reconhecer** a natureza do bebê humano. Para isso precisamos observá-los, e partir de uma confiança genuína em seu comportamento. E também fundir-nos na fusão, na qual viveremos como se fossem nossas as sensações primitivas de nossos bebês, permitindo-nos regressões, que têm uma péssima reputação mas são indispensáveis durante o puerpério. Devemos nos permitir, in clusive, que irrompam com clareza as sensações do bebê que nós mesmas já fomos. Pode parecer assustador que essas vivências reapareçam se não foram agradáveis, mas, como dissemos antes, o corpo do bebê revela, indefectivelmente, a **alma** da mãe, e a alma não registra o tempo. Pode manifestar alguma situação do presente, como também uma experiência muito antiga. Criar um bebê real é também reviver o bebê que fomos.

O que acontece quando as mães criam seus bebês guiadas por conselhos e receitas recebidas, deixando de atender suas sensações viscerais? Simplesmente, a sombra aparece em manifestações incômodas, como doenças, choro desmedido e protestos dignos de bebês que resolveram chamar a atenção.

Somos uma sociedade extremamente violenta com nossas crias. Insistimos em não atender as queixas dos bebês, que dependem de forma exclusiva dos cuidados dos adultos. Um bebê humano não tem qualquer autonomia em relação ao próprio corpo. Ao nascer, sequer sustenta a cabeça, e só consegue se deslocar por volta dos 9 meses... Portanto, está à mercê de nossas caprichosas ideias modernas.

As mães costumam ser acusadas de "superprotetoras" e seu papel maternal é desmerecido quando têm a coragem de manter o bebê sobre o seu corpo. O temor familiar e social pressupõe que o bebê acostumado a permanecer em contato corporal com a mãe não poderá, no futuro, se acostumar a prescindir do contato físico. É um pensamento linear e extremamente infantil.

Se o bebê padecer da falta de algo que seja básico dentro do leque de suas necessidades, crescerá reivindicando eternamente aquilo que não obteve. É o que acontece com pessoas que atravessaram a guerra e a fome — a situação real foi modificada, elas se transformaram em indivíduos ricos e poderosos e, mesmo assim, continuam experimentando a sensação primária de fome e de perda. Um senhor de 92 anos que passou a guerra no Leste Europeu continua comendo as migalhas que os outros abandonam em seus pratos, porque ainda sente fome em suas entranhas. Uma criança não apoiada corporalmente procurará eternamente o contato compulsivo. Uma criança não amada pedirá amor em todos os lugares, e sempre se sentirá insatisfeita. Por outro lado, quando um bebê tem suas necessidades respeitadas, logo cresce e evolui. Se sua segurança interior for forte, terá mais coragem e vontade de explorar o mundo exterior.

Lembremos que **ninguém pede aquilo de que não precisa.**

O OLHAR EXCLUSIVO

O olhar exclusivo é uma das necessidades básicas dos bebês e das crianças pequenas. Diante de qualquer manifestação incômoda de uma criança é pertinente nos questionarmos, em princípio, sobre o mais simples: averiguar se as necessidades básicas foram satisfeitas. Ficaremos assustados ao constatar que raras vezes se consegue. Carregar o bebê no colo parece irritar muito as pessoas adultas. Além do mais, todas têm um sem-número de coisas importantes para resolver, em vez de ficar perdendo tempo com um bebê sempre pendurado nas costas.

Em tese, estamos todos de acordo, mas as mães não contam com suficiente apoio familiar ou social para se permitir "ter o bebê" mais do que é devido. Tampouco viemos de infâncias carregadas de amorosidade e ternura. Portanto, o universo dos abraços e afetos compartilhados é desconhecido para nós. É assim que caminha o mundo. Simplesmente, se compreendêssemos a aridez emocional da qual viemos e amamentássemos e conservássemos os bebês realmente no colo, cresceríamos mais felizes e as carências afetivas não estariam tão representadas nas batalhas que travamos por aí.

Perguntemo-nos se recentemente ficamos 15 minutos sentados no chão do quarto de nossos filhos sem fazer **qualquer outra coisa**. Sem checar as mensagens de texto. É um teste muito difícil. A maioria perde. Enfim, muitas crianças estão sozinhas e choram, embora as mães não se deem conta disso, porque têm a sensação de que passaram o dia inteiro cuidando delas enquanto cozinhavam, falavam ao telefone ou faziam compras. Costumam deixar quase tudo de lado quando o telefone toca. Sempre há tarefas indelegáveis e urgentes. Vamos recordar quantas vezes ao longo do dia dissemos aos nossos filhos: "Espere." As crianças esperam.

As mulheres que trabalham fora de casa voltam cansadas, com vontade de reencontrar as crianças, mas também com tarefas a realizar. As que não trabalham fora entram em uma atividade doméstica interminável, e embora tenham a sensação de ter lidado o dia inteiro com as crianças, na realidade não se permitiram parar, olhá-las, observá-las e fazê-las saber que há um tempo e um espaço exclusivo para elas. Não é indispensável brincar com a criança. É indispensável estar disponível, para que a criança possa contar conosco.

A CAPACIDADE DE COMPREENSÃO DAS CRIANÇAS PEQUENAS (FALAR COM ELAS)

Achamos absurdo imaginar que os bebês e as crianças pequenas são seres que chegam ao mundo com uma capacidade total de amar, ser amados e de se comunicar com os demais. Damos muita importância às limitações físicas, ao corpinho desajeitado e imaturo, como se este estivesse diretamente relacionado com as limitações espirituais. Estamos acostumados a acreditar apenas naquilo que nossos olhos veem, e negamos o que nosso coração vê.

O hábito de conversar com as crianças é pouco frequente e, por isso, parece estranho. Soa ridículo dar explicações a um bebê que aparentemente só sabe chorar, mamar e sujar as fraldas. Este tipo de conceito em relação aos bebês pode ser tranquilizador se estivermos encaixados em uma lógica materialista, visível e tosca da vida humana. De fato, o exercício de conversar com as crianças tem a ver com entrar em contato com os planos sensíveis, o espaço no qual as criancinhas estabelecem, alegremente, uma relação fácil — para espanto dos mais velhos, que ficam atônitos ao perceber que todo ser humano tem capacidade de compreensão independente da idade que lhe é atribuída no plano físico.

Sabemos que os adultos precisam de provas para se sentir com o direito de fazer afirmações tão disparatadas como: "Os bebês compreendem tudo", pois estão acostumados a se mover em um mundo material no qual o que se vê, o comprovável e o concreto gozam de excelente reputação.

Mas já vimos que a chegada de um bebê nos coloca diante da necessidade de ampliar nossa capacidade de compreensão em relação a aspectos mais sutis e, de fato, menos comprováveis. Os bebês e as crianças possuem corpos físicos menores, mas seus aspectos emocionais, intuitivos, perceptivos e telepáticos são mais desenvolvidos.

O fato de uma criança não poder ainda usar a linguagem verbal não significa que não a compreenda. Ao contrário, ela está conectada exatamente com o que tem significado lógico e íntimo para sua mãe. Portanto, seria uma ignorância por parte dos adultos menosprezarem essas qualidades, que são justamente as que os colocam volta e meia no caminho indefectível da compreensão pessoal.

Partindo do preconceito — "são pequenininhos e não entendem" —, permitimo-nos dar poucas informações aos bebês: vamos trabalhar (desaparecemos) e voltamos ansiosas (aparecemos), sem qualquer explicação. Tomamos decisões pessoais ou familiares que os envolvem. Além disso, nós os deixamos aos cuidados de outras pessoas, manipulamos seus corpos, os levamos ao supermercado, toleramos que pessoas que eles não conhecem os peguem no colo etc. Isso sem lhes dar a oportunidade de encontrar o significado de cada situação e um modo pessoal de se acomodar a ela.

No entanto, os adultos se guiam por certas informações a respeito dos outros. Por exemplo: se nosso marido tem uma reunião de trabalho em um horário incomum, precisamos que nos avise para que possamos nos organizar melhor mentalmente. Por outro lado, quando não nos avisa e chega para jantar três horas mais tarde, consideramos a situação intolerável e até mesmo caótica. Aquilo que os adultos consideram falta de respeito, parece natural quando se trata de crianças.

Por que é necessário que as crianças saibam o que acontecerá? Porque elas têm o direito de organizar seu entendimento, da mesma forma que os adultos. Uma criança se prepara para viver na ausência de sua mãe durante três horas; prepara-se para aceitar rostos desconhecidos que se tornam amigáveis quando a mãe os nomeia; prepara-se para ir ao supermercado, um lugar barulhento, cheio de luzes brilhantes, onde a mãe está apressada e não lhe dá atenção. Os adultos também se sentem mais à vontade quando o anfitrião de uma festa trata com amabilidade as outras pessoas, quando sabem como transcorrerá seu dia, quando conhecem suas alternativas.

É interessante notar que as crianças reagem com violência quando não são consideradas em sua totalidade, como seres capazes de compreender, aceitar e acompanhar. Porque qualquer situação é suportável quando sabemos do que se trata.

Por isso, devemos adotar o hábito de conversar com as crianças, por menores que sejam. Contemos a cada manhã como será o dia. Se tivermos de deixá-las, expliquemos o que elas farão na nossa ausência, o que comerão, onde passearão, enfim, precisamos lhes dar toda a informação banal e doméstica. E, mais imprescindível ainda: devemos conversar com as crianças sobre o que acontece conosco, o que sentimos, sobre a origem de nossas preocupações, os motivos de nossas alegrias, nossos projetos e desejos, nossos êxitos e dificuldades, amores e desamores, conquistas e perdas. Entendo que para poder falar com as crianças temos que, previamente, nos conectarmos emocionalmente com nosso ser interior — e isso será possível a partir de um trabalho honesto de indagação pessoal. Conectemo-nos com nossos processos internos, ainda que sejam enfadonhos, e façamos o teste de conversar sobre eles com nossos filhos. É imprescindível que os adultos admitam que precisam de ajuda para limpar as realidades de opiniões, preconceitos ou discursos obsoletos, porque a única coisa que temos que abordar é nossa realidade emocional. Uma vez que aprendemos a olhar para nosso território emocional, livres de opiniões discutíveis, e na medida em que compreendemos quanta cegueira ou quanto medo marcaram nossas histórias de vida... Então, sim, essas descobertas genuínas têm de ser divididas com nossos filhos. Falemos. Falemos porque nossas crianças nos ouvem, nos compreendem, nos protegem e se solidarizam. E, acima de todas as coisas, quando elas manifestam as preocupações que são nossas, só falando com clareza a respeito disso é possível afastá-las da emoção. À medida que vão ouvindo a situação conflituosa relatada por sua mãe, vão conseguindo se afastar da angústia, pois entendem que não era deles, e sim da mãe.

Usemos como exemplo outra situação corrente entre os adultos: meu companheiro chega em casa de péssimo humor. Pergunto o que está acontecendo e ele não quer me responder. Então, fico angustiada e fantasio os motivos pelos quais poderia estar aborrecido comigo. Sinto-me pouco atraente, em dívida com ele e creio que preciso inventar alguma coisa para alegrá-lo etc.

Suponhamos, entretanto, que meu marido chegue de mau humor e, quando pergunto o que está acontecendo, ele me relata uma situação desagradável ocorrida em seu trabalho, talvez uma discussão com um cliente. Conversamos sobre o assunto. Eu não posso resolver nada, mas não me angustio. **Porque sei o que está acontecendo. Quando sei, fico afastada da angústia.**

O mesmo acontece no processo de comunicação com os bebês. Quando sabem do que se trata, ficam afastados da angústia. Ou, dito de outro modo, se a mãe toma consciência, por meio da expressão do filho, de determinada situação emocional, se percebe sua real dimensão, ou consegue localizar em sua história pessoal o nó do conflito, então o bebê não precisa se encarregar de indicar a situação a ser resolvida. Aquilo já retornou à compreensão da mãe. Obviamente, isto não é sempre automático, pois nem todas as situações emocionais são fáceis de decifrar e algumas produzem sintomas durante anos, mas a atitude de introspecção, a pergunta inicial "o que está acontecendo comigo", é fundamental na busca da verdade.

Nesse sentido, lembremo-nos de que o ser humano tem a mesma capacidade de compreensão desde o dia de sua concepção até o dia de sua morte.

Por isso, as crianças merecem nosso respeito. E que as tratemos como aos professores, a quem respeitamos, veneramos e seguimos. E com quem aprendemos.

RECURSOS CONCRETOS PARA FALAR COM AS CRIANÇAS

Falar com as crianças fica mais fácil quando começamos desde o nascimento. As mães passam longas horas a sós com o bebê. Afastadas dos palpites bem-intencionados, podem se exercitar contando-lhes pequenas coisas: "Agora vou trocar sua fralda", "Preciso que você me espere um pouco", "Sua barriga está doendo e é por isso que você está chorando", "É muito difícil ser bebê" etc. Logo percebemos que, quando acompanhamos nossos movimentos com explicações adequadas, tudo fica mais suave, o bebê se tranquiliza e não manifesta contrariedade.

Se estivermos atravessando uma situação pontual mais angustiante, e conseguirmos lhe contar com palavras simples o que está acontecendo, notaremos certo alívio no bebê. Como se trata de sentimentos sutis, é possível que as mães sejam as únicas a se dar conta de que o bebê relaxou, mesmo que isso não se note tanto a partir "de fora". Sugiro exercitar o hábito de falar, todos os dias, diante de cada situação que se apresentar e colocar em palavras o que fazemos, o que sentimos, o que acontece conosco, o que somos. Porque o nosso bebê vai aprendendo o mundo por meio do amor e da compreensão lógica de tudo o que faz, sente, lhe acontece, é.

É indispensável falar na primeira pessoa, uma vez que esta é a maneira mais próxima de transmitir a **verdade**, sem emitir juízos: "Eu creio que...", "Está acontecendo comigo...", "Tenho uma dificuldade em tal área..." etc. Cada vez que a irritação nos incita a distribuir culpas, estamos nos afastando da verdade. Se falarmos de nós mesmos, as crianças darão crédito a nosso discurso. Caso contrário, estaremos usando palavras ocas. As crianças respondem solidariamente quando se sentem respeitadas e encontram nas palavras do adulto uma mensagem que chegue a seu coração.

Por exemplo: "Matías, **eu** grito muito com você quando se comporta mal. Na realidade, não tenho tempo de brincar com você, não sei por que me custa delegar as tarefas da casa. Meus pais foram muito exigentes comigo e **eu** não aprendi a pedir ajuda. Pelo contrário, sempre tenho a sensação de que posso fazer tudo sozinha. Também não sei como pedir a seu pai que chegue mais cedo. Estamos precisando de dinheiro e estou tão preocupada que às vezes acabo explodindo. Vou fazer um esforço para não me irritar com você a todo instante. Sinto muita culpa, eu me sinto sozinha..."

Falar na primeira pessoa é sempre revelador. Não estamos acostumados e, para consegui-lo, é necessário estar sempre atentos.

Tendemos a culpar as crianças, a sociedade, o clima, a escola e nosso passado, mas nenhuma destas desculpas nos leva ao caminho do conhecimento pessoal, nem ao entendimento de nossos cenários completos. Se nos comunicássemos na primeira pessoa, as discussões acabariam até mesmo entre os adultos. Por exemplo: "Você me prometeu que ia chegar às 18h para dar banho nas crianças. Você é um irresponsável!" Essas afirmações são diferentes de: "Eu estou esperando por você desde as 18h, como havíamos combinado. O dia me parece interminável ao lado das crianças e a certeza de que você vai chegar me ajuda. Não posso fazer as coisas sem você, desabo só de pensar nisso."

Quando falamos na primeira pessoa, não há discussão possível. Ao contrário, ocorre compreensão e aproximação. Falar com os demais é simples quando compreendemos que estamos incluídos no cenário, quer dizer, quando nos envolvemos. Falar com as crianças é ainda mais simples, pois elas nos respondem com o estado mais puro e genuíno da alma. Só é necessário estar falando consigo mesmo.

ESTRUTURA EMOCIONAL E CONSTRUÇÃO DO PENSAMENTO

Ramiro cai e machuca o joelho. Chora. A mãe diz carinhosamente: "Ramiro, não aconteceu nada." Então, Ramiro entende que aquilo **que sente não é**, mas, como continua doendo, chora com mais intensidade. A essa altura a mãe se irrita, porque está exagerando. No final, Ramiro já não está seguro do que está acontecendo com ele.

Malena tem medo da escuridão, dos bichos, da chuva e de ficar sozinha. Os pais de Malena brigam muito em casa, gritam um com o outro e trocam ameaças. Quando a professora do jardim de infância conversa com sua mãe, ela lhe diz que em casa não há problema algum. Então, Malena interpreta que a sensação de desgosto ou de medo que percebe em casa não existe. O que ela acha que acontece a mãe diz que, na realidade, não acontece.

Se prestarmos atenção nas coisas que dizemos cotidianamente às crianças veremos que, com insistência, desdizemos o que acontece. Quando a criança se machuca, dizemos que na verdade não se machucou. Quando existe violência em casa, afirmamos que nada está acontecendo. Quando quer comer, dizemos que ainda não está na hora. Quando não quer ir à escola, dizemos que esse assunto nem está em questão e que ela tem de ir de qualquer jeito.

O resultado é que as crianças vão armando sua relação com o mundo levadas pelas mãos da mãe ou da figura materna. A pessoa que **nomeia** como são as coisas. Desde "vou trocar sua fralda" até "hoje está fazendo frio". Além do mundo "objetivo", as crianças têm também um conjunto de percepções e sensações muito pessoais, que precisam **ser nomeadas,** mas, para consegui-lo, primeiro têm de ser **reconhecidas como válidas.** Observemos que desde o início da vida a criança depende da interpretação da realidade que as mães fazem. Por isso, o que dizem vai se constituir na psique da criança como um céu de verdades ou como um inferno de mentiras.

A criança vai construindo o próprio eu, separando-se da fusão emocional, à medida que vai se integrando com o que está "fora". Esse fora tem de ser compreensível ou lógico. Quando sente dor, precisa que aquela sensação seja nomeada como dor para que, cada vez que sinta dor, possa, ela mesma, reconhecê-la como tal. Assim como quando a cor verde é nomeada, e ela passa logo a reconhecer toda a variedade possível de verdes, o mesmo ocorre com o aprendizado das sensações pessoais e daquilo que acontece com as outras pessoas.

São como peças de Lego que vão se juntando umas com as outras, encaixando-se com precisão. Vamos chamar essa construção perfeitamente encaixada de estrutura emocional, porque logo se transforma em um apoio de base para toda a organização efetiva posterior. Um esqueleto bem-armado pode levá-la a fazer frente a muitas tormentas e preservar sua integridade.

Voltando aos exemplos anteriores: quando Ramiro cai e a mãe o consola dizendo "está doendo muito", uma peça se encaixa na outra, porque se nomeou com exatidão o que acontece. Certamente, ele vai chorar menos, porque conta com o reconhecimento da palavra da mãe, que, além de consolá-lo, constrói a **configuração de seu pensamento unido ao sentimento.** Só a partir de então, pode armar a base da estrutura de seu pensamento, sustentado por um equilibrado esqueleto emocional.

No segundo exemplo, se os pais de Malena conversarem com ela usando palavras simples, dizendo que não são felizes vivendo juntos e que procurarão ajuda para solucionar os problemas, se a mãe contar a Malena que ela própria tem muito medo de ficar sozinha caso venha a se divorciar do seu pai e que é possível que os medos de Malena tenham a ver com isso, então Malena, distanciada dos problemas reais a serem resolvidos, conseguirá construir sua estrutura emocional como se fossem peças de Lego, que se encaixam relativamente bem.

O que acontece quando não usamos as palavras para estabelecer relação entre o que acontece de fato e nossas emoções? Simplesmente as crianças não ficam em condições de organizar essa mínima estrutura emocional, crescendo frágeis e emocionalmente fracas. O mundo exterior não encontra um modo de se articular com o mundo interior, com o conjunto de sensações e percepções pessoais. As crianças ficam desconcertadas. Para não sofrer, desconectam. Essas crianças se parecem muito com as crianças que nós mesmos fomos... desorientados e distantes da realidade, tentando sobreviver ao sofrimento. Precisamos levar em consideração que, ainda que estejamos falando de nossos filhos, ao mesmo tempo estamos falando com a criança que fomos.

Atualmente, está muito na moda falar de crianças hiperativas. São crianças que não conseguem parar, correm de um lado para outro, não conseguem se concentrar em uma brincadeira, não prestam atenção e, se observarmos bem, veremos que tampouco conseguem elaborar frases longas ou complexas. Falam com ideias entrecortadas. Como nos videoclipes, em que cada imagem pode não ter relação alguma com as seguintes. Essas crianças, que costumam ser catalogadas como crianças sem limites, na realidade funcionam como se tivessem tido todos os seus cabos desconectados. O que dizem e o que fazem parecem não ter sentido, é árduo acompanhar seu relato, e, quando se "ligam", o fazem por meio de sistemas muito lineares, como a televisão ou os joguinhos de computadores: não é preciso elaborar um pensamento concreto quando se trata de matar sempre os mesmos inimigos. Depois, essas crianças crescem e se transformam nos adultos que todos nós somos, com grande dificuldade para perceber o que acontece conosco, reconhecer nossas sensações, localizá-las em alguma prateleira do nosso complexo sistema emocional, registrar nossas necessidades ou estabelecer escolhas que tenham a ver com nossa essência e nosso ser no mundo.

Todos nós vivemos, de alguma maneira, desconectados de nosso "ser interior", mas é justamente essa situação que produz infelicidade em nós. As crianças chegam ao mundo "conectadas" porque estão mais próximas de seu coração. As crianças são nossa oportunidade. Não existem maiores testemunhas de nossa natureza viva do que cada criança que chega à nossa vida. Por isso, em vez de censurarmos suas manifestações, podemos tentar nos deixar levar por suas necessidades, o que é um modo eficaz de chegar ao nó de nossas próprias necessidades primárias, da criança que fomos e que ainda não conseguimos compreender.

Outro exemplo: a mãe de Santiago é solteira, não tem marido e acaba de perder o emprego. Está muito angustiada porque não pode se apoiar em sua família de origem; conta apenas com uma mãe idosa e um irmão com quem quase não tem vínculo. Santiago acorda muitas vezes durante a noite. A mãe se irrita e diz que se ele continuar se comportando mal não vai mais levá-lo ao zoológico, coisa que ele tanto gosta. No entanto, isso não dá resultado. Santi continua acordando, as ameaças crescem, e o circuito continua...

Em vez de achar que Santiago "não tem motivos para acordar", "faz de propósito" etc., vamos admitir que ele tem, sim, motivos para isso. Uma razão provável é que, ao sentir sua mãe tão desamparada, acorda mil vezes para lhe dizer: "Mamãe, não se preocupe, estou aqui, eu vou cuidar de você." Então, a mãe poderia contar ao filho, com palavras simples: "Eu estou preocupada porque perdi o trabalho, mas sou uma pessoa adulta e vou resolver as coisas. Nada nos faltará, e quem cuida de você sou eu, porque sou sua mãe." Não é uma questão nem de irritação nem de castigos. Santi merece uma explicação com palavras que **nomeiem** o que sente, para que aquilo que ele sente coincida com o que está acontecendo e possa dormir tranquilamente. Se não arma seu esqueleto emocional e, além disso, recebe castigos... qual é a lógica? Fica desprovido de estrutura emocional, não pode unir seu pensamento a seu sentimento e, ainda por cima, é castigado! Um despropósito. Recordemos que quem está operando é a fusão emocional, ou seja, Santiago sente a mesma angústia que a mãe, com a diferença de que não consegue organizá-la.

Por outro lado, há adultos que desfrutam da ingenuidade dos pequenos quando os assustam com o bicho-papão ou os fantasmas (em pleno século XXI, os personagens de terror continuam vivinhos, agitando os rabos, e vêm castigá-los). As crianças submetidas a esse tipo de ameaça não conseguem armar um esqueleto emocional que as sustente, porque o bicho-papão é totalmente ilógico. Não há uma única peça que se encaixe. Quando essas crianças crescem, veem-se obrigadas a usar sua energia para deixar de acreditar no bicho-papão, mas carecem de uma **base para reorganizar** suas crenças. E esse cimento é erigido na infância, ou seja, no trânsito para a idade adulta, ou um **se tem ou não se tem.** E sem estrutura emocional de base fica muito mais difícil iniciar uma busca pessoal da verdade. A tentativa de realizar uma indagação profunda às vezes não conta com o interesse nem com a mínima confiança em alguém que possa nos ajudar e nos devolver o sentido extraviado do propósito de nossa vida.

Por isso, envolver-nos seriamente com as crianças pode ser um bom hábito, sem negacear-lhes a presença, a conexão e a comunicação que todos merecemos. Para consegui-lo é imprescindível

acreditar que é válido e legítimo aquilo que uma criança tenta ordenar entre sua cabeça e seu coração. Não nos apressemos a contradizê-las a cada pedido. Porque ninguém pede aquilo de que não necessita.

SEPARAÇÃO EMOCIONAL E COMUNICAÇÃO

A natureza nos guia da fusão à separação. Crescer é exatamente isto: o lento aprendizado e conhecimento do entorno que permite que nos separemos física e emocionalmente de nossos pais, para nos lançarmos à aventura da vida individual. Os recém-nascidos estão totalmente fundidos com a mãe. Depois, pouco a pouco, vão entrando em relação fusional com outras pessoas, objetos, lugares e situações com as quais compartilham algum tempo e espaço.

A fusão emocional é abrangente nos dois primeiros anos da criança, ao longo dos quais começa a perceber a si mesma como um ser separado. Ficamos sabendo que isso aconteceu quando ela consegue nomear a si mesma com a palavra "**eu**". Mas esse é apenas o início do processo de separação, que no ser humano dura até a adolescência, por volta dos 13 ou 14 anos. Aqueles que conhecem as práticas esotéricas dizem que a mãe e o filho compartilham a mesma aura durante 13 anos.

Pois bem, no transcurso da infância, a criança precisa de apoios que lhe permitam produzir em cada vivência o exercício da separação emocional. Para isso a melhor contribuição é comunicar o que acontece por meio de palavras com sentido lógico. Desenvolveremos esses conceitos nos capítulos "As crianças e o direito à verdade" e "Apoiar e separar: duas funções possíveis para um pai maduro".

Há muitas crianças entre 2 e 14 anos que sofrem com a ausência de palavras que expliquem o que acontece com elas, com os pais ou com as pessoas que as cercam, e, por isso, navegam em um mar escuro de incerteza e desolação.

Os adultos em união emocional com as crianças conseguem a alquimia necessária para a transformação mais elevada (as crianças, para penetrar na maturidade; e os adultos, para entrar na brincadeira). Por meio do contato dessas diferenças intrínsecas a energia da alma é acesa, e ficamos todos um pouco mais sábios.

Quando nos relacionamos com as crianças, costumamos nos perguntar a que mundo pertencemos: se ao concreto ou ao inventado por nossa fantasia. Na realidade, habitamos as duas esferas. O mundo das crianças nos conecta com os sonhos, as esperanças, a inocência e a sensibilidade inata. É um momento estranho, porque vivemos na terra e também debaixo dela, pertencemos ao mundo físico e também ao mundo invisível. E as crianças, por sua vez, em relação profunda com os adultos, ingressam no mundo da razão, da lógica, das explicações e das respostas. Chegam ao futuro e ao pensamento.

Para facilitar essa integração as crianças precisam de um lar no qual se sintam amparadas e protegidas. Lamentavelmente, às vezes a casa em que vivem não é exatamente um refúgio no qual possam se recuperar das feridas da alma e dos choques inevitáveis resultantes da inexperiência na exploração do mundo. As crianças entram abruptamente na realidade concebida por e para as pessoas adultas, desorientadas e perdidas na selva urbana, e quando voltam para casa percebem que a energia dos pais está confusa e desordenada. Sofrem vivendo fundidos em pais perdidos em si mesmos, que não se questionam e perdem tempo se queixando dos outros ou procurando culpados externos que possam responsabilizar por todos os males.

É nesse estado emocional que os pequeninos chegam ao consultório, com diagnósticos assinados, carimbados e autenticados que os classificam como portadores de alterações comportamentais, distração, agressividade, violência, apatia, hiperatividade e transtorno de déficit de atenção. Os profissionais se preocupam em aliviar os sintomas, “melhorar” o comportamento, transformar a criança em um ser mais sociável e que possa ser agradável aos demais. E obtêm resultados alentadores pelo único fato de a criança encontrar um espaço de atenção exclusiva, como deve ser um consultório psicológico ou psicopedagógico, em que há um adulto disposto a ouvi-la.

No entanto, nosso papel será ínfimo se não indagarmos sobre a problemática familiar real e, sobretudo, a emotividade dos pais e como se comportam no âmbito familiar. Recordemos que as crianças — até a adolescência, quando é completada a separação emocional — estão ligadas à sombra de seus pais e refletem com facilidade aquilo que os adultos se empenham em negar. Por isso, nas consultas terapêuticas de crianças e pré-adolescentes, ocorre significativa melhora no início da relação, que em pouco tempo estanca sem que possamos perceber por quê. Significa que precisamos refazer o caminho no sentido inverso para encontrar a lógica do sintoma, e esse “fio invisível” está em poder dos adultos, figuras materna e paterna. A criança manifesta. Os adultos precisam investigar em seu próprio interior.

Convocar os pais só terá sentido se pudermos mergulhar na história emocional desses adultos, em vez de procurar respostas imediatas que possam nos tranquilizar para que continuemos atendendo a criança. Usualmente, não nos atrevemos, por incapacidade, ignorância, inexperiência ou preconceito. Em geral, baseamo-nos no que corresponde ao “enquadramento” terapêutico (palavra que muito me faz rir, porque atende mais a preocupação pessoal do que o serviço efetivo que oferecemos àquele que pede ajuda). Se há certas perguntas que não nos atrevemos a formular, não vale a pena continuar trabalhando com a criança, porque não estamos revelando a verdade interior, mas o episódio passageiro.

O sofrimento manifestado pela criança pertence a seu próprio mundo interior, ou ao de seus pais, e continuará existindo se não o deixarmos fluir como um rio que transpõe as comportas e inunda tudo com sua correnteza. Secará se não permitirmos que chova e trovoe para limpar os segredos e se desfazer neles. Alguém tem de dar a ordem de largada, avisar que é o momento certo para falar, contar, recordar, chorar, reconhecer, se compadecer... Não importa o que possa acontecer depois, porque a criança se apropriou do sintoma e há algo a resolver a seu respeito.

Essa é a tarefa de um profissional envolvido no crescimento espiritual de uma família, uma vez que o fato de uma criança se comportar melhor na escola ou ser mais responsável nos estudos é tão pouco significativo que não representa um êxito do qual possamos nos vangloriar. Vale a pena revisar nossos objetivos, desatar as amarras daquilo que estudamos na universidade, descer do pedestal do suposto saber e ser mais humilde para falar com sinceridade e emoção, porque com todos nós acontece mais ou menos a mesma coisa: queremos ser mais felizes e não sabemos como consegui-lo, queremos amar nossos filhos e não os olhamos, queremos que alguém nos reconheça sem exigências e esteja do nosso lado. Os profissionais têm de aprofundar sua solidariedade a todo o contexto familiar, para que os adultos possam reconhecer a criança que vive em seu âmago, e para que as crianças permitam emergir o adulto que amadurece e constrói seu entendimento quando está bem-apoiado e amparado pela família e pela sociedade.

Perguntar por todo o leque de vivências e emoções, situá-las e nomeá-las e ajudar os adultos a falar de si mesmos na primeira pessoa do singular é a primeira tarefa a fazer antes de incomodar os menores com entrevistas, testes intermináveis e diagnósticos cheios de palavras complicadas. Com frequência, fazemos alianças entre profissionais e pais e transformamos os pequenos em inimigos que precisam ser reformados. E não é sobre as crianças que temos de conversar, mas a respeito de nós mesmos.

O CASO NORMA

Norma chegou ao grupo de encontro de mães com um bebezinho de 2 meses. É médica infectologista, profissional muito brilhante, muito reconhecida no meio hospitalar. Veio trazendo sua filhinha, que tinha pouco peso, e com um "indutor da lactação" indicado por uma instituição que dá assistência à amamentação, porque, aparentemente, seu leite não era suficiente. Depois de alguns encontros, ela conseguiu abandonar o remédio e passou a sentir confiança para alimentar o bebê só com o que seu peito produzia naturalmente. Norma é uma mulher muito ativa que, assim como muitas mães principiantes, não imaginou antes do nascimento do bebê que teria tanta dificuldade em continuar com o mesmo ritmo de vida, e por isso se sente frustrada por tudo o que não pode mais fazer. Minhas sugestões agem como um freio às suas atividades, sobretudo intelectuais. Eu lhe digo que tanto ela quanto o neném precisam de tempos especiais, e que, de alguma maneira, se esses tempos não lhes forem outorgados, a menina demonstrará seu descontentamento. A menina costumava chorar muito, mas quando a mãe se livrava de alguns compromissos profissionais, se acalmava.

Quando a neném completou 4 meses, Norma entrou em contato comigo para me informar que o peso dela não aumentara e que o pediatra sugerira que substituísse a amamentação pela mamadeira. E este é o ponto que me leva a apresentar este caso, à guisa de exemplo: obviamente, não faz muita diferença que Norma resolva alimentar sua filha com leite de vaca ou insista em tentar apenas com o leite do peito. O que importa é ouvir o sintoma usado pela menina para pedir à mãe que diminua suas atividades e passe a dispor de tempo e de espaço para ela. Se a neném aumentar de peso à força de mamadeira, estaremos disfarçando o sintoma, que logo voltará a se manifestar sob outro disfarce, e, assim, depois será necessário decifrar uma mensagem ainda mais oculta. Não está em jogo — no meu entender — apenas o aumento de peso da menina, mas, sobretudo, a linguagem que usa para comunicar à mãe uma coisa que considera fundamental. Se não fosse tão decisivo para a criança, ela não colocaria a própria vida em risco.

Insisto em que só a introspecção e a conexão espiritual e a evidência da fusão no vínculo mãe-filho podem nos trazer alguma luz em relação ao processo de surgimento de enfermidades ou outros incômodos. A filha de Norma se valeu, primeiro, do choro e, depois, da não aquisição de peso. Na realidade, não importa o sintoma (embora ele possa nos guiar na tentativa de compreensão), mas o que ele indica.

Norma travou uma luta interna entre todos os seus desejos: seu êxito profissional, as obrigações reais que havia assumido antes do nascimento da filha e a necessidade pessoal de se conectar tranquila e amorosamente com ela. Chorou muito. Chorou suas perdas em outros momentos de sua vida. Tentou encontrar a verdadeira dimensão de seus desejos ambivalentes. E depois tomou algumas decisões: abandonou um projeto profissional que exigia que passasse muitas horas longe de casa. Mudou seu consultório para o bairro em que vivia. Abandonou a lactação para não ficar tão subordinada aos horários, relaxou para viver com intensidade cada momento com sua filha e passou a deixá-la sob os cuidados de outra pessoa quando atendia seus pacientes. Tomou decisões com consciência e responsabilidade. A neném aumentou de peso quase instantaneamente.

O CASO CONSTANZA

Constanza teve seu primeiro bebê. Ele chora muitíssimo, embora a mãe seja dedicada, amamente-o corretamente e tenha uma relação amorosa com o marido. As necessidades básicas do bebê pareciam estar satisfeitas. É um bebê que recebe muito apoio, cuidados e alimentação permanente.

Como o bebê não para de chorar, eu lhe proponho mergulhar em sua biografia humana. Relatarei em linhas gerais que Constanza foi criada por uma mãe muito infantil, divorciada desde que ela era bebê. Essa mãe lhe destinava poucos cuidados: nunca cozinhou para ela, não estava atenta à escola nem aos pedidos da menina. Só consumiam comida caseira na casa dos avós maternos. Constanza cresceu filha única de uma mãe que só estava atenta a si mesma, sua roupa, suas saídas, seus caprichos, e desde pequena aprendeu a cuidar da mãe. Nas suas recordações, aparecem inúmeros momentos de solidão e desamparo. Tudo isso em cenas confusas, até que conseguimos organizá-las e compreender que Constanza era, ainda, testemunha frequente da promiscuidade sexual da mãe. Era compreensível que houvesse crescido autorregulando-se, sendo madura desde pequena e sabendo cuidar de si mesma sozinha.

Quando Constanza teve seu primeiro filho, Matías, e se converteu em "mãe-bebê", essa abertura e desestruturação emocional permitiram que Matías se constituísse em espelho da situação emocional primária de sua mãe. Ele chora por tudo o que Constanza não pôde chorar.

Era tempo de entender a menina abandonada e atravessar esta nova etapa com maior consciência. Por ora estamos na etapa de reconhecimento da realidade emocional da mãe. Recordemos que a alma não tem idade, por isso o que a criança reflete pode se referir a uma situação emocional presente ou antiga, pouco importa. Conforme penetrarmos na realidade emocional da mãe, conseguiremos que ela tenha um conhecimento maior de si mesma. A partir de então, continuamos com essa indagação por meio de toda a sua **biografia humana**, unindo peças, relacionando seu passado e seu presente e, sobretudo, sua etapa de bebê junto à etapa de bebê de Matías. Porque, em determinado ponto, era a mesma coisa. Mesmas vivências, mesmas sensações, mesma fusão. Mesma água emocional.

Na medida em que Constanza recordava mais e mais cenas de sua infância, nomeando-as com palavras simples — falando com seu bebê —, seu filho se acalmava. Em primeiro lugar, porque o bebê **compreende**. Não usa a linguagem verbal, mas compreende o significado das palavras que sua mãe lhe transmite, amorosamente.

Constanza adquiriu consciência da orfandade emocional em que viveu durante toda a infância sem que praticamente ninguém cuidasse dela. Agora seu filho recém-nascido chora por ela. É útil para

Constanza reconhecer a **verdadeira dimensão de seu sofrimento.** Pouco tempo depois Matías começou a morder outras crianças. E ela se deu conta de que coincidia com o fato de ela estar se conectando com a raiva e a dor, com o ódio da sua mãe real, que sentia enquanto seguia recordando e vislumbrando raivas engolidas, medos escondidos e a solidão pungente que iam emergindo de sua consciência.

Tal foi o alívio e a luz que iluminava sua vida que Constanza precisou também revisar seus acordos de casal. Ela havia sido uma menina com necessidade de agradar aos outros, autoexigente e madura. Logicamente, desse modo havia organizado sua relação amorosa: a partir do papel de única responsável, sendo a sustentação emocional e econômica da família. Era o lugar que ela conhecia e que havia escolhido, sem se dar conta. Enquanto o filho mordia com raiva, Constanza teve a valentia de compartilhar com seu companheiro essas descobertas (a bem da verdade, não havia nada totalmente novo, era simplesmente uma nova forma de olhar para sua própria realidade). Decidiu pactuar nossos contratos no vínculo com o homem que amava. Solicitou suporte e cuidados. Pediu solidariedade e presença. Pediu carinho, e uivava de raiva quando não o conseguia. Somente então o bebê se acalmava, dormia e se transformava em uma criança doce e pacífica.

A partir dessa experiência os incômodos ou condutas indesejáveis de Matías se transformaram na campainha que Constanza ouvia com atenção. Se ele batia ou mordia, instantaneamente ela se perguntava o que a estava enfurecendo sem que ela se desse conta. Esmerou-se para aprender a pedir ajuda para curar suas antigas feridas que sangravam através do corpo de seu próprio filho.

CADA SITUAÇÃO É ÚNICA

Essas ideias têm como objetivo contribuir para elevar o estado de consciência: portanto, recordemos que cada situação é única e que não é possível generalizar. Não é minha intenção afirmar que sempre que um bebê dorme em excesso é por causa da desconexão da mãe. É preciso incursionar na biografia humana completa de cada mãe e de cada família se desejarmos ajudar e intervir em algum aspecto.

Há uma infinidade de situações dramáticas nas famílias. As crianças simplesmente as manifestam com um nível de crueza e verdade que poucas vezes encontraremos em outros âmbitos. Há bebês e crianças afetivamente abandonados que morrem de tristeza. Os bebês também precisam de um motivo para viver. Os bebês que não choram, não pedem ou não ficam doentes, às vezes são mais vulneráveis. Por isso é preciso afinar o ouvido. Um bebê necessita, precisa desesperadamente, estar íntima e sutilmente conectado com sua mãe ou com a figura materna. Do contrário, não é.

Reflitamos sobre a enorme quantidade de bebês que adoecem muito, repetidas vezes. Ainda que estejamos acostumados e achemos isso natural, não deveria ser assim. Não há motivos para que os bebês adoeçam tanto, salvo devido à manifestação da emotividade oculta da mãe, devido ao brutal encontro com a própria sombra. Todas as mães têm motivos presentes ou passados para chorar, para se irritar, para se sentir perdidas ou infelizes. Não há alternativa. O encontro com nossas partes ocultas se realizará, mas é nossa a decisão de fazê-lo com espírito aberto ou com todo o poder de nossa negação.

Por isso, é imprescindível que as mães organizem pontos de encontro que lhes permitam mergulhar em sua sombra, e possam assim, conforme forem reconhecendo e nomeando o que acontece com elas, ir liberando o bebê de encarnar o reflexo espelhado de suas emoções.

A solidão habitual em que as mães estão e a falta de espaços para falar sobre seus bebês levam-nas a esperar com ansiedade a consulta pediátrica, na qual supõem que poderão se acalmar sobre suas dúvidas e inquietações. Às vezes — poucas vezes —, encontram as respostas esperadas. Outras vezes, não. Mas o espaço médico é protetor, e, então, começam a se vincular com o bebê através da doença, motivo pelo qual o levam ao médico para buscar palavras esclarecedoras e complacentes. É um deslocamento, é um equívoco.

Dizendo mais claramente: na falta de espaços de cura nos quais as mães possam se encontrar, transformam o consultório em um lugar de encontro. Quando a criança pequena adoece, há um lugar para pedir proteção. É um lugar de abrigo para a mãe, de onde sai amparada por um diagnóstico ou pelo nome de um medicamento.

A criança também aprende a pedir abrigo na falta. Por exemplo: quando o pequeno está tranquilo, as mães "aproveitam" para responder mensagens ou lavar os pratos. A criança deduz: "Quando estou saudável, brincando, **perco** minha mãe." No entanto, "se estou pedindo e chorando, minha mãe me acompanha e permanece ao meu lado". Isso também é aprender a se comunicar de forma negativa ou deslocada. A manifestação de enfermidades ocorre também como processo possível de comunicação e se instala quando outros mecanismos de comunicação saudáveis não são sustentados pelo adulto.

Para resumir, diremos que, diante das diversas manifestações dos bebês, primeiro, devemos refletir se o bebê teve suas necessidades básicas atendidas, no que tange à comunicação real, ao apoio e à alimentação. Se, de fato, elas foram satisfeitas, procuraremos acompanhar a mãe no desenvolvimento de sua **biografia humana** e na tradução por analogia dos aspectos da sombra que se manifestavam no corpo do filho — formulando perguntas simples e carinhosas, sendo solidárias e colocando nossa alma feminina a serviço de sua procura genuína.

CAPÍTULO

6

Apoiar e separar: duas funções possíveis para um pai maduro

As mulheres querem um príncipe encantado • O papel do pai como esteio emocional • Confusão de papéis nos tempos modernos • E quem apoia o pai? • O papel do pai como separador emocional • Outros separadores • Manter o lugar do pai ainda que ele esteja ausente • Criar os filhos sem pai • Função feminina e função masculina na família.

AS MULHERES QUEREM UM PRÍNCIPE ENCANTADO

As mulheres estão perguntando por todos os lados: "E o pai, o que tem de fazer? Hein? Porque o pai do meu filho não faz nada, enquanto eu, mãe abnegada, deixei minha vida de lado para criar esta criança que, afinal, é dos dois." A partir daí, cascatas de queixas e de invejas; o mundo é injusto, as mulheres têm direitos iguais e os homens é que se dão bem e são irresponsáveis.

Pois bem, em primeiro lugar, temos que observar os **cenários completos**. Se nós, mulheres, desejamos um homem maduro, responsável, aberto, generoso, disponível e atento a qualquer necessidade alheia, este, no mínimo, vai procurar uma mulher com um nível similar de maturidade emocional. Fica a pergunta: nós somos essa mulher? Porque o que vai se formar em casa, na presença da criança, vai ser análogo ao que construímos juntos, **antes** do nascimento do filho em comum. Portanto, aquilo que possamos pensar com relação ao que o homem faz ou deixa de fazer estará em função das **biografias humanas de cada membro do casal** e dos acordos tácitos que fomos capazes de estabelecer desde que ficamos juntos.

Se a mulher decidiu ficar com o homem porque ele era divertido, tinham boa química, havia atração sexual e decidiu se casar, muito bem. Perfeito. Mas quando a criança chorar à noite, a atração sexual tiver caído no esquecimento e o cansaço não for nenhuma piada, ela não pode esperar que o senhor que volta todas as noites à sua casa **se transforme em um toque de mágica em alguém que não é**. E que, para completar, encontre em seu próprio lar uma senhora irritada, nada divertida, mal-humorada, pretensiosa, e ameaçadora, com um livro debaixo do braço que indica o que ele precisa fazer para se transformar em um pai como ela gostaria.

É natural que, se nós escolhemos como par um homem-menino submetido aos desejos de sua própria mãe, que também se submete sem reclamar a nossas próprias decisões — entre elas a de gerar um filho —, e que nos permite transitar com liberdade em todas as áreas de nossa vida, a situação se transforme com a chegada de uma criança. Ele, farto de ser humilhado, menosprezado e submetido, pode adoecer, ficar deprimido ou querer ir embora de casa, apesar de nossas denúncias ferinas de que ele se transformou no pior pai que poderia existir.

Por outro lado, é preciso rever o que é a **família nuclear** como sistema de vida para cada indivíduo. De fato, escolhemos nossos parceiros quando sentimos forte atração sexual pelo outro. Quando isso acontece, interpretamos tal fenômeno como amor. E sobre a base desse "amor" construímos nossos projetos de família. Logo, mais tarde, nascem os filhos. Quando precisamos colocar em prática nossa capacidade de doação a serviço das crianças e sentimos que isso é uma tarefa faraônica, exigimos do nosso parceiro que resolva nossos problemas e que seja alguém diferente de quem verdadeiramente é.

O que fazer? Em primeiro lugar, compreender que construímos uma família, mas que **a família por si só não é garantia de amor nem de compreensão.** A chegada dos filhos pode ter sido desejada, mas se não conversamos honestamente sobre o que cada um pode oferecer ao outro, a rotina pode ser muito dura de suportar. Além disso, temos de ser sinceros e assumir que, em nome do amor, **pretendemos sustentar um sistema familiar** em que deveríamos nos amar, mas, na verdade, estamos esgotados de raiva e desencanto. Aumentamos as exigências para com nosso par, **supondo que uma pessoa sozinha deveria suprir a imensidade de vazios afetivos que arrastamos desde tempos remotos.** Também acreditamos que os cuidados e a atenção que as crianças requerem **deveriam ser atendidos por nosso companheiro, dentro das modalidades que fantasiamos**

serem corretas. No final das contas, tudo isso é um grande mal-entendido, porque pretendemos **sustentar uma família em função de uma ilusão coletiva,** em vez de nos perguntarmos — cada um de nós — com quem queremos compartilhar a vida, sob quais acordos, em função de quais expectativas, como queremos que se estabeleçam as questões que envolvam dinheiro ou interação sexual.

Há muitíssimas maneiras possíveis de viver a vida. E todas são boas, enquanto estiverem alinhadas com o coração de cada indivíduo e em franco acordo com as expectativas do outro. As dificuldades aparecem quando permanecemos fechados em modalidades opressoras, supondo que no seio da família deve circular toda energia — econômica, sexual, afetiva —, em vez de sermos honestos com nós mesmos.

A família nuclear não é, em si, boa ou ruim. É uma organização possível. Mas se não estivermos satisfeitos, se nos sentirmos infelizes ou se algum membro de nossa família manifestar discordância, vale a pena revisar todos os acordos. Não há motivos que levem a ser de determinada maneira. Pode ser qualquer uma, desde que seja favorável para todos.

No entanto, é verdade que as mães com crianças pequenas precisam de **apoio, acompanhamento, solidariedade, compreensão** e **proteção** de outros membros de sua tribo. Mas é claro que, no mundo ocidental — especialmente nas grandes cidades —, acabamos ficando **sem tribo.** Empreendemos a busca emocional solicitando apoio e o que encontramos mais perto disso é o homem que dorme em nossa cama, que na maioria dos casos foi nomeado **pai oficial** da criança.

Supomos, então, que toda a companhia, abrigo, ajuda, disponibilidade e empatia que **uma tribo inteira nos teria oferecido,** agora deveria vir de **uma só pessoa: o pai da criança.** Levemos em conta que uma coisa é a imensa necessidade de amparo diante do desespero, da loucura e das vivências confusas que a mulher experimenta desde o nascimento de seus filhos, e **outra é o que um só indivíduo pode oferecer, substituindo os papéis de muitos.**

Quando vislumbramos nossa realidade de forma global, acreditamos que as coisas se resolveriam se o homem voltasse mais cedo para casa, se trocasse as fraldas de vez em quando ou se ganhasse mais dinheiro. É preciso admitir que somos **somente duas pessoas** — nada além de duas — e que **tanto as mães quanto os pais estão sozinhos demais na complexa tarefa de cuidar dos filhos.** Consideremos isso antes de pensar quais papéis um homem pode assumir quando o caos familiar e o cansaço invadirem a vida cotidiana.

O PAPEL DO PAI COMO ESTEIO EMOCIONAL

A função de um pai maduro se desenvolve em dois *tempos*: o primeiro diz respeito ao **apoio emocional da mãe** e o segundo, ao apoio a favor da lenta **separação emocional entre mãe e criança.**

Com relação ao apoio emocional, isso é um conceito difícil de compreender para mães e pais em tempos pós-modernos. O **apoio** se refere **ao cuidado e ao suporte** que o pai pode dar à mãe para que esta possa cumprir com seu papel de maternagem. Requer uma atitude muito ativa.

O que significa dar suporte à maternagem?

Facilitar a fusão mãe-bebê, permiti-la e defendê-la. Para estar em condições de submergir na fusão a mãe precisa se despojar de todas as preocupações materiais e mundanas. Deve delegar todas as tarefas que não sejam imprescindíveis à sobrevivência da criança: ou seja, tudo que não se refira a amamentar, ninar, acalmar, higienizar, alimentar e apoiar o recém-nascido. As tarefas domésticas, a atenção aos filhos maiores, a organização do lar, a administração do dinheiro, os conflitos com outras pessoas, as relações intrafamiliares, o reconhecimento do mundo e as decisões mentais idealmente devem ser atribuídos ao homem, que deve tomar decisões pertinentes para liberar a mãe do reino terrestre. Para a mulher puérpera esse é um período celestial, no qual sua consciência opera mais além da lógica e da causalidade. É necessário que se despoje dos pensamentos racionais e admita que atravessa uma realidade milagrosa e sem sentido aparente. A vida cotidiana continua com suas exigências e ritmos, e a tarefa do homem é justamente a de se encarregar de organizar e administrar a rotina doméstica.

Defender a fusão do mundo exterior. Agoniadas e desorientadas, recebemos conselhos, críticas e sermões que circulam acerca do que "deve ser feito". Desta forma o homem tem a oportunidade de **proteger o ninho.** Ser um intermediário, constituir-se em muralha entre o mundo interno e o mundo externo. Quase tudo o que chega do mundo exterior parece hostil à mãe, porque funciona em uma frequência muito elevada e veloz para a sutileza do recém-nascido e desequilibra o mundo emocional da mulher puérpera. As mães fusionadas precisam de um defensor aguerrido que possibilite que elas se concentrem em sua função específica sem precisar se armar contra o que está do lado de fora. Toda energia usada para se defender é energia subtraída do processo de criação do filho. Concretamente, o homem deve zelar para que a mãe e a criança disponham de silêncio e intimidade, para que circulem pela casa poucas pessoas ou apenas aquelas requeridas pela mulher, e prover o ninho só do alimento, do conforto e da tranquilidade necessários. É interessante observar como a maioria das aves age em seus ninhos: o macho entra e sai trazendo alimentos e evitando que algum intruso se aproxime, enquanto a fêmea não se afasta do ninho.

Apoiar ativamente a introspecção, ou seja, permitir que a mãe explore a abertura de sua sombra vivenciando com liberdade e intimidade a experiência do florescimento de sua mãe interior. O apoio e o acompanhamento afetuoso permitirão à mãe que não se assuste com suas partes ocultas, que confie no processo e saiba que há uma mão estendida que ela poderá segurar nos momentos mais duros. Não importa se o homem compreende ou não do que se trata; importa, apenas, saber que algo acontece e que talvez a compreensão racional apareça mais tarde. Não há muito a compreender, é tempo de fazer a travessia intuitivamente.

Proteger. Há muitos meios de proteger. Em nossa sociedade, isso se refere, principalmente, aos aspectos econômicos: seria ideal que fosse o pai quem conseguisse, ganhasse, administrasse e organizasse o dinheiro necessário para cobrir as necessidades básicas da díade mãe-filho. Liberar a mãe dessas preocupações lhe permite sustentar a fusão e a maternagem no período inicial. O homem deve manter o espaço psíquico disponível para tomar decisões, procurar ajuda, organizar o funcionamento familiar e resolver as questões do mundo material.

Aceitar e amar sua mulher. Nesse período o essencial é não questionar as decisões ou intuições sutis da mãe, que surgem como redemoinhos incontroláveis, pois respondem a uma viagem interior na qual ela está embarcada e da qual não tem controle. Portanto, não tem elementos para justificar suas sensações, uma vez que passa por uma transformação de sua existência e por um indescritível desdobramento de recordações, necessárias à fusão e a seu devir consciente. O pai não pode constituir-se em um inimigo das sensações ilógicas, dando conselhos, discutindo as mais ínfimas decisões a respeito de como erguer o bebê, alimentá-lo ou adormecê-lo, denegrindo o processo de regressão psíquica, nem impondo suas ideias sobre a educação correta do filho de ambos. **Não é tempo de discussão. É tempo de aceitação e observação.** É tempo de contemplação sobre como as coisas acontecem. É o Tao.

CONFUSÃO DE PAPÉIS NOS TEMPOS MODERNOS

Há uma grande confusão acerca do papel dos pais nessa fase de perda de identidade. Honestamente, não é fundamental que um pai troque fraldas ou ponha o bebê para dormir, embora sejam atitudes sempre bem-recebidas pela mãe esgotada. No entanto, quando um pai que não tem condições de sustentar emocionalmente a mulher se ocupa de trocar fraldas, o desequilíbrio familiar é imenso. Qualquer mulher pode trocar as fraldas de seu bebê, mas essa ou qualquer outra tarefa se torna incomensurável quando não conta com apoio emocional suficiente.

Mas, então, os pais não têm nada a fazer? Claro que sim. Sustentar, avalizar, compreender, conversar, refletir, assistir e apoiar ativamente é um trabalho enorme, que envolve a todos. Não é indispensável que o pai esteja dentro do redemoinho emocional, porque esta **não é sua função.** Ao contrário, é necessário alguém que mantenha sua estrutura emocional intacta e sustente o mundo material para que a mãe não se veja obrigada a abandonar o mundo emocional em que está submersa. **O pai não tem de maternar. O ideal seria que ele tivesse recursos suficientes para sustentar a mãe em seu papel de maternagem.**

De qualquer maneira, os papéis familiares são estabelecidos inconscientemente a partir da formação do casal. Em minha experiência profissional, constato dois esquemas muito frequentes:

Mulher ——→ Homem

Durante o namoro ou a convivência sem filhos, tanto o homem como a mulher conservam um espaço próprio (estudo, trabalho, relações pessoais afetivas), embora, habitualmente, a mulher, um pouco mais madura ou responsável, sustente emocionalmente o homem (ajuda-o a estudar para ser admitido na faculdade, estabelece com seus pais uma relação mais amável do que a que ele próprio mantém, cuida dos filhos de seu primeiro casamento, acomoda seus horários de acordo com os dele etc.). Isto é forjado com total espontaneidade e amor, conservando espaços próprios, afetos e interesses pessoais. Ou seja, não sentimos que pagamos um preço por isso.

Quando nasce o primeiro filho, a mulher retira o apoio que dava ao homem para dá-lo, primordialmente, ao bebê. O esquema que estabelecem sem se dar conta é o seguinte:

Pai ——→ Mãe ——→ Filho

A mulher, habituada a dar afeto e a apoiar alguém, retira o apoio ao homem, dirigindo-o ao filho que deve criar. Assim, o pai é excluído da díade e se sente sozinho. Ele lamenta por não se sentir querido e as mães ficam sem apoio por parte do homem para dar suporte na criação da criança. Esse funcionamento leva à insatisfação e à infelicidade de ambos: o pai se sente só, enciumado, abandonado e inútil. A mãe se sente desamparada, sozinha, esgotada e ocupada com afazeres que não são próprios do puerpério. Também ocorre que as mães esperam que o homem, de repente, se converta em um ser resolutivo, intuitivo e generoso. Mas tais atributos não faziam parte dos acordos de funcionamento matrimonial. Ao contrário: as mulheres conservavam liberdade, autonomia e bastante decisão própria na medida em que dispunham como, quando e onde resolver os assuntos de qualquer natureza.

Em outros casos mais radicais, se estabelece um esquema parecido com este:

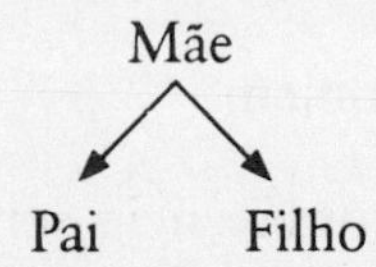

Ou seja, uma mãe que é esteio tanto do pai quanto do filho. O homem é um menino necessitado, infantil e dependente, que reclama atenção. Às vezes, a criança é deslocada do lugar no qual deveria ter merecido receber atenção prioritária.

Outro esquema muito habitual é o da sociedade mãe-pai. Os adultos forjam bons acordos nos âmbitos em que se sentem bem: trabalho, áreas sociais, esporte, política, círculos empresariais ou, simplesmente, no sacrifício. Assim formamos um casal, com férreos acordos e sem intenção de que ninguém (muito menos uma criança) rompa o equilíbrio perfeito e satisfatório que foi alcançado. Pois bem: nesses casos, a criança simplesmente **não tem lugar.** Costumo chamar tais esquemas de "crianças glub glub", porque se afogam em um mar de solidão, lágrimas, pranto, desespero e vazio. Nesses casos, as mães não se sentem mal. Costumam dizer que "por sorte, o meu puerpério nunca me incomodou" ou "não tive isso". Lamento contar que o puerpério não é uma doença contagiosa como a lepra. É um trânsito doloroso **que parte da individualidade**

e vai até a fusão com um bebê que é nosso. A única maneira de não ficar presa no puerpério é mantendo fortemente os acordos com nosso companheiro, manter-se no mundo externo — graças a um número interessante de relações sociais — e ignorando qualquer chamado da criança. Nesses casos não costuma haver crise entre o casal. Mas quem claramente termina ferido, muito ferido, é o bebê.

Reconhecemo-nos um pouco em cada um desses esquemas? Então, o que deveríamos fazer? O que temos que fazer é revisar a **biografia humana**, nossa infância, a constituição de nossos personagens para compreender como construímos nosso relacionamento e como firmamos acordos para chegar à situação na qual nos encontramos hoje.

Se fôssemos adultos maduros, conscientes de nós mesmos e responsáveis afetivamente, o esquema harmônico seria o seguinte:

Mulher ←——→ Homem

Trata-se de um apoio emocional com ida e volta. Cada membro do casal se ocupa e satisfaz as necessidades e os desejos do outro; eles estão voltados ao bem-estar e ao equilíbrio de ambos. Cada um contribui com seus recursos, seu amor e suas habilidades e se interessa pelo futuro do outro. E vice-versa. Quando isso acontece, em um momento pontual de crise — como é o nascimento de um filho —, esse apoio mútuo não se altera, porque já estava aceito. O pai já estava treinado em sua função de apoiar a mãe, porque já acontecia antes da chegada da criança. A mãe pode apoiar o filho, porque também apoiava seu companheiro antes da chegada da criança. A criança é beneficiada pela cadeia de apoio.

Pai ——→ Mãe ——→ Filho

Trata-se de um pai que sustenta emocionalmente a mãe, que sustenta emocionalmente a criança. A flecha que vai do homem à mulher já estava em funcionamento antes da chegada do filho real, portanto, o fato de o pai apoiar a mulher não se transforma em um problema. A flecha que apontava da mulher para o homem muda

temporariamente de rumo e se dirige ao recém-nascido, garantindo uma cadeia de apoios a um feliz exercício da maternagem.

Lamentavelmente, as mulheres estão tão perdidas de si mesmas, se conhecem tão pouco e estão tão infantilizadas que costumam formular pedidos deslocados. A questão dos pedidos deslocados é aprofundada no capítulo "Os limites e a comunicação". De qualquer forma, darei um exemplo: a mãe precisa ser abraçada pelo marido, mas, em vez de fazer o pedido claramente, pede ao homem que banhe a criança. O pai responde com exatidão ao pedido explicitado. No entanto, a mãe fica insatisfeita (o banheiro ficou molhado, a temperatura não foi adequada, a criança chorou etc.). Na realidade, sua necessidade original (o abraço) não foi explicitada, portanto, não pôde ser satisfeita. Faço este esclarecimento porque costumamos confundir apoio à mãe com ajuda na criação do filho. E são duas situações bem distintas. Uma mãe apoiada (neste caso, bem-abraçada) pode banhar a criança sem maiores problemas.

Na criação dos filhos não são fundamentais as decisões intelectuais; só atuam as alternativas emocionais. Quando o pai está unido à díade por meio do apoio emocional à mãe, fica envolvido, constituindo, assim, a tríade.

Hoje em dia uma infinidade de pais ignora quase tudo sobre o funcionamento e o papel paterno. Eles desembarcam nessa realidade no mesmo nível de orfandade com que muitas mulheres chegam à maternidade. Emocionalmente falando, quanto mais "órfã" se tenha constituído a psique do pai, mais dificuldades ele encontrará para proteger e sustentar o lar. Frequentemente, ficará fora da cena, deslocado no amor, pedindo atenção com uma atitude infantil e só. Converter-se em um casal de pais requer apoio mútuo e um enorme conhecimento interior, para poder transformá-lo em conhecimento do outro.

E QUEM APOIA O PAI?

Prioritariamente, o homem é apoiado pela própria estrutura emocional, que não foi devastada pela erupção do vulcão interior depois do parto. Sem feridas físicas ou psíquicas, equilibrado e íntegro, emocionado e comovido pela presença da criança, conserva intactas suas capacidades intelectuais e sua conexão com o mundo. Essa estrutura emocional, que pode ser mais ou menos sólida, foi construída a partir da infância e é seu principal bastião para enfrentar as crises vitais. Em síntese, conta com o que conseguiu construir dentro de si, que se mantém inalterado.

O homem costuma ser apoiado pelo trabalho, seu espaço de identidade e posição social. O âmbito no qual gera dinheiro, mantém um posto fixo diante dos olhos dos demais, é reconhecido por suas aptidões físicas e intelectuais. É uma esfera pessoal por meio da qual reconhece a si mesmo, é seu ponto de contato seguro com o mundo exterior.

Também é apoiado pela posição profissional, pelo prestígio, o poder conferido pelo dinheiro, a avaliação social de seu lugar no mundo, seu crescimento pessoal ou profissional, suas inquietações, sua autonomia nos movimentos e na disponibilidade do próprio tempo.

Apoia-o, além disso, um fato pequeno, mas poderoso: **o tempo de lazer**! Aqueles dez minutos que usa para ler com tranquilidade o jornal e são tão invejados pela puérpera, que ainda não teve a chance de ir ao banheiro! A meia hora de que dispõe para jogar sua partida de tênis, o tempo rigoroso que dedica ao asseio pessoal, sua sesta (que pode levar ao divórcio no período puerperal), enfim, a autonomia e a liberdade que concede a si mesmo, independentemente do nascimento da criança, que alterou substancialmente o ritmo cotidiano da mãe, mas quase não incomoda o homem nas noites interrompidas pelo choro do recém-nascido. O lazer é um apoio fundamental para o equilíbrio emocional do homem, e é indispensável lembrar que ele é o único credor de tão apreciado benefício na família.

Quando os homens se queixam dos pedidos desmedidos das mulheres (que, em geral, são pedidos deslocados), é importante examinar se o homem é capaz de apoiar emocional e economicamente sua mulher ou se está localizado em um espaço infantil no qual acredita estar sozinho e sem contar com a ajuda de ninguém. Além do mais, é pertinente ter consciência da abundância de apoios sociais que os homens recebem pelo simples fato de serem o que são: homens em um mundo masculino.

O PAPEL DO PAI COMO SEPARADOR EMOCIONAL

Por volta dos 3 anos — depende da evolução de cada um — a criança começa a se desprender da fusão emocional com a mãe, anunciando a si mesma como um ser separado: **eu.** É o momento ideal para que o pai intervenha amorosamente e com interesse, apoiando essa lenta separação no tempo adequado, liberando, assim, tanto a mãe como a criança. **A tendência feminina é para a fusão. A tendência masculina assinala a separação.** Pois bem, se não houve apoio para uma fusão total, amorosa, saudável, terna, livre e permanente, não podemos esperar que alguém venha a separar. Porque, se a criança não completou internamente a fusão, saberá que não está preparado.

Vamos imaginar um pai emocionalmente maduro, em um relacionamento com uma mãe emocionalmente madura. Convivem no pai dois interesses genuínos: por um lado, recuperar sua mulher como sujeito sexual e de amor; e, por outro, relacionar-se diretamente com o filho, agora que este virou uma coisa mais parecida com uma pessoa.

Recuperar libidinalmente a mulher amada: tendo este desejo como motor básico, o pai cumpre seu papel de separador, dirigindo sua energia à recuperação do casal. Prevalece, acima de tudo, o genuíno desejo de recuperar sua companheira, pois sente que já é tempo de voltar à normalidade. A criança não parece precisar da presença tão apreensiva da mãe e a deixa disponível para recuperar parte da vida normal.

Esse período de aproximação entre o homem e a mulher coincide com o processo de separação da fusão vivida simultaneamente por mãe e filho. A criança vai se transformando em "eu sou" e a mãe também vai recuperando seu "eu sou separada da criança", reconquistando a maneira original — e provisoriamente perdida — de transitar pelo mundo terreno. Para realizar a separação emocional é um alívio para a mãe que o homem a reclame.

Durante esse processo de reconquista do espaço físico disponível costuma acontecer a segunda gravidez! De fato, quase todos os irmãos nascem com uma diferença de dois e três anos, porque, quando uma mãe começa a emergir da fusão, fica em condições de recomeçar.

O pai separa quando detém a criança lhe dizendo: "Esta mulher é minha", "Agora eu e a mamãe estamos conversando e você tem de esperar" ou então "Este passeio é só para nós dois; quero passear sozinho com mamãe".

Esse período se caracteriza por uma volta à normalidade na vida do casal. Em uma família, é representado pelo seguinte esquema:

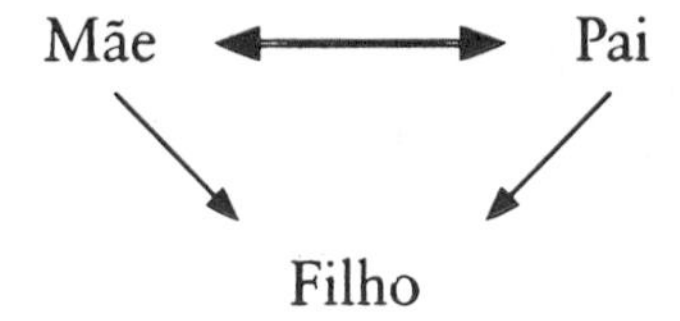

Os pais retomam um vínculo recíproco de apoio, e ambos participam da criação do filho.

Relacionar-se diretamente com o filho é possível, pois o homem agora tem um interesse genuíno. Muitos homens afirmam que conseguem se relacionar bem com as crianças quando é possível conversar. O início da linguagem verbal coincide, justamente, com o período de separação emocional, entre os 2 e os 3 anos. O pai passa a ter uma relação direta com a criança, levando-a ao mundo social, ao que está fora: o esporte, as atividades, o trabalho, o escritório, a aventura etc. O pai é quem senta a criança diante do volante do carro, leva-a para pescar, ensina alguns truques.

Definitivamente, são os pais que colocam as crianças no **mundo adulto**. Essa tarefa é contraditória para as mães. De fato, a adaptação ao jardim de infância ou a qualquer situação nova se torna mais bem-sucedida quando é o pai quem acompanha o desprendimento. A separação é masculina, enquanto a fusão é feminina. Pretender fazer o que cabe ao outro por natureza nos submete a péssimas experiências.

Quero esclarecer que é indispensável conhecer os tempos reais de amadurecimento do ser humano para adaptar nossos desejos à esfera do possível. Nesse sentido, se um pai pretender "recuperar" sua mulher três meses depois de ela ter parido, simplesmente irá submetê-la a seu desejo ou necessidade pessoal, em franca oposição às possibilidades sensatas da díade.

OUTROS SEPARADORES

Quando não há um pai presente ou, então, o pai não consegue agir como separador, a mãe precisa permitir que algo ou alguém desempenhe esse papel.

Responder ao chamado da pessoa amada, que a obriga a se separar lentamente do filho fundido a ela, é de grande ajuda. Por isso, depois que a criança completa 3 anos, é recomendável procurar um homem de que gostemos e com quem tenhamos vontade de compartilhar situações de adultos. Essa procura de espaços pessoais libera o filho da mãe, forçando-o a explorar outros vínculos.

O papel de separador também pode ser desempenhado por um avô ou um amigo da mãe que esteja relativamente presente na vida cotidiana. É uma pessoa que merece a confiança da mãe e por quem se sente apoiada.

Na ausência de um indivíduo que possa exercer o papel de divisor, ele pode, eventualmente, ser substituído por um trabalho pelo qual a mãe se interesse de coração, ou uma tarefa criativa, ou atividades políticas, que frequentemente são fontes de energia. E também por interesses artísticos, culturais e sociais que a mãe assuma conscientemente, sabendo que produzirão a adrenalina e a vitalidade de que necessita para continuar ativa mais além dos cuidados com a criança. Se o trabalho, o estudo ou a atividade são gratificantes, conectar-se com espaços pessoais e adultos torna-se libertador para a mãe.

Nos casos em que não há pessoas nem situações que possam desempenhar a função separadora, é necessário inventá-la, uma vez que a criança está madura para explorar outros territórios. Caso contrário, a relação fusional, estendida no tempo, poderá ser abusiva para a criança: atenderá às necessidades afetivas da mãe (que retém a criança para não ficar sozinha), em vez de resolver seus problemas pendentes como adulta, liberar o filho e permitir que ele trilhe o próprio caminho. Nesses casos, a mãe deverá realizar as duas funções: apoiar a si mesma e apoiar a si mesma no que se refere à separação.

Por último, costumamos confundir separação com autoritarismo. O pai — ou a figura paterna — não precisa ser rígido nem autoritário para dizer "não" a todo instante. Nem as mães devem fazer ameaças usando a figura do pai para obter resultados. "Você vai ver quando seu pai chegar", esse é um péssimo recurso e a leva a perder a autoridade. O pai pode separar amorosamente. Ter autoridade é manter-se sobre o próprio eixo. Quem desempenha o papel que lhe cabe adquire autoridade. Ora, um pai violento que precisa bater para ser ouvido perde a confiança dos filhos e fica sem condições de realizar qualquer separação emocional consistente. A autoridade se conserva se ele tem consciência de seu lugar de separador emocional e se consegue dizer amorosamente: "Mamãe precisa de um momento de descanso, por isso, eu vou te acompanhar até a sua cama para você dormir."

MANTER O LUGAR DO PAI AINDA QUE ELE ESTEJA AUSENTE

O que acontece nos casos em que o pai está ausente? Pode ser mais complexo, depende da clareza e da consciência que as mães tenham ou do nível de fantasia, raiva ou dor. Claro que teríamos que rever a totalidade da **biografia humana** das mães que criam sozinhas seus filhos. Também podem atuar como separadores o trabalho, interesses artísticos ou sociais, objetivos pessoais, pensamentos ou necessidades íntimas que a pressionem ao mundo exterior, ainda que seja fictício, mas que permitam estabelecer a separação mínima necessária que a criança, provavelmente, já está manifestando. Aqui quero ser clara. Não é "obrigatório" separar a criança. Simplesmente temos que poder captar, interpretar e perceber o momento em que a criança — segura de si mesma — pede autonomia. Em todos os casos, a criança guia.

Quero destacar que, com frequência, as mães se queixam da falta de interesse que alguns homens manifestam em relação aos bebês. E isso é assim porque o homem se aproxima de seu filho pequeno durante um processo que é sustentado pelo amor que sente pela mulher, que se transformou em mãe da criança. Acontece de fora para dentro. Por sua vez, as mães fazem o processo inverso: de dentro para fora, da fusão à separação, tanto física quanto espiritual.

Há outro elemento fundamental na constituição dos papéis intrafamiliares: **as crianças constroem seu entendimento pela palavra mediadora da mãe.** No caso da famosa "figura paterna", espera-se que as mães nomeiem e reconheçam com generosidade e amor a capacidade, a entrega ou a dedicação que um pai pode proporcionar a um filho, para além de nossos juízos de valor.

Isto é imprescindível nos casos de pais biológicos ausentes, quando o habitual é descarregar as frustrações e dores pessoais (ao melhor estilo "seu pai é um desgraçado"), que correspondem a opiniões discutíveis, e não a construir um relato a partir de pequenas verdades (por exemplo: houve um momento de amor entre mim e seu pai que possibilitou sua concepção; ele resolveu não cuidar de nós, mas eu decidi levar adiante esta gravidez e criá-lo e amá-lo, e em algum lugar do meu coração sou-lhe agradecida por ter me ajudado a dar a vida a você. Também me sinto sozinha, desamparada, gostaria de ter um homem ao meu lado que nos protegesse.

Mas vamos ver como posso resolver isso). Esta verdade constrói o pensamento autônomo da criança, e, sobretudo, constrói um pai interior sustentado pelo discurso da mãe. De uma mãe generosa, não de uma mãe vingativa.

Em situações opostas — o pai é presente, mas o discurso da mãe o desautoriza constantemente —, o dano à criança durante o processo de constituição de seu pai interno pode ser grave. Seria conveniente que as guerras dos adultos fossem travadas entre adultos, sem colocar as crianças no campo de batalha.

Há mães que transferem todos os seus interesses pessoais para o filho. A consequência disso é uma criança sobrecarregada pelo campo emocional da mãe. Deveríamos aceitar que ninguém veio a este mundo para preencher as expectativas de outro.

Os homens são peças valiosíssimas nesse período de criação, embora sua simples presença não baste para que sejam eficazes na tarefa da separação. É verdade que os pais não contam com uma ajuda precisa para saber se posicionar no triângulo amoroso. A atitude do homem é mais eficaz quando corresponde a seus desejos íntimos, que, em geral, têm a ver com o desejo de recuperar a mulher, de reconquistar a vida sexual. Esse impulso o obriga a interferir nas exigências constantes da criança em relação à mãe, instalando uma dinâmica compatível com sua capacidade de enfrentar o mundo a partir do seu "eu separado".

Nesse sentido, as mães deveriam estar mais atentas às suas reais necessidades, pedindo o que, na verdade, querem obter (carinho, amor, atenção ou olhar), em vez de pedir que o outro brinque com a criança. Naturalmente, esta é uma atitude bem-vinda, mas não realiza a separação emocional.

A separação emocional é um processo lento (como qualquer criação). Creio que o ser humano se erige totalmente em "pessoa separada" na adolescência. Quando se rebela, quando enfrenta os parâmetros sociais dos pais e procura fervorosamente um caminho pessoal. Os professores e as pessoas que trabalham com crianças em escolas primárias sabem que o funcionamento e o rendimento das crianças estão subordinados ao equilíbrio afetivo do lar. A separação dos pais, uma doença, uma perda familiar, conflitos de casal, são todos fatores que alteram a emocionalidade da criança, pois ela continua, em parte, em fusão com sua mãe, seu pai e as figuras maternas. Quero deixar claro que o processo de separação emocional só começa ao redor dos 2 a 3 anos e culmina na adolescência. Aos 14 pode haver uma situação traumática na família, o jovem a sofre, mas já não a sente como própria. É uma grande diferença.

CRIAR OS FILHOS SEM PAI

As mães que criam seus filhos sozinhas são muitas, aqui na Argentina e no mundo inteiro. Por isso, vale a pena refletir sobre essa realidade cotidiana, entendendo que, como toda situação, tem vantagens e desvantagens.

Gostaria de distinguir duas situações:

1. A das mães que foram abandonadas pelo homem ou então saíram de uma relação muito frágil, fantasiando que o homem ficaria a seu lado por lealdade e compromisso com o filho que iria nascer.

2. A das mulheres que decidiram levar adiante uma gravidez conscientemente e com vontade de criar o filho sozinhas.

No caso das primeiras, que, lamentavelmente, formam a maioria, são recorrentes, primeiro, a fantasia e, depois, a raiva, quando constatam que não recuperaram o homem e que o bebê também não conta com um pai que cuide dele. São muitas as mães que aparecem em meu consultório irritadíssimas porque "o pai não telefona há um mês".

Neste ponto, mais uma vez, temos que rever a totalidade da **biografia humana**, compreendendo que o apego e o amor à criança pequena funcionam de modos muito diferentes em homens e mulheres. É muito provável que as mulheres — se pariram em boas condições ou ao menos desejaram o filho — sintam um amor espontâneo e desejo de cuidar e fazer bem a ele. Os homens, por sua vez, constroem seu amor pelos filhos **através do amor pela mulher.** Isto significa que um homem que ama uma mulher pode amar e se relacionar com seus filhos por intermédio dela. Quando essa ponte não existe, o homem simplesmente não consegue construir uma relação com seus filhos pequenos. Isso é assim. O amor não vem voando e com sua varinha mágica se instala em uma família simplesmente porque é o desejo das mulheres fascinadas pelos livros de romance. O amor se desdobra e se organiza cotidianamente, à medida que os vínculos vão se forjando. O homem depende da confiança, da disponibilidade, da alegria e da atração que pode manter com sua mulher para, então, incluir os filhos que vão nascendo nesse circuito. Essa mediação que os homens precisam por parte da mulher para se vincularem com as crianças pequenas já não é tão necessária quando os filhos chegam à adolescência. Sendo, então, os filhos mais autônomos, já são capazes — pais e adolescentes — de se relacionarem sem mediação.

O homem que não convive com a mãe de seus filhos tem condições de construir uma relação com eles, na medida em que **alguma mulher funcione como ponte.** Pode ser sua próxima companheira ou até mesmo sua própria mãe, desde que deseje ocupar o papel de propiciadora do encontro entre esse pai e seus filhos. Sem uma mulher por trás, um homem sozinho não consegue se responsabilizar emocionalmente por crianças pequenas. Dizendo de outro modo, é inútil esperar que o pai "paterne" um bebê — mesmo se tratando de seu filho biológico — sem a intermediação de uma mulher.

É indispensável que as mulheres que criam seus filhos sozinhas compreendam esse processo. Caso contrário, ficarão presas em uma desilusão que recai sobre aquele homem que nunca prometeu nada e não pode responder a expectativas alheias e que tampouco coincidem com as fantasias femininas de família feliz que forjamos em nossa mente, mas que não organizamos na realidade.

Também é importante diferenciar, por um lado, o desejo de ter uma relação de casal com o pai da criança e, por outro, o desejo de que esse homem se constitua no pai do filho comum. A única coisa certa é que não é possível reter o homem graças ao nascimento da criança. Quando o interesse prioritário é o de que a criança conte com a presença do pai, o ideal é permitir generosamente que ele reorganize sua vida com outra mulher, em vez de brigar e dificultar essas possíveis relações.

Então, o que as mulheres podem fazer com a solidão e a dificuldade adicional de ter um filho pequeno para criar? Bem, procurar outros recursos, outros homens, outras amizades, outra família em que se apoiar.

Por outro lado, é bem provável que as mulheres que decidiram, conscientemente, criar seus filhos por conta própria admitam de antemão que estão sozinhas, que ninguém tem obrigação para com elas ou seus filhos e que estão necessitadas de cuidados. Diferencia-as das anteriores a aceitação de sua realidade, e isso facilita que façam pedidos em espaços possíveis ou a pessoas adequadas. A criação não é menos dura, mas essas mulheres costumam ser aquelas que construíram apoios emocionais mais sólidos e, às vezes, contam com melhor inserção social ou profissional, com bons amigos e redes de apoio. São mulheres que não esperam que o pai biológico tome conta da criança nem de sua paternidade; então, acomodam-se como mães solteiras, sem pretender o impossível.

A situação específica que umas e outras compartilham é a necessidade de encontrar apoios e, sobretudo, presenças concretas na vida cotidiana. Quando a criança crescer, também procuraremos ativamente "separadores emocionais", através da presença de um novo par, um trabalho interessante, uma atividade social, artística ou esportiva, na medida em que façam vibrar no coração da mãe a necessidade de receber apoio para liberar a criança, especialmente para que esta não se converta em seu objeto de consumo ou de satisfação, permitindo, assim, o crescimento harmonioso de ambas.

De qualquer maneira, a sensação de solidão e de ter muita responsabilidade sobre os ombros na vida cotidiana não é uma vivência exclusiva das mães sem companheiro. A maioria das mulheres se sente igualmente "sozinha", não tanto pelas horas que dedicam ao cuidado das crianças, mas porque, nesses momentos tão críticos, se revela a superficialidade das relações que souberam construir, o pouco contato emocional que têm com si mesmas — e, portanto, com os outros —, a falta de profundidade e de sinceridade com relação a sua realidade afetiva, o peso dos padrões culturais, morais ou religiosos que pouco têm a ver com o que acontece de verdade, além do pouco costume de encararmos seriamente as dores antigas, o desemparo histórico e a incapacidade que arrastamos desde tempos remotos para forjar relações comprometidas, generosas e maduras. A única diferença entre a época em que não havia os filhos e o momento da vida com crianças pequenas é que já não é possível se fazer de boba. A reclamação da criança real dói. Incomoda. Nos tira do sério. Confronta-nos com as próprias deficiências afetivas. Já não é possível sustentar uma vida superficial.

Para aliviar a solidão — em vez de pretender que o homem ampare, proteja e supra todas as necessidades insatisfeitas desde a nossa infância —, podemos construir **redes de ajuda, apoio, encontro e troca entre mães de crianças pequenas**. Não temos cultura nem costume de fazer redes sociais, mas vale a pena tentar. Os grupos de mães estão sendo organizados espontaneamente e, a princípio, têm esse propósito.

As mães precisam estar em contato com suas semelhantes, sobretudo se a vida cotidiana se desenvolve em um âmbito muito restrito. Refiro-me tanto ao ambiente físico — vivendo em apartamentos nos quais fica sufocante permanecer com a criança muitas horas — quanto no social — quando se perpetuam os vínculos com as mesmas pessoas, muitas delas tóxicas ou depredadoras da tentativa de aproximação emocional com o filho. Justamente abrindo as portas, tentando novas relações e, especialmente, procurando mulheres que estejam atravessando situações similares, será possível encontrar apoio, compreensão e alegria para que o período de maternagem seja o menos sofrido possível.

FUNÇÃO FEMININA E FUNÇÃO MASCULINA NA FAMÍLIA

Quando nos apaixonamos, vamos tecendo um vínculo de acordo com modalidades que respondem à nossa **biografia humana**, desenvolvendo os papéis exercidos em nossa família de origem. Às vezes, somos as mais responsáveis, as mais infantis, as diligentes, as caóticas, as mentais, as estudiosas, as medrosas, as fantasiosas, as resolutivas, as independentes ou as violentas. Assim, com nossos "personagens", entramos nas relações de amor e, dessa forma, as desenvolveremos. Uma guerreira buscará um espaço para lutar e procurará um homem semelhante, uma hiper-resolutiva buscará um homem incapaz de resolver qualquer coisa, justamente para poder desenvolver os lugares de poder etc.

Os parceiros compensam ou se encaixam em nosso mapa, ainda que no momento em que nos apaixonamos não nos damos conta de que esse encaixe foi o que nos atraiu no outro. E vice-versa. Enquanto somos simplesmente dois adultos vivendo juntos, as coisas funcionam muito bem. Sobretudo porque ambos conservamos tempos pessoais, nos quais cada um pode suprir a si mesmo do que o outro não dá. Por exemplo: se eu gosto de ter vida social, mas meu companheiro não é sociável, simplesmente organizo encontros amistosos em horários disponíveis e não sinto que essa modalidade solitária do outro seja um problema para mim.

Em geral, as mulheres costumam se encarregar de apoiar a vida emocional dos homens. Talvez seja um hábito cultural ou uma incumbência bem-ancorada em nossa sociedade. Facilitam as relações entre o homem e sua família, entre o homem e os filhos de seu primeiro casamento, entre o homem e sua ex-mulher etc. Isso lhes é fácil e, além do mais, é o que têm para oferecer na relação de amor. Simultaneamente, elas dispõem de tempo suficiente para o estudo ou trabalho e seus próprios vínculos com parentes e amigos.

É nessa etapa que deveríamos fazer com que a relação se construísse da maneira mais equilibrada possível no que diz respeito ao apoio emocional. Lamentavelmente, não se percebe a falta de apoio ou de cuidado emocional do homem para com a mulher. Ocorre que ninguém percebe isso. Por outro lado, é bem visível quando o homem fica responsável pelo sustento econômico da mulher, coisa que não é nada desprezível, mas, pelo menos, é possível quantificar. Só que no universo das emoções as coisas não são tão simples. Até aqui estamos profundamente apaixonados.

Nasce o primeiro filho. Parto. Amamentação. Visitas pediátricas. Impacto. Cansaço. Quebra.

Primeiro esboço de família. A mãe destina toda a sua energia aos cuidados da criança. Não lhe sobra nada, pois a criação de seu pequeno filho consome toda a sua energia. Perde sua identidade, seus espaços de referência, às vezes, seu trabalho, seu tempo de lazer, algumas amizades, sua liberdade pessoal. Sente-se esgotada, mas, acostumada a cuidar sozinha de seu campo emocional, não lhe ocorre pedir ajuda nesse sentido. Sempre autoabasteceu seu equilíbrio afetivo, mas agora, à beira do abismo, descobre que o bebê — além do leite — suga algo mais intangível, intraduzível. Leva sua alma.

Neste ponto a mulher puérpera se vê diante de uma sensação de grande desamparo afetivo. Sabe que é amada, mas experimenta um vazio indescritível que a impede de se sustentar. Percebe-se imensamente só; seu estado de espírito é frágil, embora aparentemente reine a felicidade na família.

O homem, por sua vez, se esforça para satisfazê-la, mas a abordagem não é frutífera, uma vez que o apoio emocional do homem à mulher não foi previamente construído. De uma hora para outra, essa dinâmica fica evidente: é quando a mulher não tem sobras emocionais que possa colocar a serviço de si própria e precisa, imperiosamente, do apoio emocional do homem. Ou de alguém. Aceitam-se extraterrestres na falta de humanos. Seja o que for, desde que nos compense.

Aqui entra em jogo uma das articulações imprescindíveis a um funcionamento familiar harmônico (e pouco frequente): precisamos compreender que a função primordial masculina na constituição da família é sustentar emocionalmente a mulher. E a função feminina é sustentar emocionalmente os filhos, sobretudo nos primeiros anos (que são muitos, e mais ainda se há várias crianças). Se os adultos assumem sua maturidade afetiva, com sorte, o equilíbrio familiar pode se estabelecer em benefício de todos.

Naturalmente, os sustentáculos estão apoiados no vínculo do casal, que deveria estar ancorado **na generosidade e no amor.** Somos generosos quando damos abrigo ao outro, protegemos e cuidamos. Amamos o outro quando não pedimos nada em troca nem supomos que temos direito a exercer o controle sobre sua vida. Somos livres quando estamos dispostos a acompanhar o outro em seu próprio desenvolvimento pessoal e espiritual, ainda que tal desenvolvimento não coincida exatamente com nossos próprios interesses. Claro, dito assim parece fácil. Mas se viemos de famílias desamparadas, violentas, negadas ou abandonadas, precisaremos de um trabalho árduo de reconhecimento de nossa realidade emocional para tomar a decisão, ao final do caminho, de amar o outro ainda que nós mesmos não tenhamos sido amados no passado.

Somente na medida em que esses compromissos mútuos forem sendo cumpridos tanto o homem quanto a mulher ficam em condições de sair de seus personagens primários (os que se organizaram durante nossa primeira infância para poder sobreviver ao nosso abandono emocional). Caso contrário, quando os filhos aparecem, são surpreendidos pela "demolição", que experimentam com espanto e com cara de "não me avisaram que ter um filho era isto".

Os papéis são construídos, mas é necessário afiná-los com um interesse máximo pelo outro quando os filhos aparecem, porque ficamos todos mais fragilizados, mais expostos, mais cansados e perdidos na dificuldade de viver. A melhor pergunta que nós, homens e mulheres, podemos nos apresentar para facilitar o encontro é: **O que você precisa de mim hoje?**

Devemos procurar oferecer o melhor de nós mesmos à pessoa amada, em vez de gerar expectativas em torno do que o outro me oferece. Embarcar em um projeto familiar requer o máximo de generosidade e a convicção de que é necessário construir uma cadeia de apoios para possibilitar a criação dos filhos. Esse **conjunto de virtudes** que aciona o melhor de cada um se chama **família.**

CAPÍTULO

7

As doenças infantis como manifestação da realidade emocional da mãe

Materialização da sombra • Uma visão diferente das doenças mais frequentes nas crianças • Os resfriados e a mucosidade • Asma • O caso Eloísa • Alergias • Infecções • O caso Rodrigo e sua mãe • Problemas digestivos • Comportamentos incômodos: o caso Florencia • O caso Marcos: fusão emocional, música e linguagem.

MATERIALIZAÇÃO DA SOMBRA*

Os processos do mundo material adquirem significado quando os compreendemos no mundo das ideias. Reconhecemos com facilidade os processos funcionais, mas confundimos o que vemos com o que é representado. Por exemplo, o termômetro representa a temperatura do corpo, mas não produz tal temperatura. Quando o mercúrio sobe, interpretamos que o corpo está mais quente. Dessa maneira abordaremos o tema das doenças mais além do meramente funcional, ou seja, como **sistema de representação do ser humano.**

As pessoas funcionam em vários planos simultaneamente: nos planos físico, mental e espiritual. **O ponto de partida sempre é a consciência**, que emite determinada informação: quando o modelo é mais ou menos harmonioso, nós o denominamos saúde e, no caso de ser menos equilibrado, nós o chamamos doença, embora esses dois termos não representem algo tão concreto quanto costumamos acreditar.

Elaboramos a maioria das situações que vivemos nos planos superiores. Quando o sentimento é doloroso e, por alguma razão inconsciente — ou porque não coincide com o que admitimos —, resolvemos descartá-lo, ele **reaparece no plano físico.** Ou seja, ele se **materializa.** Essa materialização inconsciente de aspectos ocultos de nossa alma se intitula sintoma.

O sintoma corporal invariavelmente **incomoda.** A primeira reação é querer eliminar esse incômodo que vem de fora para nos

* Conceitos extraídos de *La enfermedad como camino*, de Thorwald Dethlefsen e Rüdiger Dahlke, Plaza & Janés Ed., Barcelona, 1990.

prejudicar. No entanto, o sintoma físico é o melhor indício que o ser humano dispõe para buscar a **origem do desequilíbrio.** É notável que a medicina ocidental se dedique tanto a fazer desaparecer, infrutiferamente, todos os pedidos de atenção, sem sequer demonstrar curiosidade pelos verdadeiros motivos da manifestação dos sintomas.

O corpo não está doente. A doença se equipara ao estado de consciência da pessoa. Por isso, não pode haver divisão entre doenças psicossomáticas e doenças puramente orgânicas, uma vez que todas as manifestações do corpo têm relação com os planos mentais e espirituais, ou seja, **tudo é psicossomático.** Os sintomas são sinais e portadores de informações precisas, são mestres implacáveis, verdadeiros guias no caminho da introspecção e da procura pessoal. Por isso, é necessário aprender e compreender a linguagem dos sintomas.

O que não queremos ser, o que não queremos admitir, o que não queremos recordar, tudo isso forma nosso polo negativo, forma **nossa sombra.** Repudiar a outra metade das possibilidades não a faz desaparecer; apenas a nega na consciência.

A sombra é tudo o que o indivíduo não pode reconhecer em si mesmo. A sombra nos angustia, por isso nós a rejeitamos. A sombra nos adoece, ou seja, se materializa, trazendo-nos o outro polo não reconhecido, e, então, nos completa.

A doença é sempre uma parte da sombra que se introduz na matéria, indicando o que me falta, o que rejeitei, o que esqueci, o que desprezei.

Só podemos ver a sombra quando ela está projetada, como no espelho. Para isso precisamos de um espelho. É assim que nosso corpo funciona. A sombra é tudo o que o indivíduo não consegue reconhecer em si mesmo, para acabar, paradoxalmente, se ocupando especialmente dessa parte. A doença sempre nos mostra o outro polo, a parte oculta que preferimos desconhecer. A sombra contém tudo o que consideramos ruim, e isso nos leva a acreditar que devemos combatê-la. Mas acontece que o bem depende do mal.

E vice-versa. Se fôssemos capazes de reconhecer e aceitar nossa sombra, talvez não houvesse nada a combater. Talvez nos dedicássemos a ouvir o que a doença tem a nos dizer. Os sintomas são, em geral, incômodos, e por essa razão voltamos a rejeitá-los, quando poderíamos usar a oportunidade que nos oferecem para trazer à consciência o polo que anteriormente não conseguimos aceitar. A doença traz à luz da consciência aquilo que está relegado à sombra e, assim, **nos transforma em seres um pouco mais autênticos, sinceros, verdadeiros e completos.**

A doença funciona como uma conversa da pessoa consigo. Digo-me algo e não compreendo. Tento com um desenho — por exemplo, formando um desconforto corporal — e tenho a oportunidade de compreender melhor, mas não é suficiente. Então, procuro desenhar um esquema mais exato e colorido, talvez assim o distinga melhor. Mas trata-se de aprofundar a conversa original.

O equívoco de apontar apenas a **manifestação física da enfermidade** coincide com o erro de se limitar a falar das cores ou da técnica de uma pintura. É verdade que o artista precisa de seus óleos, pincéis e de uma boa tela para criar sua obra, mas **a obra artística é o que transmite**, nos conecta e nos emociona quando a observamos. Quando reagimos a uma dor física apenas com um remédio físico, a dor terá de encontrar outra linguagem para se expressar. Um bom artista não depende da boa qualidade de seus óleos.

Um exemplo: trabalho em um escritório no qual tenho incompatibilidade de caráter com meu chefe. Quando o chefe passa caminhando pelo meu setor, sofro de enxaquecas. A primeira opção, que pressupõe a supressão da manifestação física, consiste em ingerir um remédio eficaz contra a dor de cabeça. A opção voltada à compreensão da **materialização da sombra** sugere que relacione minha enxaqueca com a presença reiterada de meu chefe. Quando tomo consciência da dor de cabeça que surge com a presença dessa pessoa, posso pensar por que isso me afeta tanto, no que fazer, como enfrentar a situação, o que preciso modificar em minha função profissional etc. Em suma, responder às minhas necessidades reais de mudança. O sintoma físico é apenas um esboço. Posso suprimi-lo provisoriamente, mas o desequilíbrio e o sofrimento não residem no corpo, e sim na alma.

Temos o hábito de considerar as doenças físicas mais respeitáveis do que as outras. Podemos nos permitir dizer que faltamos ao trabalho por causa de uma conjuntivite, mas não conseguimos confessar que o verdadeiro motivo tem a ver com a tristeza e a necessidade de chorar, pois isso não será considerado válido!

Qual é a diferença entre um resfriado e a tristeza? Uma crise de nervos e uma úlcera? O egoísmo ou o câncer? O medo ou a psoríase?

A doença tem, em nossa concepção corrente, uma conotação negativa; supõe-se que temos de **lutar contra as doenças**, uma vez que são inimigas terríveis que nos espreitam. No entanto seria interessante que abandonássemos por algum tempo essa luta e ficássemos dispostos a ver o que a doença tem de valioso para nos mostrar. Isso só é possível a partir de uma disposição honesta de questionarmos nossas opiniões e elevar nosso pensamento. **A cura tem a ver com a ampliação do conhecimento a respeito de si mesmo.** Por outro lado, a supressão do sintoma não é a cura, é uma irrelevância.

A doença é produzida no corpo e, naturalmente, precisa de uma condição funcional para se plasmar. Mas **essa condição não é a causa da doença (por exemplo, um vírus); é, na verdade, o que o ser humano usa como meio para realizar a doença.** Na manifestação dos sintomas pode haver causas funcionais muito diversas, que são indiferentes quando se quer compreender o **significado essencial** que a doença tem para uma pessoa em particular.

Para tentar começar a compreender a doença é necessário relacionar os sintomas a outros fatos físicos e emocionais, ainda que algumas vezes lhes atribuamos muito pouco valor, por considerá-los insignificantes. Também é necessário encontrar **correspondências com pensamentos análogos**, procurando coincidências nas manifestações, na linguagem, no relato da dor. E situar o sintoma no tempo, ou seja, saber em que circunstâncias ele apareceu. Dar-se conta daquilo a que o sintoma nos obriga é outro dado interessante, se pensarmos que o sintoma nos completa, nos oferece o que nos faltava. A doença nos oferece informação valiosa na investigação sobre nossa **biografia humana,** já que isso que se forma no corpo sempre é verdadeiro.

É importante assinalar que um sintoma sempre se anuncia primeiro na mente, sob a forma de ideia, desejo, fantasia, temor. Só quando não é levado em conta reaparece no plano material, no corpo, com algum sintoma análogo àquele que pretendíamos evitar. A doença aparece quando a pessoa está em condições de dar um passo adiante no caminho da compreensão. As situações externas aparecem quando as geramos a partir do nosso interior, ou seja, quando simplesmente se projetam para que possamos observá-las.

A medicina tradicional tem como objetivo **fazer a doença desaparecer** e, pior ainda, eliminar os sintomas. Lutar contra a doença implica lutar contra nós mesmos (contra nossa sombra, que também somos nós). E por isso falha. Se o objetivo é fazer desaparecer o sintoma, ficamos sem mensageiro. Nessa busca desenfreada e impossível (digo impossível porque, para suprimir os sintomas, teríamos de suprimir os seres humanos, coisa que qualquer dia vamos conseguir e, por fim, se acabarão todas as doenças), a medicina acadêmica inventa especialidades cada vez mais minuciosas e afastadas do corpo humano. Cria recursos para tratar os órgãos e as diferentes partes do corpo, e não cuida do indivíduo enfermo que habita esse corpo.

Ouvir realmente um sintoma nos obriga a **ser mais sinceros com nós mesmos.** Não temos outro amigo mais franco, alguém que nos mostre as coisas com tanta crueza. **Combater a doença é acreditar que ela é um obstáculo e que está contra nós, em vez de aceitar que é parte nossa e nos dá a possibilidade de nos tornarmos mais completos, de gerar um caminho de cura.** Os sintomas não estão divididos em categorias. Simplesmente é necessário compreender sua linguagem análoga. Não importa, inclusive, se padecemos **um**

sintoma no próprio corpo ou no corpo ou atitude do filho pequeno, quando estamos fundidos emocionalmente com ele.

Um exemplo: se almejamos momentos de solidão, mas não conseguimos abrir espaço em nossa rotina cotidiana, manifesta-se um sinal físico que nos "obriga" a atender essa necessidade de solidão: um ataque de alergia que nos faz espirrar tantas vezes que os demais se afastam. Ou um ataque de asma, que leva um médico a nos recomendar um repouso urgente no alto de uma montanha, em que o ar é mais puro etc. **Através da doença obtemos o que necessitamos.**

Às vezes, manifesta-se uma necessidade melancólica de repouso, solidão, escuridão e recolhimento. Poderíamos vivê-la **positivamente,** conscientemente, aceitando a voz interior e procurando a maneira viável de levá-la à prática. Quando não damos atenção à nossa voz interior, nossa sombra se encarrega de produzir, invariavelmente, uma solução para nossa legítima necessidade, mas pelo lado **negativo:** por exemplo, sofremos um pequeno acidente que nos obriga a repousar em uma clínica, com horário restrito de visitas, às escuras e em atitude de recolhimento e meditação.

Poderíamos definir saúde como uma busca permanente de abertura e aceitação de nossos processos internos. Talvez uma definição mais correta da palavra doença se refira a uma consciência precária dos estados internos e a não aceitação da linguagem dos sintomas que precisamos decifrar.

É sobre a base desses conceitos que vou abordar as doenças mais frequentes nas crianças pequenas, incluindo o **fenômeno da fusão emocional** entre mães e crianças.

UMA VISÃO DIFERENTE DAS DOENÇAS MAIS FREQUENTES NAS CRIANÇAS

Assim como os adultos precisam da doença para materializar e compreender com maior exatidão seus desequilíbrios, **os bebês e as crianças pequenas também funcionam como espelho da desarmo-**

nia dos adultos com os quais estão em fusão. O corpo da criança tem tal permeabilidade emocional e espiritual que permite manifestar as partes da sombra da mãe que ela esteja disposta a alçar à sua própria consciência.

Diante das doenças os seres humanos só têm perguntas, e não é meu propósito fazer crer que disponho de um arsenal de respostas. Ao contrário, minha proposta é gerar cada vez mais perguntas. O corpo da criança é uma grande oportunidade, uma vez que a preocupação com o bem-estar dos filhos pode nos ajudar a ampliar nosso sistema de crenças e a procurar um pouco mais além e, sobretudo, a não considerar definitiva nenhuma resposta, por mais acertada que pareça.

Procurando respostas para as doenças ou manifestações incômodas das crianças pequenas farei uma abordagem com uma progressão bem definida.

Em primeiro lugar, pensemos se **as necessidades básicas das crianças estão atendidas** (refiro-me ao contato corporal adequado com a mãe ou a figura materna, à fusão emocional, à alimentação adequada, ao olhar voltado à sua especificidade de ser humano pequeno, ao respeito pelos seus ritmos de sono e vigília, ao calor humano, ao nível de felicidade em seu entorno). É muito importante não perder de vista que o básico é prioritário. Não podemos falar de felicidade se há fome, uma vez que, com o afã de encontrar a sombra da mãe na angústia de uma criança, esquecemo-nos de começar pelo mais simples.

Assim que determinarmos que a criança tem suas necessidades básicas satisfeitas, então, sim, buscaremos na **sombra da mãe.** Isto é usualmente possível com apoio externo. Eu proponho a construção da **biografia humana** — descrita sobretudo em meu livro *A biografia humana,* e também em *O poder do discurso materno* e em *Amor o dominación. Los estragos del patriarcado* —, ainda que qualquer sistema de **interrogação profunda e honesta,** fora dos preconceitos psicológicos habituais e com um profissional treinado, seja possível. Estamos nos referindo à **sombra,** ou seja, àquilo que não está ao alcance da vista. Por isso precisamos do "outro", que esteja fora de "nosso campo de visão", para olhar para aquilo que nós mesmos não podemos ver. Precisamos de um profissional treinado que nos acompanhe nessa investigação.

A saúde física e emocional da criança pequena depende do nível de consciência que as mães assumem. Refiro-me à consciência e à lucidez sobre a totalidade de nosso campo emocional. Por isso é indispensável que as mães questionem a si mesmas com humildade, em vez de buscar remédios que suprimam as doenças das crianças como se fossem fatos alheios ao nosso próprio universo emocional.

OS RESFRIADOS E A MUCOSIDADE

Começarei refletindo sobre as enfermidades que comprometem o aparelho respiratório, que, mesmo que sejam banais e que estejamos acostumados com a presença de mucos permanentes, não deixam de ser mensagens interessantes para todos. De qualquer maneira, no caso do excesso de mucosidade e a interpretação análoga que possamos fazer, é imprescindível — tal como está detalhadamente explicado em meu livro *La Revolución de Madres* — compreender que **o leite de vaca é tóxico**, terrivelmente tóxico para o ser humano. E é a **principal fábrica de muco**, por mais que ele e todos os seus derivados (iogurtes, cremes, sorvetes, sobremesas, queijos, manteiga, chocolate) conservem uma cota muito alta de aceitação no inconsciente coletivo e a comunicação publicitária minta descaradamente sobre as supostas contribuições nutritivas desses alimentos. Não me estenderei neste texto sobre o que já está escrito com riqueza de detalhes em outro livro. Quem estiver interessado — na verdade, qualquer mãe que esteja cansada de gripes, resfriados, gargantas inflamadas, otites, bronquiolites, mucos, sinusites e amígdalas inflamadas —, sugiro ler o texto citado.

Aqui abordaremos o pensamento análogo. A respiração é um processo de troca: inspirar e expirar, dar e receber. A respiração nos une à vida, nos une aos outros, já que todos respiramos o mesmo ar. Por isso, respirar tem a ver com o contato e com a vinculação. Quando não conseguimos respirar, não conseguimos entrar em contato com ninguém, queremos ficar sozinhos e recolhidos em nós mesmos.

Os resfriados, às vezes, podem ter a ver com a angústia, com o fato de estarmos exaustos. De fato, quando espirramos, nossos micróbios disparam como balas, dizendo aos demais: "Afastem-se! Deixem-me em paz!" Nos estados gripais, tudo dói, e a única coisa que queremos é ficar sozinhos e tranquilos. É uma maneira eficaz de dizer basta. Também é uma maneira aceitável de chorar (há mucosidade e lágrimas por todos os lados). Visto dessa maneira, não é ruim ter uma gripe de vez em quando...

Quando as crianças adoecem, temos a opção de nos fazer estas e outras perguntas em relação a nós mesmas (já que elas adoecem também como manifestação da sombra da mãe, sobretudo quando são muito pequenas). Isto não significa que sempre seja assim; significa que também pode acontecer, se tivermos sinceridade suficiente para reconhecê-lo.

As crianças que começam com muita frequência uma escalada de resfriados, otites, pneumonias e espasmos respiratórios são as que mais chamam a atenção, no sentido de que um mesmo sintoma vai se agravando cada vez mais, sem que ninguém se dê o trabalho de encontrar um sentido para a repetição cada vez menos suave do mesmo sintoma.

Quando as mães me consultam sobre esses casos — insisto que, em primeiro lugar, se deve averiguar se essas crianças estão intoxicadas com leite, coisa que é muito frequente e se resolve suprimindo completamente qualquer ingestão de lácteos — e me ocorre lhes perguntar quais são os motivos que as levam a ficar tão angustiadas e por que têm tanta vontade de chorar, elas demoram meio segundo para começar a chorar, amparadas em minha permissão e em uma caixinha de lenços descartáveis, e começam a narrar quase sem respirar uma série de situações pessoais que as angustiam muito. Depois dessa primeira descarga, estamos em condições de explicar brevemente como funciona a construção da **biografia humana** e começamos a investigação a fundo.

As doenças respiratórias têm a ver com as pequenas crises cotidianas. A gripe nos permite dizer "não se aproxime". Conseguimos ficar sozinhos, limpar as toxinas, nos desfazer do que não queremos mais. É também uma maneira de chorar, expelindo água por todos os lados. As mães têm uma infinidade de motivos para chorar, mas não têm consciência dos motivos mais transcendentes, que estão relacionados com vivências acontecidas durante a infância, atualizando-se na presença dos bebês. Às vezes, não nos permitimos chorar, nem permitimos que os pequenos chorem! Mas a angústia está presente e corta as vias respiratórias.

Uma criança pequena que tem resfriados ininterruptos, inclusive com a manifestação de episódios mais sérios como broncoespamos, otites repetidas ou bronquiolites, está anunciando não só uma necessidade de maior contato corporal com a mãe, mas também uma percepção muito aguda do campo emocional da mãe.

ASMA

A asma ou o espasmo surgem quando se inspira mais ar do que se expulsa; por analogia, se retém. Há um desequilíbrio entre os dois polos, entre dar e receber. Quando inspiro além da conta, eu me sufoco com o excesso de ar. Assim funcionam os asmáticos. É hostil descrever assim, mas são pessoas que têm medo: pretendem aspirar todo o ar por medo que ele acabe! No entanto, essa atitude de reter os envenena. Dar e receber, nos planos emocionais, corresponde a dificuldades inconscientes, porque há ar suficiente para todos.

As crianças que sofrem de asma costumam padecer de carência de cuidado maternante. Falta-lhes a presença e o contato com o corpo materno. E com a falta de corpo... se nutrem do que encontram: ar. Os adultos que se recordarem de suas crises de asma quando crianças perceberão com tristeza as noites em que — em meio ao sufocamento — eram capazes de encontrar, sozinhos, na escuridão, o broncodilatador, e usá-lo. Que solidão! Que angústia! Eram apenas crianças se afogando na escuridão da noite sem o corpo de sua mãe! Os asmáticos são doentes de solidão.

Lamentavelmente, os médicos costumam recomendar aos asmáticos ir para longe, refugiar-se nas montanhas, onde o ar é puro. Outros preferem velejar solitariamente no rio ou no mar. Pois bem, justamente estão doentes de isolamento. A "cura" tem a ver com a compreensão dessa dor e do costume e o conforto que aprendem finalmente a sentir quando estão sozinhos. A cura nos pede contato, corpo, relação com as "regiões baixas", com o sexo, com o carnal. Observemos que os asmáticos adultos costumam ser pessoas muito mentais, elevadas, intelectuais e inteligentes. A mensagem da asma é a de que precisamos incluir o polo desprezado: o corpo, as emoções, os contatos, os afetos.

Quando se diagnostica asma nas crianças pequenas, há duas questões a serem consideradas. Em primeiro lugar, é necessário constatar se efetivamente a criança sofre de asma (aspira mais ar do que se permite respirar) ou se sufoca por excesso de mucosidade. Nesse caso, não é asma. É resfriado crônico. O pensamento análogo é outro.

Por outro lado, as crianças que efetivamente sofrem de asma precisam, antes de tudo, de maior contato corporal da mãe. Mais presença, de mimos, carícias, disponibilidade de tempo e de colo. A mãe também terá de se questionar sobre sua rigidez, suas dificuldades sexuais e obstáculos relacionados com o contato corporal, a docilidade e a ternura que a criança não consegue aproveitar.

O CASO ELOÍSA

Eloísa chegou ao Grupo de Crianza com sua filhinha de 3 anos e 5 meses, Rocío, que sofria de asma. Estava farta de todos os tratamentos convencionais, sem resultados positivos. À medida que ia adquirindo confiança nas outras mães que participavam do grupo, foi contando sua história enquanto eu a observava: tinha diante de mim uma mulher fisicamente corpulenta, de mais de 40 anos, de sorriso doce e olhar agradável. Eloísa tivera um filho quando era adolescente e deixara a criança aos cuidados de sua própria mãe, em Catamarca, uma província do Noroeste da Argentina. Depois veio procurar trabalho em Buenos Aires. Vários anos depois, casou-se e teve Rocío, que nasceu prematura, aos 7 meses. Embora a menina estivesse perfeitamente bem e tivesse um excelente acompanhamento pediátrico, Eloísa se sentia angustiada com sua filha, que continuava considerando prematura. Rocío não frequentava nenhum jardim de infância, nem estivera sob os cuidados de outra pessoa que não fosse a própria mãe desde o nascimento. A asma de Rocío chegava a níveis desesperadores, passava mais noites internada do que dormindo em casa, recebendo corticoides. Fomos obter mais informações sobre sua vida passada, sobre sua relação atual... E aos poucos Eloísa conseguiu ir reconhecendo seus temores e fantasias a respeito do crescimento da filha. Fomos solidárias e protetoras, para que ela se animasse a soltar Rocío sem sentir que a abandonava (como foi o caso de seu primeiro filho, em uma situação pessoal totalmente diferente). Reconheceu, tempos depois, que tê-la internada na clínica lhe garantia inconscientemente que a teria segura. Em pouco tempo a menina diminuiu consideravelmente a frequência dos ataques de asma, também melhorou a carga de mucosidade, unida, neste caso, a uma mudança de dieta, agora sem lácteos.

ALERGIAS

Alergia é a rejeição da própria agressividade. As crianças pequenas costumam manifestá-la por meio de alergias respiratórias ou cutâneas.

Os alérgicos lutam simbolicamente contra as coisas mais inofensivas, como flores, pólen, plumas, morangos, vento, primavera. Costumam ser pessoas suaves que se dão bem com todo mundo. Esse polo agressivo não aceito se manifesta nas lutas contra objetos inocentes. Também tem a ver com os aspectos corporais: a sexualidade, a primavera, a fecundação, a exuberância.

Nas crianças, as alergias da pele estão diretamente relacionadas com a falta de contato corporal. Pode-se investigar por dois caminhos. O mais habitual é o dos bebês que não têm satisfeitas as necessidades básicas de contato físico. Eles não são suficientemente pegos no colo, portanto, a pele "brota", reclamando carícias. Também existem bebês que — como foi dito — manifestam a sombra da mãe. Nesses casos é pertinente que a mãe se pergunte: tolero o contato físico com os outros? Como vivo minha própria sexualidade? Entro em contato com meus sentimentos íntimos? Suporto os afetos íntimos?

Tudo o que conseguimos aprender se torna interessante quando observamos com atenção o órgão mais visível do nosso corpo: a pele. É o limite entre o interior e o exterior, o que separa o eu do você. É a fronteira pessoal e a proteção. A pele é uma imensa superfície de projeção: uma pele sensível revela uma pessoa sensível. A pele enrubesce quando sentimos vergonha ou excitação. A acne juvenil aparece quando explode para o exterior a exuberância da sexualidade. Na pele refletem-se os nervos, os medos e os desejos. Por sorte as manifestações na pele costumam representar desequilíbrios superficiais e fáceis de resolver.

INFECÇÕES

São guerras materializadas no corpo, correspondem a conflitos prévios que não conseguimos reconhecer. Quando surge um inimigo (bactérias, vírus), alistamo-nos para defender nosso território. Elevamos nossa temperatura — nossa melhor arma para fazer frente ao inimigo —, e começa a batalha, até que um dos lados vence. Se a defesa foi eficaz, ela sai fortalecida, e depois da doença conseguimos evoluir (em crescimento, compreensão, sabedoria). Tivemos contato com nosso inimigo, dispomos agora de boas informações sobre ele (imunidade), que não voltará a nos surpreender. Há guerras que se prolongam eternamente, porque a defesa não é de todo eficaz e os atacantes estão sempre na fronteira. São as doenças crônicas que nos desgastam, nos deterioram, estão sempre presentes sem que nunca nada se resolva em profundidade.

Ao sofrer infecções poderíamos nos perguntar: por que luto? O que não quero admitir? Contra o quê ou contra quem estou lutando? Quais são os conflitos que se apresentam diante de mim sem que eu consiga me dar conta? A quem não consigo perdoar?

Ainda que as infecções tenham má fama, seria interessante que fôssemos capazes de atravessar todo o processo. A medicina ocidental abusa do uso de antitérmicos, privando o organismo de sua melhor defesa: a febre. A febre é útil, logicamente, na medida em que estiver devidamente controlada, sem colocar em risco a vida da pessoa. Administrar antitérmicos assim que a febre aumenta significa deixar o organismo indefeso. É claro que em muitos casos é necessário agir com rapidez no plano funcional, ministrar antibióticos. A diferença é estabelecida pelo grau de consciência com que se age.

Quando se trata de infecções que atingem crianças pequenas, é necessário erguer um olhar duplo: à criança e à sua mãe. Direcionamos o olhar à sombra da mãe, tentando situar os conflitos mais proeminentes, que, indefectivelmente, saem à luz através do corpo da criança. É indispensável que sejamos capazes de dar razão à doença ou ao comportamento irritado da criança. Em vez de lutar contra o sintoma, precisamos nos aproximar e compreendê-lo. Depois decidiremos qual é o caminho de cura física e espiritual que escolheremos trilhar.

O CASO RODRIGO E SUA MÃE

Mirta veio me consultar preocupada com seu filho, Rodrigo, de 10 anos, que sofria de uma constipação crônica. Tinha pavor de se sentar no vaso sanitário, porque via sapos. A mãe consultara vários médicos a respeito das visões de Rodrigo. Logo entendi que Mirta era uma mulher incrivelmente controladora e nunca deixava seu filho único ficar sozinho, proibia quase tudo, não permitia que saísse para brincar com outras crianças, era muito exigente com as tarefas do colégio e obrigava Rodrigo a levar uma vida formal, reclusa e à mercê da satisfação de suas próprias expectativas. Em suma, Rodrigo nunca lhe dissera não a nada; pelo contrário, ela falava com orgulho da docilidade e da bondade de seu filho.

Compreendi que, para Rodrigo, reter sua matéria fecal era a única maneira aparentemente viável de dizer "não" à sua mãe. Tal atitude representava um mínimo exercício de liberdade. Nesse caso, o objetivo terapêutico não deveria estar localizado na tentativa de conseguir que o menino movesse o ventre com naturalidade, uma vez que o estaríamos privando de sua necessidade mais imediata e profunda, que tinha a ver com a busca desesperada de seu próprio eu separado de sua mãe. Pelo contrário, era necessário revelar as dificuldades dessa mãe para permitir que seu filho crescesse e ocupasse o próprio lugar no mundo. Era fundamental que tirássemos o olhar do sintoma em si e compreendêssemos sua linguagem análoga. Os sapos o ajudavam a agregar credibilidade à sua desafiante postura. O dar e o receber fazem seu jogo na produção de matéria fecal, na mucosidade, na alimentação, e têm a ver, fundamentalmente, com a comunicação.

A constipação era, nesse caso, um grito desesperado. Foi necessário trabalhar com Mirta suas próprias debilidades e temores, que a mantinham aferrada desmedidamente ao filho. A constipação foi se resolvendo pouco a pouco. O importante foi o processo que Mirta empreendeu com relação à totalidade de sua biografia humana.

PROBLEMAS DIGESTIVOS

Recordemos que nos primeiros anos de vida o aparelho digestório é extremamente imaturo. Quase todos os distúrbios se normalizam quando o bebê é **alimentado exclusivamente no peito.** É necessário avaliar se as desordens digestivas estão ligadas ou não ao tipo de alimentação: de fato, um bebê alimentado com mamadeira de leite de vaca terá mais tendência a sofrer resfriados, excesso de mucosidade, alergias e vômitos. Há casos sérios de desarranjos sofridos por bebês que eram amamentados no peito, mas passaram a ingerir também, prematuramente (antes dos 6 meses), alimentos sólidos. Quando o bebê é alimentado apenas com leite humano, mas os problemas digestivos são muito graves, então, é pertinente afinar o pensamento e entender o que o "bebê-mãe" não consegue digerir, metaforicamente falando. Vale recordar que os bebês nascidos prematuros vão demorar muito tempo para amadurecer o aparelho digestivo. Isso se resolve com leite materno e com paciência!

As doenças dos bebês refletem uma linguagem clara, fácil e direta. Eles dizem com o corpo o que não podem transmitir com palavras. É importante discernir se as disfunções têm origem em situações emocionais da mãe, perguntando-se: o que não consigo engolir? O que é inaceitável para mim? O que rejeito? O que não admito? O que quero arrancar violentamente de mim?, entre outras questões. Ou se os problemas têm origem na alimentação ou em um habitat inóspito.

O que o bebê manifesta não é apenas "por causa de", mas também "para algo". Acalma-nos saber de onde vem a doença, mas é necessário nos perguntarmos também aonde ela nos leva, o que precisamos descobrir.

Cada manifestação física incômoda de nossos filhos permite que questionemos algo mais profundo e escondido de nossa personalíssima sombra.

COMPORTAMENTOS INCÔMODOS: O CASO FLORENCIA

Quando os pais de Florencia vieram a meu consultório estavam muito preocupados, pois a menina, de 7 anos, era "insuportável", "impossível de conviver em família", enfim, "antissocial". Tinham outra filha, de 5 anos, chamada Clara, e um menino recém-nascido, Bruno, que mamava placidamente no peito da mãe. Florencia parecia "selvagem", não respeitava nenhuma ordem, brigava o dia inteiro, tinha comportamentos estranhos, como lambuzar o rosto antes de ir para a rua, era difícil vesti-la e realizar qualquer atividade em conjunto.

Pedi que me relatassem brevemente suas histórias pessoais e os eventos mais importantes desde que haviam se casado.

Florencia nasceu por meio de uma cesariana e depois Patrícia, a mãe, foi diagnosticada com uma "depressão pós-parto" e medicada psiquiatricamente. Essa medicação impossibilitou-a de cuidar da neném durante todo o primeiro ano de vida. Não pôde amamentá-la nem vincular-se emocionalmente, e as recordações que tinha desse período eram confusas. Depois ficou grávida da segunda filha, e decidiu, por conta própria, abandonar a medicação. A partir daí, conservava recordações lúcidas, como a recuperação da relação com Florencia, depois do parto de Clara, a amamentação normal dessa filha e, alguns anos após, mais uma gravidez e o parto de Bruno. No relato surpreenderam-me a desconexão e a falta de lembranças em que submergiu pela ingestão de medicamentos, de maneira que tentei imaginar a experiência da Florencia bebê, com uma mãe desconectada e impossibilitada de cuidar dela.

Ocorreu-me, então, pensar que Florencia ainda estava reclamando a etapa bebê que não pudera viver. Queria abraços, atenção permanente, colo, exclusividade, disponibilidade. Os pais se surpreenderam ao constatar que Florencia só funcionava quando estava sozinha com alguém. Gostava de lugares pequenos e não expostos, de brincar com uma única pessoa, de fazer coisas de bebê, de se sujar, se agitar, e os ruídos fortes a incomodavam. E, sobretudo, queria ficar o tempo todo no colo, coisa que para uma menina de 7 anos era perturbador.

Os pais diziam, chorando, que, às vezes, ela parecia louca. Claro, tinha o corpo de uma menina de 7 anos, mas a emocionalidade ferida de um bebê. Propus que fizessem de conta que era um bebê e soubessem que, além de Bruno, teriam, durante um ano, de cuidar de mais um bebê. Também lhes propus que contassem a Florencia a história de seu primeiro ano de vida e a tirassem da escola extremamente exigente que frequentava e a enviassem a outra mais próxima de casa. A proposta lhes pareceu assustadora e "um pouco louca", mas já haviam consultado muitos profissionais e a convivência com Florencia era cada vez mais complexa. Não havia muito a perder.

É frequente que tenhamos medo de "dar marcha à ré", uma vez que todos temos pressa para que as crianças cresçam. Mas as regressões nos curam. Todas as terapias que inventamos até agora para curar se baseiam em regressões de algum tipo. E creio que é melhor regredir quando se tem 7 anos do que aos 30 ou 40. Não acontecerá nada de grave se lidarmos com uma menina de 7 anos como se fosse um bebê. Muitos adultos querem ser tratados como crianças, e esses comportamentos condicionam suas relações afetivas.

A questão é que os pais de Florencia reviram todo o funcionamento cotidiano e o pai ajudou a "maternar" a menina, pois a mãe estava, além do mais, sendo mãe de um bebê real. Constataram várias vezes que era possível fazer praticamente qualquer coisa com Florencia desde que ela se sentisse totalmente protegida e cuidada. Sempre que era possível, alguém brincava com ela a sós, fazia um programa dedicado exclusivamente a ela, e assim gerava-se uma espécie de comunicação íntima. Essa "reabilitação" levou quase um ano, similar ao tempo que Florencia necessitava recuperar de intimidade e **fusão emocional** com a mãe. Tornou-se uma menina normal, muito exigente, decerto, mas uma criança com quem foi possível conviver em família. É necessário realçar a generosidade dos pais, que deixaram de lado as opiniões e os preconceitos sobre o que "está certo" ou o que "está errado" e se dedicaram a oferecer a Florencia aquilo de que ela necessitava.

O CASO MARCOS: FUSÃO EMOCIONAL, MÚSICA E LINGUAGEM

Carmen, mãe de Marcos, de 3 anos e 5 meses, me consultou porque seu filho parecia ter um problema de linguagem. Só era capaz de repetir as frases. Por exemplo, quando lhe perguntavam "Marcos, quer beber água?", o menino respondia: "Sim, quer beber água." Nunca falava de forma autônoma para se comunicar; limitava-se a repetir, negativa ou afirmativamente, na terceira pessoa do singular: "ele, você." Por outro lado, parecia ter um desenvolvimento intelectual avançado, pois era capaz de armar sozinho um quebra-cabeça de trezentas peças. Também tinha extraordinária capacidade na área musical: conhecia de memória e cantava mais de cem músicas, algumas das quais com palavras difíceis, que pronunciava com perfeição. Quando ouvia alguém pronunciar uma palavra, imediatamente entoava uma canção que incluía aquele termo em alguma estrofe.

Chamou minha atenção a nitidez com que manifestava o sintoma: tratava-se de perpetuar a fusão emocional "mãe-bebê", pois, aos 3 anos e 5 meses, não havia iniciado a separação emocional em relação ao "eu sou". Não se tratava de imaturidade intelectual, mas, sim, de imaturidade no plano emocional.

Dispus-me a interrogar Carmen sobre sua **biografia humana:** infância, vida cotidiana, o nascimento de Marcos e fatos relevantes. Soube que seu marido era artesão, que ambos formavam um casal muito boêmio, haviam viajado por todo o país como nômades, vivendo de artesanato, às vezes em péssimas condições econômicas. Quase sempre, Carmen acabava fazendo trabalhos de escritório para ganhar dinheiro necessário ao sustento da família.

De fato, a partir do nascimento do filho, Carmen esteve sempre preocupada em conseguir trabalho e sustento, coisa que conseguia resolver mesmo nas piores circunstâncias.

Marcos passava muito tempo embalado pela música, era um bebê que ficava longas horas ouvindo música, tranquilo, aos cuidados do pai.

Depois de três anos de penúria financeira, decidiram voltar a Buenos Aires para procurar trabalho. Carmen conseguiu logo, e começou a trabalhar o dia inteiro fora do lar. Roberto, seu companheiro, continuava tranquilo, dando continuidade a seu trabalho artesanal, sempre ganhando pouco.

Achei que Marcos ainda estava ávido por viver sua vida de bebê. Precisava de mais tempo de fusão: de uma mãe conectada, disposta, protegida e acolhedora. Embora a intenção de Carmen fosse a de ser uma boa mãe, a realidade vivia empurrando-a para longe. Eu disse a Carmen que Marcos havia adotado **a música como elemento maternante**; ao fim e ao cabo, era a música que o acompanhava por longas horas durante a ausência da mãe. Por isso, ele podia se comunicar cantando ou musicando as frases que ouvia.

Marcos falava como se fosse outro. Não podia dar início ao processo de separação porque ainda tinha **fome de fusão.** Propus a Carmen que desse ao filho o que ele lhe pedia: **tempo fusional.** Sugeri que, em vez de estimulá-lo para que falasse como uma criança normal de 3 anos, lhe oferecesse tempo de bebê, colo, espaço compartilhado, braços, canções. Quando ele tivesse uma dose suficiente de mãe interna, estaria em condições de abandonar a fusão.

Era uma criança extremamente inteligente.

Mas seria necessário enfrentar a verdadeira dificuldade: os acordos de casal. Era indispensável que Roberto arranjasse um trabalho, que cuidasse de sua família, que sustentasse emocional e economicamente sua mulher, para que ela tivesse condições de exercer a maternidade em liberdade para o filho de ambos. Que desocupasse o lugar do filho, porque esse lugar tinha de ser ocupado pelo filho real, que era Marcos.

De fato, começou aí um conflito de casal. Mas essa é outra história...

CAPÍTULO

8

As crianças e o direito à verdade

Verdade exterior • Verdade interior • A busca da própria verdade • A verdade nos momentos difíceis • A verdade nos casos de adoção • O caso Bárbara (dar um novo significado à morte de um ente querido) • O caso Sandra.

VERDADE EXTERIOR

A verdade exterior diz respeito à realidade objetiva: hoje é segunda-feira, está nublado, sou mulher, tenho 30 anos, tenho cinco filhos, isto é um prato de comida.

Quando os adultos se comunicam entre si, administram códigos previamente estabelecidos, que pressupõem a existência de certo conhecimento a respeito de diferentes questões. Por exemplo: aviso a meu marido que vou trabalhar. Esta informação pressupõe uma série de situações que ele conhece de antemão: onde fica meu trabalho, quantas horas ficarei fora de casa, porque o faço, quanto ganho, em que consiste meu trabalho, que significado tem para mim, se gosto do que faço ou não, se trabalho com outras pessoas. Forneço um mínimo de informações suficientes para a compreensão do adulto, além dos conceitos de tempo e espaço que ele já tem incorporados.

As crianças, sobretudo as crianças com menos de 3 anos — ou seja, antes do início da linguagem verbal —, precisam dispor de informações verdadeiras, corretas, ditas com palavras claras. Diferentemente das pessoas adultas, elas não contam com o conceito abstrato de tempo e espaço, portanto, as situações mais banais têm de ser anunciadas volta e meia antes que aconteçam. Devemos ajudar até mesmo as crianças maiores com referências pontuais. Por exemplo: "Antes do almoço vai acontecer tal coisa", "Quando seu pai chegar do trabalho, vamos fazer isto e aquilo".

Por que é necessário dar tantas explicações? **Porque a verdade concreta dita com palavras organiza o entendimento das crianças e constrói a estrutura emocional sustentada pela lógica.** As palavras com sentido lógico têm o papel de fazer a intermediação entre as crianças e o mundo.

Tomemos como exemplo a comunicação entre adultos. Meu marido me anuncia: "Hoje voltarei às 3h da manhã." Sou informada de algo real, mas não é uma explicação lógica que me baste, porque não é um fato habitual em nosso acordo de casal. Não posso construir minha realidade com tão pouca informação. No entanto, quando me avisa: "Hoje à noite voltarei às 3h da manhã porque depois da reunião com meu gerente vai haver um jantar de empresários e acho que se estenderá até muito tarde, pois está marcado para a meia-noite", disponho de informação suficiente para organizar minha compreensão, me acomodar e aceitar a situação mesmo que não a considere agradável. Fundamentalmente, **compreendo do que se trata.**

Na comunicação cotidiana com as crianças, quando uma mãe diz ao filho "vou trabalhar", a criança não dispõe de informações suficientes para construir seu pensamento nem sua realidade. O que significa trabalhar? Quando vou voltar? Por que estou saindo? O que a criança vai fazer nesse intervalo de tempo?

É vital **dizer às crianças a verdade exterior com riqueza de detalhes**, tentando perceber o mundo a partir de seu ponto de vista. As crianças estão subordinadas à órbita celeste, e os adultos as obrigam a descer à realidade terrestre. **Esta capacidade de conectar o céu com a Terra, o espírito com a matéria, é uma das características da mulher puérpera, pois ela habita os dois aspectos simultaneamente.** A magia das palavras consegue promover a aproximação entre o mundo sutil da criança pequena e o mundo concreto dos adultos. Por isso, as palavras devem ser usadas: são a tradução **do que acontece.**

As mães passam muitas horas sozinhas com os bebês: isso lhes permite treinar para que a comunicação verbal permanente possa fluir. Não há testemunhas que critiquem a aparente loucura de falar com essas diminutas e desconhecidas criaturas. É o período ideal para falar, avisando os bebês sobre tudo o que vai lhes acontecer.

Por exemplo: "Agora vou trocar sua fralda, talvez você sinta frio", "Vamos sair para passear, tenho de agasalhá-lo", "Vamos juntos ao supermercado, aquele lugar barulhento, cheio de luzes fortes e de gente". Cada acontecimento, por mais banal que pareça, deve ser anunciado pela figura materna, porque a criança está envolvida naquilo, e isso a predispõe para o que acontecerá. Isso a situa e acalma.

Dessa maneira as crianças usam as palavras com o significado lógico do adulto como mediadores entre o mundo externo e o interno. À medida que crescem, vai se tornando cada vez mais complexo, para as crianças cujos pais não têm o hábito de falar com elas, estabelecer a comunicação. Costumam me perguntar durante as consultas: "Como devo falar com ele?" Falar com as crianças é simples, é como falar com outro adulto.

Como podemos confirmar se as crianças estão compreendendo o significado das palavras? Pessoalmente, eu o confirmo sem parar, mas essa tarefa deve ser levada a cabo individualmente, expandindo a capacidade de observação e permanecendo atento ao acompanhamento fiel das crianças quando sabem do que se trata. À medida que os anos vão passando, me espanto cada vez mais com as incríveis evidências da capacidade de entendimento das crianças. Parafraseando a doutora Françoise Dolto: "O ser humano tem a mesma capacidade de compreensão desde o dia de sua concepção até o dia de sua morte." A compreensão não tem de ser demonstrada com uma resposta verbal. O fato de a criança não poder utilizar a linguagem verbal não significa que não a compreenda.

VERDADE INTERIOR

O amor é o centro de nossa vida. E a verdade é o eixo da comunicação, tanto consigo mesmo como com os demais. De fato, "falar com o coração" é contar a verdade interior. **A verdade interior é o que acontece comigo, o que sinto, o que desejo, o que temo.**

Quando sou capaz de olhar dentro de mim sem preconceito, quando me conecto com simplicidade com o que **acontece** comigo, quando não me apresso a fazer avaliações sobre o que é certo ou errado, me relaciono com a **verdade interior**, que é a **expressão da alma**. Os adultos precisam compreender seus sentimentos, encontrar uma explicação para eles. Só assim eles se tornam íntimos do que acontece com eles e adquirem a capacidade de viver cada situação, entendendo-a melhor.

Por exemplo: nos grupos de mães, Paulina conta que fica facilmente deprimida à tarde. É uma coisa que acontece com muita frequência, mas ela não consegue evitá-la. A partir de algumas perguntas amáveis de outra mãe, Paulina se dá conta de que nesse horário costumava visitar a mãe, falecida há alguns anos. Associar sua tristeza ao fato de que sente a ausência da mãe dá sentido às suas sensações; ela sabe do que se trata e, portanto, logo poderá decidir qual será a maneira viável de superar sua nostalgia.

Da mesma maneira, os bebês e as crianças pequenas, **fundidas na emoção da mãe,** estarão em condições de compreender, de organizar seu entendimento e de acompanhar os sentimentos da mãe **se souberem do que se trata.** Isto é possível quando a mãe nomeia o que acontece com ela. Dizer a verdade, **toda a verdade do coração,** implica encarregar-se do que é próprio para liberar o bebê na lenta separação emocional, indispensável para que possa crescer e constituir seu próprio eu.

Outro exemplo: acaba o período de licença-maternidade de uma mulher e ela deve voltar ao trabalho. Toma todas as providências necessárias para que seu bebê de 3 meses seja bem cuidado. Na véspera do início de suas atividades profissionais o bebê tem um espasmo respiratório... Este fato poderia ser considerado imprevisível? Não. É tão frequente quanto a falta de reconhecimento da angústia que uma mãe sente diante do fato de deixar seu bebê, ainda tão pequeno, durante tantas horas! O bebê sente a mesma angústia e se encarrega de manifestá-la pelos dois.

Nesse caso, o que significa dizer a verdade? Dizer a verdade ao bebê é se conectar, primeiro, com essa situação ambivalente:

"Preciso ou quero trabalhar, mas também me angustia e me assusta deixar meu filho sob os cuidados de outra pessoa"; "Quero ir, mas também sofro por deixá-lo". Reconhecer o que acontece comigo, comunicar o que acontece comigo, é dar ao bebê a possibilidade de compreender e se separar do que acontece comigo. Caso contrário, o bebê se encarrega de comunicá-lo, realiza a angústia pela manifestação do sintoma.

Em outras palavras, o bebê nos obriga a nos conectar com a verdade, porque, quando não é assim, a materializa, "expressa-a" no plano físico, ele a vive em seu corpo.

Há quem considere impossível ficar dando explicações o tempo todo. No entanto, isso facilita os vínculos. Em pouco tempo transforma as crianças em seres capazes de acompanhar com fluidez as decisões e necessidades dos pais, porque lhes conferem significado. Com o passar do tempo, as explicações vão se tornando mais curtas e exatas, pois a criança passa a incorporar conceitos de tempo e espaço. O bebê precisa, a cada dia, de palavras maternas que possam desempenhar o papel de intermediárias durante a ausência da mãe ou diante de cada nova situação. Por outro lado, uma criança de 3 anos e 5 meses, que lida facilmente com a linguagem verbal, sabe que, quando a mãe diz "vou trabalhar", isso faz todo sentido, pois é o que diziam aquelas muitas palavras cheias de significados que ouviu esses três anos.

As crianças encontram um sentido pessoal em cada fato cotidiano, desde que ele seja confirmado pelo amor de seus pais e das pessoas que as cercam. Não importa **como** dizemos. Importa o **que** transmitimos, uma vez que a mensagem é sustentada pelos dois aspectos da verdade: o interior e o exterior.

Falar com a verdade é contar com a maior exatidão possível "o que acontece comigo" e "o que acontece". Falar com o coração é estar aberto, é assim que as crianças aprendem a abertura, a simplicidade, a solidariedade e a compaixão. Se aprendermos a ver o mundo com olhos de criança, perceberemos a importância de estar sustentados pela palavra e pelo amor dos adultos.

Aproximar-se da verdade requer fazer um percurso sustentado pela genuína intenção de nos conhecermos mais, de cuidar de nossa vida, de nossas escolhas e de nosso destino. A verdade é sempre precedida pela palavra "eu". Porque a verdade é pessoal, refere-se ao que acontece comigo, ao que sinto, ao que desejo. Não é uma opinião, nem está subordinada ao que é certo ou errado.

Se prestarmos atenção, veremos que quase todas as discussões e guerras são formuladas por meio da segunda pessoa do singular: "Tua culpa, tua ideia, teu equívoco" etc. Se os adultos conseguissem enfrentar os conflitos falando na primeira pessoa do singular, conseguiriam chegar a acordos ou pelo menos despertariam o interesse do interlocutor.

A **busca da própria verdade** precisa de apoio. Creio que essa é a essência de qualquer iniciativa terapêutica ou de outra aproximação do campo espiritual de cada um. Muitas vezes, é indispensável pedir ajuda a um profissional, sacerdote, astrólogo, médico, psicoterapeuta, conselheiro ou pessoa iluminada que esteja em condições de nos guiar no caminho da busca. Sobretudo em épocas existencialmente críticas, como o pós-parto e os primeiros anos da criação dos filhos.

Tudo o que não conheçamos a respeito de nós mesmos será traduzido pelo corpo das crianças. Se estivermos muito afastados de nossa essência, não estaremos sequer em condições de nos fazer as perguntas pessoais básicas diante das manifestações dolorosas ou incômodas de nossos filhos. Será necessário que alguém nos faça essas perguntas, que nos incite a procurar respostas possíveis em nosso âmago e vele para que não descartemos rapidamente as primeiras sensações. Voltando ao exemplo mencionado anteriormente, da mãe que voltou a trabalhar: sem dúvida, cada vez que ficou angustiada pelo fato de estar se afastando da criança, convenceu-se de que esse sentimento era inadequado, pois providenciara tudo para que o filho fosse atendido com eficácia. Ao afastar o sentimento verdadeiro ("estou me sentindo mal, mas não importa, a vida segue"), obriga-o a reaparecer no corpo da criança. Aceitar a verdade permite que vivamos em paz, mesmo que a verdade não seja agradável nem bonita. Desconhecer a verdade agrega pedras a nosso caminho, e dá a impressão de que "temos azar".

As pessoas afastadas de sua verdade costumam se queixar com muita frequência. A queixa sempre é dirigida ao lado de fora. Nossa insatisfação é causada pela política, pelo chefe, pela sogra, pelo clima. As pessoas mais queixosas são aquelas que se recusam a olhar para si mesmas com honestidade — e, por isso, interpretam os sinais que volta e meia aparecem no caminho como indícios de estarem sendo perseguidas pela má sorte, quando deveriam parar para se perguntar, humildemente, o que os incessantes avisos estão querendo mostrar.

As crianças estão tão próximas de nosso coração, tão unidas à verdade íntima, que se transformam em tradutoras exatas. Vale a pena lhes dar atenção ou, ao menos, nos fazer as perguntas pertinentes. Só quando sabemos o que acontece conosco ficamos em condições de contar a verdade aos nossos filhos.

A VERDADE NOS MOMENTOS DIFÍCEIS

A verdade é um conceito que pertence à profundidade da alma de cada indivíduo, e ainda que se refira àquilo que é mais íntimo e genuíno de cada pessoa, costumamos ficar afastados de nossa própria verdade, ou seja, do conhecimento de nosso ser essencial.

Ser verdadeiros conosco requer, em princípio, a intenção de nos questionarmos permanentemente. O segredo consiste em sermos capazes de nos interrogar na primeira pessoa do singular: "O que eu quero?", "O que está acontecendo comigo?", "O que me atemoriza?", "O que ofereço?". A verdade sempre é pessoal, é a verdade do coração. Costumamos apertar as mãos contra o peito quando dizemos algo muito sincero e sentido.

A verdade se refere, sempre, à nossa **intimidade**, ou seja, ao interior de nosso mundo emocional. É a instância que desnuda as emoções: o amor, a rejeição, o medo, a alegria, a nobreza, a paixão, a raiva, a angústia, a dor, a esperança. A intimidade não se refere às práticas sexuais, nem à vida cotidiana, como o fato de trabalhar, estudar, comer, dormir, passear ou se relacionar com os outros.

E o que as crianças têm a ver com nossas verdades íntimas? Seremos capazes de compreender a relação profunda entre crianças e adultos se levarmos em conta que as crianças pequenas são **seres fusionais que vivem dentro do mundo emocional** das pessoas que as cercam. Quando são muito pequenas, vivem fundidas à emocionalidade da mãe ou da pessoa maternante e, à medida que vão crescendo — e vão estabelecendo relações com outras pessoas (pai, irmãos, avós, professoras, amigos) —, se fundem com os mundos emocionais dos demais. Recordemos que as **crianças são fusionais**, ou seja, que se fundem, inevitavelmente, para estabelecer relações com os demais. Podemos verificar esse funcionamento quando as crianças, depois de entrar em um lugar que não conheciam, precisam de um longo tempo para se adaptar. Na realidade, estão ativando o **processo de fusão,** que lhes permitirá, depois, permanecer ali.

O que me interessa destacar citando esses exemplos é a natureza fusional das crianças, e a convicção de que, assim como entram em fusão com o ambiente físico, também vivem fundidas com o mundo emocional dos adultos que as cercam. As dificuldades surgem quando as crianças não têm tempo de se conectar com o lugar ou, então, não conseguem compreender aquilo que sentem. Não importa se o sentimento lhes pertence ou se pertence ao adulto, porque não há um limite preciso entre um e outro. Por isso, é fundamental **nomear com palavras simples e claras o que acontece conosco.**

Pois bem, os adultos costumam decidir qual é o tipo de situação que convém explicar para as crianças e quais são as que não lhes dizem respeito. No entanto, **não existem situações do mundo emocional dos mais velhos que não sejam da competência das crianças.** Elas estão sempre muito envolvidas emocionalmente, ainda que nos façamos de distraídos. E nesse ponto encontramos dois problemas: o primeiro é como reconhecer o que nos acontece, e o segundo, como falar com as crianças sobre o que acontece conosco — de verdade.

O primeiro problema é o mais difícil, porque requer uma consciência e um conhecimento máximos de si mesmo. Supõe-se que seja exatamente esse o trabalho de qualquer profissional que dê assistência terapêutica: acompanhar e favorecer a interrogação profunda de cada pessoa, zelando para que sempre questione a si mesma, não os outros. E ao se conectar com a verdade mais profunda de seu coração, a reconheça, aceite e seja capaz de nomeá-la com palavras.

Esse percurso pessoal precisa, com frequência, da ajuda de um profissional: mestre, sacerdote, médico, bruxo ou qualquer nome que prefiramos dar à pessoa que tenha a capacidade superior de devolver ao outro a imagem verdadeira de si mesmo.

E a verdade não é bela nem feia, simplesmente é. Os seres humanos se apressam em catalogar suas emoções usando algum rótulo conhecido e julgá-las positiva ou negativamente. Quando classificam certas situações como negativas ou dolorosas, eles o fazem porque os adultos não suportam nomeá-las. Ao deixar de contemplar seu coração, não conseguem respeitar suas limitações e se iludem preenchendo o vazio da alma com remédios equivocados.

Ora, não é possível falar com verdade às crianças se não formos capazes de falar com nós mesmos. E para isso é indispensável se conectar com a criatura íntima e única que vive em nosso âmago. Ser o que somos.

Embora seja tentador concordar com essas afirmações, não encontramos, na vida diária, uma maneira de nos aproximar de nossa verdade para transmiti-la às crianças. As situações de divórcio são especialmente exemplares: o cônjuge se transforma rapidamente em inimigo, é desencadeada uma batalha (que achamos que é de um contra o outro, mas é de cada um contra si mesmo), os dois tentam determinar o que o outro deveria fazer ou oferecer, a tensão e o ódio crescem... Dizemos às crianças “papai foi trabalhar longe” ou até mesmo que "papai tem uma namorada", história que pode ser verdadeira, mas nunca corresponde à verdade interior.

A verdade reside no que acontece comigo durante a situação de divórcio: "Estou assustada, seu pai é uma pessoa amorosa, mas não é o homem que eu quero ao meu lado agora. Preciso de um homem que me apoie mais e me ajude, preciso de um homem que cuide de mim, quero encontrar um companheiro que esteja disposto a fazer parte do nosso projeto familiar. Nunca soube como pedir ajuda, sinto-me infantil e com pouca experiência para construir uma relação mais madura. Tenho medo, pois não sei como vamos resolver nossos problemas financeiros. Percebo que faz muito tempo que não estava interessada nele, deixei de amá-lo, preciso de um período de solidão. Quero desenvolver meu projeto de trabalho, sonho em levar outra vida" etc. Qualquer sentimento é valioso quando parte do coração, ou seja, quando é nomeado na primeira pessoa do singular: "Eu, a mim, acontece comigo, sinto que, quero, desejo" etc. É assim que poderemos ir ao encontro de nossa verdade, e depois revelá-la às nossas crianças, com a mesma simplicidade e compaixão que pretendemos ter em relação a nós mesmos.

Quando lhes dizemos: "Não se preocupem, o divórcio não tem nada a ver com vocês", estamos mentindo. A verdade é que, de fato, tem a ver, porque as crianças vivem dentro de nossas emoções, não podem deixar de estar envolvidas. Portanto, só somos sinceros quando explicamos. Assim, por exemplo: "Acho que essa tristeza que vocês sentem tem a ver com o que está acontecendo aqui em casa, com as brigas e discussões que eu e papai temos tido. Estou tentando encontrar uma solução viável para todos nós. Eu também estou nervosa e quero contar para vocês o que vamos fazer."

Os adultos têm o mau hábito de desprezar a capacidade de conexão, apoio e solidariedade das crianças. Costumamos tratá-las como se fossem desconhecidos, a quem não diz respeito o que acontece conosco, nem as decisões fundamentais que envolvem o futuro da família. Por outro lado, quando conseguimos falar com clareza sobre o que acontece conosco, descobrimos filhos amáveis, carinhosos, desejosos de nos acompanhar no restabelecimento do equilíbrio afetivo.

As situações de doenças graves ou de morte são especialmente mascaradas na hora em que precisamos explicar o que está acontecendo. Fazemos de conta que estamos bem. E se a criança não fizer perguntas, melhor. Mas, depois, toda essa dor ou angústia se expressa em algum plano deslocado — as crianças adoecem, ou não se concentram na escola, são mandadas a um consultório psicopedagógico e ficamos todos preocupados com problemas de déficit de atenção (ADD, na sigla em inglês), damos remédios a elas etc. A questão é outra: preferimos nos ocupar de sintomas aparentes quando deveríamos nos perguntar o que está acontecendo conosco, o que sentimos, e procurar apoio ou o silêncio interior para poder passar às crianças informações a respeito do que realmente está acontecendo. Quando não conseguimos falar, o corpo dos menores fala. E todos nos conformamos com qualquer diagnóstico ligeiro.

O fundamental é contar o que ocorre conosco depois da morte de um ser querido. Não é indispensável explicar a morte do ponto de vista religioso ou filosófico. Perguntas desse tipo são formuladas pelas crianças em outros momentos, e não exatamente quando estão conectadas com a dor dos adultos. Elas precisam é de palavras que nomeiem essa dor e lhes permitam se situar e definir os próprios sentimentos de perda.

Embora a vida nos apresente situações verdadeiramente dolorosas, ou certos momentos de desesperança, isso não quer dizer que precisemos fazê-los desaparecer aos olhos das crianças. Agimos de maneira terrivelmente infantil quando queremos contar a nós mesmos a lenda de que as crianças "não sabem, não entendem, não percebem". A única coisa que conseguimos com isso é falar do assunto equivocadamente, coisa que gera confusão e sofrimento no seio da família. Nessas circunstâncias, as crianças se sentem sozinhas, porque ficam emocionalmente sozinhas. Não é apenas a perda real (a morte, por exemplo) que provoca sofrimento, mas, sim, a solidão que surge quando cada um precisa se encarregar, sem acompanhamento, do que acontece consigo. Esse é o sentido da família ou da comunidade: a possibilidade de compartilhar com todos o que acontece conosco, para que a dor seja suavizada e possamos nos apoiar no amor recíproco.

A VERDADE NOS CASOS DE ADOÇÃO

Hoje em dia estamos um pouco mais habituados a falar livremente sobre a adoção e as famílias adotantes. Cresce a tendência de considerar que as crianças adotadas devem saber a verdade a respeito de sua identidade. Na Argentina existe até uma lei que permite aos filhos adotados consultar os documentos de adoção, em que constam os dados dos pais biológicos e toda a informação social e burocrática necessária para saberem por quem foram entregues, em que condições e, às vezes, quais foram os motivos aparentes.

No entanto recebo com frequência pais adotantes que me consultam porque esperam que as crianças perguntem algo relacionado a seu nascimento. Quando estão em contato com mulheres grávidas (a professora, uma tia, uma amiga da mãe), quando nascem crianças ao seu redor (irmãozinhos dos colegas do jardim de infância), os pais esperam com ansiedade que as crianças perguntem como nascem os bebês. Esta seria uma boa oportunidade para dizer claramente ao filho que ele saiu da barriga de outra mulher e contar como veio a ser adotado por eles. E acontece que, mesmo tendo 3, 4 ou 5 anos, a criança não formula a pergunta.

Os pais têm a clara intenção de contar a verdade, mas as crianças não perguntam aquilo que sabem que os pais têm dificuldade de aceitar, expressar e compartilhar. Dizer a verdade não significa contar rapidamente essa curiosa história uma única vez, mas viver diariamente cercados pelo florescimento da verdade interior, que está sustentada nesse desejo, nessa busca e nesse encontro com a criança real que se constitui, enfim, em filho.

A maioria dos pais decide adotar uma criança depois de não ter conseguido conceber um filho biológico. Não é sempre assim; há famílias com vários filhos que, em determinado momento, decidem incorporar à família uma criança necessitada. Mas refletiremos aqui sobre as sensações ambivalentes de pais que sonharam durante anos com a chegada de um filho biológico, acabaram aceitando a impossibilidade de conceber, depois decidiram adotar uma criança, procuraram arduamente e, por fim, adotaram.

Essas crianças costumam ser muito desejadas, esperadas e amadas. No entanto há pais que se sentem na obrigação de proteger a criança desse *handicap** que ela carrega por ter sido adotada, temendo que sofram alguma discriminação no ambiente escolar ou social.

Por isso me interessa compartilhar uma sensação pessoal a respeito da excepcional força espiritual dessas crianças que procuram com afinco seus pais. Muitos adultos adotantes reconhecem que passaram por uma experiência sutil, mas muito clara e bem-definida quando encontraram o filho. É como se estivessem respondendo ao chamado específico da criança; e ao acudirem, guiados por seus sinais, comprovaram que estavam em sintonia com ela ainda antes do encontro efetivo. Parece-me que essas crianças são especialmente aguerridas e têm força e determinação para enfrentar as adversidades. Creio que essas qualidades tornam-nas, de algum modo, detentoras de uma luz que outros não veem e de um poder que outros não vislumbram.

Por isso, esses encontros merecem ser celebrados com especial alegria, pois se tornaram possíveis graças ao desejo dos adultos de amar, exercer a maternidade e a paternidade, mas, sobretudo, graças ao insistente chamado da criança, que guiou, de alguma maneira, os pais em sua direção. Aqui há algo a ser valorizado e compartilhado, a ser mostrado ao mundo como um acontecimento que deve ser festejado socialmente, como os noivados, os casamentos, os nascimentos, as mudanças, os diplomas, as conquistas — que não são ocultados nem são contados em voz baixa. Estamos festejando um milagre, uma maravilha, uma manifestação da força humana.

---

* Termo originário do inglês, que significa "desvantagem". (*N. da R.*)

Há algo de mágico em tudo isto: o desejo de ter um filho, a possibilidade de encontrá-lo e a sensação de que o universo tem um objetivo preestabelecido e que poucas coisas acontecem por acaso. Quando vemos pela primeira vez a criança que vamos converter em nosso filho, temos a certeza de estar presenciando uma dança de duendes que festejam com alegria e morrem de rir cantando: "Aconteceu, conseguimos." As forças invisíveis conspiraram para que o milagre acontecesse. Somos protagonistas de um sonho, a criança é recebida com flores e grinaldas, os adultos se transformam em pais, e os dias e as noites se tornam suaves, amparados por um coro de anjos.

As histórias das adoções relatadas pelos pais têm incríveis semelhanças. Costumam recordar, vez ou outra, com riqueza de detalhes, o que aconteceu minutos antes de encontrar a criança. Lembram os cheiros, as palavras, a assinatura e o carimbo estampado em um documento que legitimou a adoção, a pessoa que a entregou em uma manta dourada, o choro doce e a chegada em casa. Cada detalhe lembrado ilumina os olhos dos pais e permite que agradeçam aos reis e aos magos que os auxiliaram na viagem subterrânea e pungente até encontrarem a criança amada.

A energia necessária para desejar, procurar e encontrar uma criança para exercer a maternidade costuma ser sustentada por um jogo de cartas criado no mundo invisível da alma das mulheres, que não atendem as razões do mundo material, voam acima da cordialidade e são capazes de navegar todos os mares e recantos que os mapas oficiais não reconhecem nem nomeiam para terminar com a criança nos braços, amparadas pelo homem, ou protegidas pelo céu e pela Terra, se for necessário.

É imprescindível que essa energia vivente grite aos quatro ventos o triunfo do encontro, uma vez que, como sociedade, deveríamos celebrar a adoção de todas essas crianças, reconhecendo-as como virtuosas e especialmente espertas.

A atitude ambivalente de ocultar e de revelar com reservas é típica de uma sociedade que tenta se modernizar, mas mantém os preconceitos e a hipocrisia medievais.

Fingimos ser felizes e vamos dissimulando o pânico que nos causa pensar que alguém possa machucar nosso filho humilhando-o por ser adotado. Em vez de nos refugiar na angústia que a ignorância dos demais nos provoca, podemos falar, contar, fornecer detalhes, convidar a festejar, somá-los à nossa alegria, falar do milagre do encontro, explicar a outras crianças o que significa adotar um filho, compartilhar com outros pais a experiência, exibi-la sempre como uma grande virtude, sempre, a cada dia, a cada instante, a cada passo e diante de todas as pessoas.

Concretamente, conversaremos todos os dias com nosso filho, desde recém-nascido, se o adotamos assim que nasceu. E lhe contaremos tudo o que sabemos a seu respeito, falaremos de sua mãe biológica, da entrega em busca de um lar amoroso, de seu futuro, de como as crianças nascem, de sua sorte por ter chegado à nossa casa. Quando se trata de uma criança maior, colocaremos em palavras tudo o que averiguamos a respeito de sua vida anterior ao encontro. E a respeito do que não sabemos diremos: "Não sei, mas poderemos investigar." Tudo o que saibamos — nós e nossos filhos — nos garantirá a possibilidade de nos levantar sobre nosso próprio eixo, construir nossa estrutura emocional, tecer nossos pensamentos e, com essa força interna, ganhar o mundo.

Então, viveremos cada dia apoiados em nossa verdade, que circulará entre os adultos e as crianças, entre os amigos e os parentes, na escola e no trabalho, na vizinhança e entre os desconhecidos. E haverá alguém que, regozijado e espantado diante de nossa alegria, se animará a levantar voo e empreender a própria busca em direção à criança que o está chamando.

E nosso filho simplesmente viverá sua vida, como cada criança, procurando a própria verdade, sustentada pela verdade e pelo desejo profundo de seus pais de acompanhá-la. Vamos lembrá-los de que possuem uma virtude excepcional: a força do chamado e a tenacidade para realizar o que desejam. E, por sua vez, ela poderá transformar essa capacidade em competência, intuição e sabedoria para ajudar outros a encontrar o próprio caminho.

O CASO BÁRBARA (DAR UM NOVO SIGINIFICADO À MORTE DE UM ENTE QUERIDO)

Bárbara, uma profissional bem-sucedida, veio ao meu consultório com um objetivo específico: queria saber como dizer a seus filhos de 6 e 3 anos que o avô paterno, doente de câncer, estava para morrer. Conversamos sobre a verdade, a capacidade de compreensão das crianças, a relação muito estreita que Juan e Sofia tinham com o avô. No entanto chamou minha atenção a angústia desmedida que Bárbara sentia diante do mero fato de pensar como seriam as futuras conversas com os filhos a respeito da perda próxima do avô.

Começamos abordando sua **biografia humana.** Disse-me que o pai falecera quando ela tinha 3 anos. Calculei que devia ser então um homem jovem. Perguntei do que ele havia falecido. Respondeu: "De um ataque de coração." Continuei insistindo, pedindo detalhes, até que explodiu em lágrimas dizendo que a história não era tão simples. Seu pai havia se suicidado. Esta realidade foi ocultada por sua mãe e toda a família das três meninas (Bárbara era a segunda de três filhas). O caso ficou famoso na época, porque se tratava do filho de um conhecido industrial. Quando Bárbara estudava Agronomia, um professor lhe perguntou se seu sobrenome tinha relação com a famosa família que sofrera uma desgraça em tal data, tal lugar e em tais circunstâncias. Foi assim que Bárbara ficou sabendo como o pai falecera. Os anos foram passando e ela nunca se atreveu a conversar com a mãe nem com as irmãs a esse respeito. Limitou-se a se dedicar a rever os acontecimentos. Era seu grande segredo. Ela o revelava a mim com temor, e angustiada diante da ativação de recordações contraditórias.

Compreendi que a proximidade da morte de seu sogro (que cumpria para ela o papel de pai bondoso e provedor) acionava a primeira perda, dolorosa, de seu pai biológico. A falta de lógica da mentira a condenara a dispor de recursos mínimos para processar ao longo de sua infância, adolescência e vida adulta o desaparecimento de seu pai. Pior ainda: inquietava-a profundamente enfrentar com a verdade esse triste acontecimento.

Para ficar em condições de conversar com seus filhos a respeito da dor provocada pela morte anunciada do avô, Bárbara precisava encarar, primeiro, a verdade da morte do outro avô. Esse era seu desafio. Propus que ela tentasse conversar com o marido, pois, assim, talvez fossem afastados os fantasmas que se movimentam com autonomia quando os alimentamos com segredos. Desse modo, seu marido estaria em condições de ajudá-la a transmitir aos filhos a dor atual, torná-los participativos e ficar juntos nesse mau momento. Poucos dias depois, de fato, o sogro faleceu. Bárbara me ligou cedo uma manhã para me contar o desenlace e me dizer que as crianças acompanhavam tudo com relativa calma.

Depois do impacto da morte do sogro, Bárbara compreendeu que tinha uma história a reconstruir, ajudada pela procura da verdade, e se dispôs a trilhar esse árduo caminho.

O CASO SANDRA

Todos os anos, nas minhas aulas na Escola de Capacitação Profissional, a título de homenagem, conto parte da história de Sandra.

Era uma mulher muito bonita, frequentava os grupos de mães com várias amigas. Naquela época, os grupos eram abertos: cada mãe vinha — dentro dos horários pautados — todas as vezes que quisesse. Teve três filhos: Florencia, Agustín e Candela.

O nascimento de Candela foi muito revelador: um parto natural depois de duas cesarianas. Durante o trabalho de parto, que foi muito longo, recordou as violações a que fora submetida por seu pai durante a infância. Assim o soubemos: quando nos relatou o parto de Candela. O impacto foi enorme entre as mulheres presentes. Durante os meses seguintes, Sandra participava muito esporadicamente nos grupos, geralmente para compartilhar algum tema sem importância, como a adaptação de Candela ao jardim de infância ou uma discussão familiar. Três anos mais tarde, certo dia, uma amiga íntima comentou comigo que estava preocupada com Sandra, pois ela evitava contatos amistosos, e isso não era um bom sintoma. No dia seguinte, sua amiga me ligou para me avisar que Sandra estava internada em um hospital e fora submetida a uma histerectomia. Faleceu na manhã seguinte. Tinha 29 anos.

A impressão e a paralisia produzida por essa notícia em nós, que a conhecíamos e amávamos, foram imensas. A notícia soou caótica e incompreensível para aqueles que se lembravam dela rindo às gargalhadas e levando a vida com bom humor. Tentamos tecer pedaços de sua história, procurando entendê-la. Assim, soubemos que Sandra atravessou a infância sendo violentada sistematicamente pelo pai, desde os 9 anos, e que sua mãe havia insistido com vigor que essa história era inventada. Ou seja, **aquilo que Sandra dizia que acontecia a mãe negava que acontecesse**. Acabou se convencendo, como ocorre com quase todas as crianças violentadas e abusadas, que precisam negar com a consciência o que acontece para continuar vivendo, fazendo de conta que aquilo que vivem na verdade não existe. Soubemos também — à medida que íamos juntando peças do quebra-cabeça de sua vida — que Sandra sofria de hemorragias vaginais muito intensas, nunca diagnosticadas: podiam durar vários meses, e embora a mãe soubesse que sofria essa dor, a minimizava. Soubemos de detalhes pungentes. Traçamos um mapa de violência familiar a partir do qual compreendemos que Sandra não tinha saída. O marido de Sandra, tão jovem quanto ela, também fez vista grossa. E o silêncio. Esse silêncio ativo que apaga a injustiça e o abuso, que nega a infância e a inocência.

Nesse dia aprendi que nunca mais deixaria que alguém vivesse com um segredo tão poderoso. Não importa a dimensão da dor, porque as mentiras matam. E a verdade cura.

CAPÍTULO

9

Os limites e a comunicação

As crianças precisam de mais limites ou de mais comunicação? • Para ouvir o pedido original: acordos e desacordos • O uso do "não", um recurso pouco eficaz • As crianças tiranas • O tempo real de dedicação exclusiva às crianças • Os "caprichos" quando nasce um irmão • As crianças e as exigências de adaptação ao mundo dos adultos • A loucura das festas de fim de ano nos jardins de infância • O estresse das crianças • O caso Rodrigo.

AS CRIANÇAS PRECISAM DE MAIS LIMITES OU DE MAIS COMUNICAÇÃO?

As crianças que não têm limites nos deixam exasperados e somos obrigados a nos deter e a nos observar. Descobriremos que somos nós, os adultos, que estamos limitados em nossa capacidade de introspecção e comunicação conosco e com os demais.

O que acontece comigo, aonde vou, o que é importante para mim? Estas e tantas outras perguntas primordiais dão sentido à nossa vida cotidiana. Se soubéssemos transmiti-las, as crianças teriam condições de nos compreender e poderíamos chegar a acordos satisfatórios para todos. Quando os adultos não conseguem reconhecer com simplicidade e senso lógico uma necessidade pessoal, tampouco conseguem compreender a necessidade específica do outro, menos ainda se tiver sido formulada em um plano equivocado. Sem que percebam, pedem o que acreditam que será ouvido, e não aquilo de que realmente precisam. Eu denomino esse fenômeno tão frequente e usado por todos nós de pedido deslocado.

Por exemplo: uma mulher precisa que o marido a abrace e lhe diga o quanto a ama; no entanto, em vez de explicitar sua necessidade afetiva, pede que vá trocar o bebê. Quando um desejo é manifestado por meio de outro desejo, surge o mal-entendido. Inconscientemente, a pessoa pede algo de que não precisa e, portanto, não obtém o que deseja, então, se sente incompreendida, desvalorizada e se irrita. No plano emocional, quando não sabemos ou não podemos explicar o que está acontecendo conosco, obviamente, nada nem ninguém pode nos satisfazer.

Em relação às crianças, esta situação é tão recorrente que a vida cotidiana se transforma em um campo de batalha. Acordar para ir à escola, comer, tomar banho, ir às compras, fazer o dever de casa, chegar ou sair de algum lugar, ir a um restaurante com a família — tudo parece ser uma luta travada não se sabe muito bem contra quem. E encontramos um rótulo muito em moda, aplicável a quase qualquer situação: "Esta criança precisa de limites."

Por exemplo, uma criança passa por um baleiro e pede uma bala. A mãe a compra, mas logo a criança pede outra... Ou, então, a mãe não compra a bala e o choro se torna intolerável...

Tanto na primeira situação como na segunda, **a criança se viu desprovida de mãe**, pois não se trata da bala (comprar muitas balas não resolve a insatisfação), e sim de um **pedido deslocado**. Se formos capazes de reconsiderar o que aconteceu cinco minutos antes do conflito, constataremos que, na maioria das vezes, não estávamos conectados, não podíamos atendê-la, a criança já fizera alguns pedidos insignificantes sem conseguir interromper nossa atividade. Em vez de dizer: "Mamãe, quero brincar com você", simplesmente pede alguma coisa que acha que obterá com rapidez: "Quero uma bala." O pedido incômodo tem mais chances de ser ouvido, independentemente de ser atendido ou não, o que não tem importância alguma (de fato, ao ganhar uma bala, a criança pede outra e mais outra).

Qual é a opção diante dos pedidos "deslocados" das crianças?

— Mamãe, quero uma bala.

— Que ótima ideia! Podemos ir comprá-la juntos e aproveitar para brincar de adivinhar palavras na rua.

— Podemos brincar de adivinhar palavras usando as cores das balas!

E respostas semelhantes.

Neste exemplo a criança está em franca comunicação com sua mãe, e ganhar ou não a bala não tem a menor importância, pois o pedido foi compreendido e respondido em sua essência.

Vejamos outro caso:

— Julieta, vá tomar banho.

— Depois...

— Julieta, se você não tomar banho não vai ver televisão.

— Não estou com vontade.

— E você acha que eu tenho vontade de fazer o jantar?

E assim por diante.

Acontece que Julieta nunca soube por que sua mãe acha importante que tome banho (a bem da verdade, os adultos também não sabem muito bem qual é a importância), nem sabe que sua mãe se sente só e cansada. Nunca conversaram sobre o que acontece com elas, nem chegaram a um acordo sobre as necessidades de uma e outra. Por outro lado, a mãe está limpando e arrumando tudo e a toda velocidade depois de um dia de trabalho fora de casa, e tomar banho é mais uma providência sem sentido.

— Julieta, você quer que eu a leve para tomar banho?

— Não estou com vontade.

— Vamos aproveitar este tempinho, pois depois tenho que preparar o jantar. O que você quer que a gente organize para o fim de semana?

— Posso chamar a Manuela?

— Claro, hoje mesmo combino com a mãe dela. Ela pode ficar para dormir aqui no sábado.

— Bem, o que vamos comer?

E assim por diante (Julieta já está de banho tomado).

São apenas alguns minutos de atenção e interesse. Depois disso, a mãe prepara o jantar com muito mais tranquilidade.

Costumamos afirmar que uma criança não tem limites quando ela pede de maneira desmedida ou então, sempre agitada, nos distrai e exige nossa atenção. No entanto, antes de julgá-la e rotular seu comportamento, deveríamos tentar nos colocar em seu lugar, nos imaginar em seu corpo e em sua confusão, impossibilitada que está de explicitar aquilo de que genuinamente necessita. A criança usa o mesmo sistema confuso de pedir o que pode ser ouvido e não aquilo que na verdade deseja. O que incomoda sempre é prioritário aos olhos dos demais.

A questão dos limites — como é entendida vulgarmente — é um **falso problema**, pois não se refere à autoridade ou à firmeza com que dizemos não. Pelo contrário, tem a ver com **estabelecer um acordo entre o desejo de um e o desejo do outro**, com sentido lógico para ambos. E para isso é necessária a capacidade de ouvir, certa dose de generosidade, reconhecimento das próprias necessidades, e, depois, a comunicação verbal que legitima e estabelece o que estamos em condições de respeitar em relação ao acordo pactuado.

Os mal-estares e as irritações gerados entre adultos ou entre adultos e crianças são tantos e tão variados que não vale a pena enumerá-los. Mas sugiro, então, que nas situações menores da vida cotidiana levemos as mãos ao coração e reflitamos se pedimos aquilo de que na verdade necessitamos — sem negar explicações — e **se ouvimos o que de fato as crianças tentaram nos dizer.**

Os orientais dispõem de uma palavra útil para os momentos em que perdemos o equilíbrio e a compreensão: a palavra **Tao**, que significa, entre outras interpretações para os conceitos ocidentais, "como as coisas funcionam" ou "a contemplação de como as coisas funcionam". Detenhamos nossa mente por alguns instantes e, sem julgar, opinar nem classificar como certo ou errado, **observemos o que está acontecendo**, o que geramos, de que maneira participamos do desencontro. Veremos que as lutas cotidianas se suavizam e que surge o verdadeiro sentido pessoal que a vida compartilhada com as crianças tem para cada um de nós. Façamos com que as miudezas da vida diária se transformem em um exercício invisível de amor.

PARA OUVIR O PEDIDO ORIGINAL: ACORDOS E DESACORDOS

Para conseguir estabelecer uma relação harmoniosa com as crianças dependemos de **nossa capacidade de comunicar.** A falsa questão dos limites está intimamente relacionada com o exercício da verdade. Como vimos no capítulo anterior, a verdade se refere ao que acontece, mas, sobretudo, ao que acontece comigo. E saber o que acontece comigo não é tarefa simples. Quase todas as iniciativas terapêuticas são voltadas à procura das mesmas perguntas pessoais: quem sou? O que posso fazer com minhas recordações e vivências primárias? Qual é minha missão no mundo? O que preciso conhecer a respeito de mim mesmo? Talvez nossa vida transcorra sem maiores sobressaltos e sem questionamentos até o momento em que os filhos colocam em ação as verdades pessoais não reveladas.

Durante a primeira infância, **criamos** crianças. Depois da separação emocional, ficamos preocupados com aquilo que chamamos, com muito prazer, de educação. Perguntamo-nos como devemos fazer para que nossas crianças se comportem bem, sejam amáveis e educadas e possam viver de acordo com as regras de nossa sociedade. No entanto esses resultados não dependem tanto de nossos conselhos e, sim, daquilo que as crianças vivem no contato emocional genuíno conosco.

Para isso é preciso haver um trabalho permanente de introspecção. Não posso contar o que acontece comigo se não sei o que me acontece de verdade. Depois, é necessário saber o que acontece com o outro. E somente então será possível chegar a acordos baseados no conhecimento e na aceitação do que acontece com ambos. Se quisermos crianças dóceis, teremos de nos treinar para sermos doces conosco.

Na convivência entre adultos, supomos que os acordos básicos são essenciais para estar juntos. Sempre chamou minha atenção o fato de não considerarmos igualmente necessário entrar em acordo com as crianças. Por exemplo: minha filha pede que lhe conte uma história antes de dormir e eu respondo que tem de escovar os dentes. Irrita-se. Discutimos. Nem ela escova os dentes nem eu conto a história. Faz xixi na cama. Estamos todos confusos e amargurados. No entanto a opção é levar em conta o pedido original, formulado através de uma forma deslocada: contar a história. Dou-me conta de que trabalhei o dia inteiro, que a menina sente minha falta, que quer um momento de troca a sós, que não sabe mais como pedi-lo. Para responder, não temos de esquecer a palavra mágica:

"Ah!" ,"Ah! Você quer que eu lhe conte uma história? O que você acha de escovarmos os dentes?" Ou então: "Eu também estou com vontade de passar um tempinho tranquila com você", e até poderíamos resolver escovar os dentes em outro momento. Porque o que se aprende em uma situação de mal-estar não será incorporado no futuro, embora seja isso o que os pais esperam dos hábitos de higiene e amabilidade. Enfim, se os filhos pedem que contemos uma história, levemos em conta o que estão pedindo! Acordemos algo intermediário entre o que eles necessitam e o que nós, como adultos, estamos em condições de oferecer. Intermediar significa aproximar posições, e não manipulá-las para que se adaptem às nossas necessidades.

Por outro lado, resgatar o pedido original requer um conhecimento genuíno das necessidades básicas dos menores. Os adultos sempre acham que as crianças "já estão muito grandes para...". Invariavelmente, preconizam que elas deveriam fazer algo que ainda se sentem inabilitadas a fazer: brincar sozinhas, parar de chupar o dedo, comemorar o aniversário longe dos pais, largar a mamadeira, não interromper a conversa dos mais velhos etc. Em geral, a presença engajada dos pais é ínfima quando as crianças "não têm limites, pedem desmedidamente ou não se conformam com nada". Não se trata apenas de presença física. Trata-se de presença e também de compromisso emocional.

Não importa a realidade objetiva ou as dificuldades específicas que atravessamos. As crianças são capazes de compreender e acompanhar todas as situações quando **sabem do que se trata.** Quando gritam, esperneiam ou não obedecem, simplesmente nem elas mesmas sabem o que está acontecendo com os adultos, nem nós sabemos o que está acontecendo com elas, como crianças. Por isso, não há acordos possíveis, e a relação se torna angustiante. Quanto mais as crianças estão insatisfeitas, mais os adultos afastam-nas de casa, porque se desgastam com elas por perto. Enviam-nas a longas jornadas nas escolas e a finais de semana na casa dos avós, aprofundando a desconexão e o abismo que os separam.

A questão dos limites é um falso problema. Quando falamos de limites, precisamos levar em conta nossos modelos de comunicação, a franqueza com que nos dirigimos a nossos filhos, a procura de nossa verdade e o exercício de falar a partir da verdade pessoal, a cada dia, a cada instante, com cada criança.

O USO DO "NÃO", UM RECURSO POUCO EFICAZ

Não encoste na tomada. Não pule na cama. Não bata no seu irmão. Não bagunce minhas gavetas. Não chateie. Não grite. Não atenda o telefone, pode ser um cliente. Não brinque com o controle remoto da televisão. Não se aproxime do CD do papai. Não chore. Não se levante da mesa. Não interrompa. Não fique vendo desenho animado. Não faça xixi. Não acorde sua irmãzinha. Não brinque com minha agenda. Não desarrume o quarto. Nãããooooo!!! Eu lhe disse que não!!!

Se pudéssemos nos gravar — ou, melhor ainda, nos filmar — durante um dia qualquer em nossa casa, perceberíamos a quantidade de vezes que dizemos "não" aos nossos filhos, antes de qualquer outra palavra. Obviamente, temos razão, uma vez que estamos lidando com situações perigosas ou incômodas para os demais. Mas é imprescindível constatar que esses "não" são, de fato, espantosamente ineficazes, embora nos vejamos obrigados a repeti-los sem cessar. Por quê? Porque usamos o "não" como primeira instância, e não como última.

Poderíamos, no entanto, tentar o seguinte:

Reconhecer as necessidades da criança e verbalizá-las ou legitimá-las.

Verbalizar o que acontece comigo ou expor a realidade objetiva.

Propor acordos, optando, a princípio, por uma atitude de "sim" que depois inclua o "não" correspondente.

Reconhecer as necessidades da criança é fácil quando usamos a palavra mágica "Ah!...". "Ah!... Você tem vontade de explorar as tomadas da casa"; "Ah!... Como você se diverte pulando na cama"; "Ah!... Você corre para atender o telefone tão rápido quanto a mamãe e o papai"; "Ah!... Você está irritado e com muita vontade de chorar"; "Ah!... Estou achando que você está com muita vontade de brincar com seu irmão, justamente agora que ele está tão ocupado com as lições de casa", "Ah!... Você quer ouvir aquela música que o papai gosta" etc.

Isso não significa que concordaremos com qualquer coisa que a criança queira. Significa, apenas, que vamos reconhecer e **nomear** e, se for necessário, teremos de interpretar, pois às vezes o pedido é formulado de maneira desajeitada ou confusa. Frequentemente, é um pedido deslocado. Um exemplo: a criança esperneia no supermercado por causa de um brinquedo que não aceitamos comprar, embora saibamos que, na realidade, ela está com sono, com fome e estressada.

Para **verbalizar o que acontece consigo**, ou expor a realidade objetiva, os adultos precisam procurar respostas alternativas. Devem levar em conta que o impulso da descoberta, mais do que presumível no processo de desenvolvimento saudável das crianças pequenas, é tolhido nos lares que não se adaptaram aos menores e, mais ainda, quando os pais não têm paciência. As limitações de espaço e de tempo que interferem na liberdade e nas tentativas de aquisição de conhecimento por parte das crianças podem ser compensadas pela atenção e pelo interesse dos mais velhos.

Por exemplo: "O que você acha de irmos verificar juntos as tomadas da casa? Eu lhe mostro onde podemos tocar, nas beiras, e onde não podemos colocar os dedinhos. Temos de fazer isso sempre juntos. Também podemos mexer nas chaves da caixa de luz. Vamos ao outro quarto. Vamos à cozinha. Vamos à varanda... Parece que aqui não há tomadas..."

Ou então: "O que você acha de fazermos um bolo? Podemos pedir ao Juan para nos ajudar depois que terminar a lição de casa."

Ou até: "Vamos ouvir aquela música que o papai gosta, mas eu coloco os discos. Aperte este botão, agora este outro..."

Pensar primeiro no "sim" e depois no "não" permite satisfazer a criança com relativa facilidade. Assim, o "não" passa a ser apenas um "não". Não adquire dimensões de privação da totalidade de seu ser. Há coisas que podem ser feitas, sim; basta ter um pouquinho de vontade.

Estabelecer acordos é possível quando reconhecemos e nomeamos as necessidades e os desejos de ambos. Como se consegue isso? Nos comunicando. Quem tem de fornecer as palavras adequadas? O adulto.

Por exemplo: "Eu entendo que você está com muita vontade de desenhar na minha agenda, mas para mim é muito importante que ela fique limpa. O que você acha de desenharmos juntos neste caderno?"

Ou então: "Você passou o dia inteiro me esperando, também esperou seu irmão e aqui em casa estamos todos ocupados. Deve ser muito frustrante sentir que ninguém se ocupa realmente de você. Estou esgotada, mas se nos deitarmos um pouco juntos poderemos cantar umas músicas até dormirmos e amanhã acordaremos um pouquinho mais cedo para brincar."

Todas essas opções requerem um mínimo de dedicação. Esse é todo o segredo para que se obtenham bons resultados: ou dedicamos com sinceridade parte do dia para alimentar as relações afetivas com nossos filhos ou a vida cotidiana se transformará em um inferno de proibições, com tensão e irritação como consequência básica. Porque as crianças "terríveis" são filhas de pais que olham para o lado oposto. Finalmente, são decisões pessoais. Não há crianças difíceis; há adultos que optam por destinar, prioritariamente, atenção e energia a outros assuntos.

Os adultos que não atendem, sistematicamente, os pedidos de uma criança deveriam se perguntar sobre a satisfação dos próprios desejos. Interrogar-se sobre sua felicidade, se estão contentes com o que são ou fazem. Se têm muita raiva ou se estão em paz. Se sentem- se frustrados... E, nesse caso, como podem remediar as frustrações. Se estão se sentindo desamparados... E então ver quem pode cuidar deles. Talvez sejam pessoas a quem tudo foi negado... E não aprenderam outra coisa. Têm a intenção de serem bons pais... Mas não têm paciência. O "não" está bem arraigado neles, faz parte de sua visão. Não se dão conta de que mantêm uma visão negativa de suas esperanças, de seus projetos, de seus gostos. Costumam se fixar, primeiro, na metade vazia do copo e não na metade cheia.

Se fomos crianças maltratadas ou emocionalmente abandonadas e não temos clara consciência disso, a possibilidade de abusar da autoridade que nos confere o simples fato de sermos "grandes" manifesta-se como uma vingança sedutora quando estivermos no exercício do poder. Creio que os adultos deveriam refletir constantemente sobre como lidam primariamente com aquilo que podem fazer. Para saber se abusamos do nosso poder ou se o usamos para propiciar boas relações, é necessário contar com imensa honestidade pessoal.

Espero que me compreendam: não afirmo que nunca diremos "não" a uma criança, pois isso seria um despropósito. Quando o "sim" é recorrente e facilitador, o "não" aparece de vez em quando, oportunamente, e é efetivo, porque tem sentido, porque se refere a um fato pontual que o adulto desaprova, e a criança compreende muito bem, diferenciando-o do "não" constante e desprovido de sentido.

As crianças experimentam o "não" sistemático como uma forma pobre de se relacionar, sem abertura, uma situação perdida de antemão. Não é crível. E para as crianças é caótico descrer de seus pais. Tentemos ao menos contar os "nãos" que pronunciamos no dia de hoje, e ofereçamos aos nossos filhos um mundo mais amável.

AS CRIANÇAS TIRANAS

No outro extremo estão as mães temerosas e infantilizadas, incapazes de se opor a um desejo ou ideia de um filho. Nesses casos, não importa tanto se a criança merece ou não aquilo que exige (as crianças tiranas não pedem, exigem). Aqui também surge uma situação de incomunicabilidade, pois aquilo de que a mãe ou o adulto precisam não é explicitado, e, portanto, não é levado em conta pela criança. Para se comunicar é imprescindível falar na primeira pessoa do singular e, depois, ouvir o outro falar também na primeira pessoa. As mães que temem contar ao filho algo que sentem ou está acontecendo com elas ou, então, acreditam que não merecem lhes fazer qualquer tipo de pedido, deixam a criança em um desconhecimento total das realidades que são incumbência de todos, privando-a, assim, de um aprendizado essencial.

Por exemplo: os grupos da Crianza eram lugares de encontro para mães nos quais as crianças eram bem-vindas. Mas não havia atividades específicas para as crianças. Ao contrário, pretendíamos que as crianças acompanhassem as mães em um espaço que elas escolheram porque lhes era benéfico. Esta situação obrigava a mãe a fazer acordos prévios com o filho pequeno, contando-lhe como era o lugar, quanto tempo iam ficar, avisando que poderia ser um pouco chato, ou, então, que ele poderia levar alguns brinquedos etc. Aquela era a realidade. Não vivemos em um imenso parque infantil.

Definitivamente, a comunicação que tem como base uma necessidade verdadeira viabiliza qualquer acompanhamento. Os adultos acompanham as crianças e, às vezes, é muito desejável que as crianças acompanhem os mais velhos. Porque nós também o merecemos. Por isso, quando uma criança se transforma em tirana, vale a pena perguntar à mãe ou à pessoa responsável se lhe explicou o que precisa dela, hoje, aqui, agora.

O TEMPO REAL DE DEDICAÇÃO EXCLUSIVA ÀS CRIANÇAS

Quando os pais vêm nos consultar por causa de crianças que não têm limites, costumo sugerir uma tarefa muito difícil. Sem me importar com a idade da criança em questão, peço que se organizem para ficar cinco minutos sentados no chão do quarto das crianças sem fazer nada. Repito: sem fazer nada. Não é necessário que brinquem com a criança se ela não pedir. Só devem observá-la e estar disponíveis. E peço a eles que na próxima entrevista me relatem o que aconteceu.

Embora possa lhes parecer incrível, **quase nenhuma mãe consegue.** Uma vez tocou o telefone, outra vez chegaram tarde de uma festa de aniversário, outro dia foram fazer compras, em outra ocasião a sogra adoeceu. Concretamente, se dão conta dos obstáculos físicos e emocionais que a maioria dos adultos tem para se ocupar **15 minutos por dia exclusivamente de seus filhos,** a quem chamam de "sua vida". Não parece crível que isso seja o que há de mais importante para eles, uma vez que sempre há situações mais prioritárias. As crianças esperam, esperam eternamente que se desocupem para poder atendê-las com a cabeça e o coração inteiramente abertos a seus pedidos. Na vida cotidiana, esse instante nunca chega.

Para tornar a vivência da criança mais gráfica, podemos observar — ou, inclusive, escrever — com riqueza de detalhes o desenrolar de um dia comum. Uma terça-feira, por exemplo. Depois devemos tentar o mesmo exercício, mas como se fôssemos a criança que conta o decorrer dessa jornada. É muito revelador. E mais ainda quando realizamos o mesmo teste em um domingo, quando se pressupõe que não há pressões do trabalho, horários, nem pressa. E descobrimos que aos domingos as crianças ficam ainda mais sozinhas do que durante a agitada semana de trabalho, e que tampouco no domingo os pais conseguem ficar sentados no chão durante 15 minutos com as crianças.

Ficar quietos ao lado de uma criança permite que **ela se aquiete** sem riscos. As mães fazem exatamente o contrário: quando estão tranquilas, correm para preparar o jantar aproveitando que as crianças estão "entretidas". Então, a criança interpreta: "Quando estou tranquila e brinco sozinha, perco minha mãe. Por conseguinte, se incomodo, reclamo, choro, minha mãe fica comigo."

Por outro lado, se a criança brinca tranquila e as mães ficam tranquilamente no quarto, mas disponíveis, a criança aprende que, se brinca sozinha, não corre o risco de perder a mãe. Ou seja, **brin-**

ca sozinha, mas não está sozinha. É uma pequena grande diferença. Não é uma perda de tempo parar alguns instantes a cada dia, embora, aparentemente, a criança não fale conosco nem nos peça nada de concreto. Porque o que apreende é a capacidade de se satisfazer sozinha, de se acalmar, de saber que pode pedir qualquer coisa a partir do "pedido original", que será ouvido e contemplado. E não se transformará em uma criança sem limites, mas em uma criança que comunica o que acontece com ela.

Lamentavelmente, hoje em dia está muito na moda falar de limites. De fato, sou convidada com frequência a dar conferências sobre os famosos limites. Mas chegou a hora de abandonar a soberba e o autoritarismo e se voltar para dentro de nós mesmos. De investigar e encontrar o que não compartilhamos com as crianças, mas, acima de tudo, o que nos negamos teimosamente a admitir. Em geral, tem a ver com as limitações afetivas dos adultos, limitações que os impedem de se relacionar com a alma aberta. As crianças lhes pedem aos gritos que abandonem os disfarces e se encarreguem de construir vínculos a partir da realidade emocional de cada um.

OS "CAPRICHOS" QUANDO NASCE UM IRMÃO

Os adultos partem do preconceito de que uma criança vai, necessariamente, sentir ciúmes do irmão que nasce. Então, qualquer atitude, incômodo, tristeza ou comportamento desembocará na interpretação previsível dos ciúmes. No entanto aprende-se a sentir ciúmes (a sobrar) ou aprende-se a amar (a somar) de acordo com os modelos de comunicação. E os pais precisam refletir a respeito.

Antes de especular sobre as crianças, é necessário revisar e reconhecer os próprios sentimentos ambivalentes gerados pelo nascimento de outro filho — assim como qualquer mudança significativa em nossa vida — e perceber nossas fantasias sobre a dificuldade de amar vários filhos de maneira equitativa. Por esta razão, a doutora Françoise Dolto, pediatra e psicanalista francesa já falecida, costumava dizer que "o coração das mães é multiplicado a cada filho que nasce". Eram palavras pertinentes diante da sensação das mães de não serem capazes de amar o outro filho com a mesma intensidade com que amavam seu pequeno tesouro já nascido.

Essa construção imaginária que as mulheres tramam com tanta frequência não se sustenta na realidade, mas sim nos temores primários e no desconhecimento que surgem em cada nova experiência. Às vezes, a sensação de prazer está ligada ao medo, à alegria, à preocupação etc. Estes sentimentos contraditórios são legítimos. O problema reside em elas tenderem a reconhecer em si mesmas apenas seus aspectos positivos, atribuindo aos filhos maiores os negativos. Desta maneira, aquele que sente ciúmes é sempre o outro, o que se comporta mal ou está impaciente ou irritado é a criança. Por outro lado, espera-se que as mães estejam sempre felizes, radiantes e satisfeitas. Fica claro que projetam sua polaridade, localizando o polo negativo no irmão maior que incomoda.

Compreendendo que se trata de um funcionamento familiar, seria mais saudável que todos nos encarregássemos da parte de alegria e da parte de frustração que cabem a cada um diante do nascimento de um novo membro da família. Porque todos têm o direito de sentir o que sentem: as mães também têm raiva ou sentem desamparo, mesmo nos momentos que consideram mais felizes. Só assim poderão permitir que seus filhos maiores explodam de alegria, mesmo quando se espera deles o contrário.

Bem, o que acontece quando uma criança "fica insuportável" depois do nascimento do irmão? Precisa de limites? Está sofrendo?

A tendência dos adultos é a de satisfazê-la a qualquer preço para que não sofra. Lamentavelmente, deparamos com resultados opostos aos esperados: nunca está satisfeita, chora, quer mais do mesmo. Então, nos apressamos a pôr o rótulo: "está com ciúme." Na realidade, ainda não a ajudamos a ocupar o lugar que lhe cabe: o de irmão mais velho com condições específicas para cuidar, atender e amar o bebê.

É imprescindível ensinar nossos filhos a oferecer, a cuidar dos demais de acordo com as capacidades de cada um. Não há maneira de viver a felicidade com maior plenitude. Quando compreende que tem algo a oferecer, se transforma em uma criança feliz. Quando a felicidade compartilhada une os sentimentos da família e todos se preocupam, prioritariamente, com o bem-estar do menor, então todos se sentem felizes. Os grandes e os pequenos.

O nascimento de um bebê permite aos adultos exercer a tarefa de fortalecer a fraternidade, colocando os irmãos maiores no lugar destacado que ocupam na visão dos menores. Esse lugar preferencial é, em geral, de admiração. Por isso é indispensável privilegiar essa posição fazendo com que brotem nas crianças sentimentos como solidariedade e amor e também a disposição pessoal de ajudar e acompanhar os mais necessitados (neste caso, o bebê que acaba de nascer), em uma atitude de caridade. Em vez de procurar sempre o que a criança quer receber, saturando-a com presentes e atendendo a qualquer pedido desmedido, devemos colocá-la em posição de oferecer.

Os irmãos permitem que exercitemos a arte de amar porque são as pessoas mais próximas em nossa vida afetiva. Amar é dar, é acompanhar o outro em seu caminho de crescimento pessoal. E uma criança de 3 anos já é capaz de desenvolver sua capacidade de amar sendo útil e realizando pequenas tarefas em prol do irmão ou tornando mais amenos os afazeres domésticos ou as vicissitudes emocionais da mãe. E são os pais que devem priorizar o desenvolvimento dessa virtude, sempre levando em consideração que na medida em que a criança se sentir satisfeita, segura e amada, poderá distribuir amor aos seus irmãos.

Então, em vez de afastar as crianças para que não incomodem, devemos integrá-las, pedindo-lhes uma colaboração mínima, como trazer uma fralda, segurar o bebê por um instante, ajudar a pôr a mesa, avisar se o neném acordou, explicar aos parentes que a mãe está ocupada etc. As crianças costumam cumprir suas tarefas com perfeição.

É a partir do nascimento dos irmãos que nossa generosidade é ativada. É o momento propício para desenvolver esta virtude tão rara entre nós. Olhemos ao redor e veremos milhares de pessoas que vivem ingerindo antidepressivos para enfrentar a vida. Vou lhes contar um segredo: a depressão é a doença do egoísmo, só pode ser curada pela generosidade, que se manifesta quando nos interessamos por alguém, quando fazemos ativamente um favor pelo simples motivo de fazê-lo, quando nos lembramos de alguém necessitado, quando deixamos de obrigar nossos parentes e amigos a cuidar de nossas dores. A generosidade deve ser apreendida na infância, assim ficamos com o caminho aplanado e o coração disposto.

O nascimento de um segundo filho merece um trabalho mental superlativo das mães, uma vez que, tendo dois filhos, elas projetam inconscientemente sua polaridade, achando que um é o bom e o outro, o mau, um é tranquilo e o outro, inquieto, um é inteligente e o outro, preguiçoso, um será rico e o outro, pobre. Anos mais tarde haverá rivalidade entre os irmãos, que disputarão as migalhas de amor, quando, na realidade, estão respondendo à divisão das trincheiras que os adultos criaram. Se os adultos forem conscientes, oferecerão a cada filho o que merece e não farão uma divisão opinando o que de bom e de ruim faz cada um, libertando as crianças e permitindo que desenvolvam a constituição de seu próprio ser essencial.

Na vida cotidiana, liberar a criança — quando há um bebê em casa — significa, também, lhe permitir certa mobilidade em relação à decisão de abandonar ou permanecer na interação mãe-bebê. As mães costumam funcionar com sentimento de culpa, então, retêm o filho mais velho em casa para que não se sinta deslocado, ou não pense que não o ama tanto como antes. O fato é que a criança fica horas esperando que a mãe acabe de amamentar, que coloque o bebê para dormir, que tome banho porque ainda está de camisola... E quando mal começaram a compartilhar o lanche, o bebê volta a acordar! A mãe tem a sensação de ter cuidado do filho que ficou em casa, mas para a criança teria sido mais proveitoso sair para passear com a avó e voltar depois para se relacionar durante um tempo curto, mas produtivo, com uma mãe mais aliviada.

Quando os irmãos mais velhos têm mais de 2 anos é necessário liberá-los e tornar mais frequentes as situações de socialização e de diversão com outras crianças ou adultos, uma vez que essas experiências pessoais são mais interessantes do que ficar esperando passivamente por uma mãe ocupada com a troca de fraldas.

As mães — sem que se deem conta — obstruem esta saída das crianças ao mundo, acreditando que elas precisam ficar mais tempo em casa e se sentir queridas. Naturalmente, precisam disso, mas só em condições favoráveis. A realidade é que a maioria das crianças fica presa em casa esperando a ilusória disponibilidade da mãe.

Ir ao jardim de infância é um alívio tanto para a criança como para a mãe. Organizar passeios com amigos, participar de atividades extraescolares, de excursões e festas, a liberam, uma vez que, mesmo que esteja feliz com o irmãozinho, as relações com os outros são muito mais interessantes. Esta é uma excelente oportunidade para os pais colaboradores. É aqui que a função paterna pode ser cumprida plenamente: levar as crianças à rua, colocá-las no mundo externo, o da exploração além dos muros de casa, da atividade, do trabalho, dos esportes, da sociedade. As crianças bem-apoiadas por um pai ou algum substituto materno ou paterno vivem harmonicamente a chegada de um irmãozinho quando não são obrigadas a permanecer em casa para aliviar a ansiedade da mãe.

Nossos filhos merecem nossa confiança. Eles podem cuidar, ser carinhosos, atender, inclusive, nossas necessidades. Não querem ser expulsos cada vez que se interessam pelo bebê. Querem ter uma porção de vida própria cheia de surpresas compatíveis com suas capacidades, que são muitas se comparadas com as do irmãozinho que acaba de nascer!

Não há motivos para que nossos filhos mais velhos sofram com o nascimento de um irmão. Ao contrário, é um presente para todos. Se seu comportamento nos preocupa, temos de ser menos hostis e nos permitir receber o que eles têm a dar. No coração de nossos filhos sobra lugar para o amor.

AS CRIANÇAS E AS EXIGÊNCIAS DE ADAPTAÇÃO AO MUNDO DOS ADULTOS

É paradoxal: por um lado, desprezamos a capacidade de compreensão das crianças pequenas e, por outro, exigimos que se adaptem ao mundo funcional dos adultos.

Desde que nascem, temos pressa, queremos que cresçam e se pareçam com uma pessoa, sem surpresas. Se possível, desejamos que se transformem em cidadãos comuns, homens de classe média que pratiquem esportes e levem uma vida reta.

Mas o ser humano em tamanho pequeno tem umas tantas diferenças, que insistimos, com uma teimosia espantosa, em não querer reconhecer. Temos maior capacidade de observar outras espécies, animais e vegetais, do que nossa própria espécie. De fato, em alguns dos muitos canais de televisão existentes, sempre podemos encontrar uma pesquisa interessante sobre as diversas manifestações da natureza, mas, por outro lado, raramente um programa sério sobre a vida das crianças pequenas. Parece que elas não nos interessam tanto.

As crianças humanas se caracterizam por uma **evolução muito lenta**. Sua capacidade para se constituírem como seres emocionalmente independentes exige prolongado acompanhamento. Lento ou prolongado em relação a quê? Creio que em relação à organização social masculina.

As mulheres ingressaram no mundo do trabalho e das relações sociais, começaram a ganhar dinheiro e a gerar espaços de reconhecimento usando cânones masculinos. Rápido, seguro, efetivo e rentável. E estão obtendo algumas satisfações. A grande contradição surge quando **a criação dos filhos e seu lugar social no mundo se superpõem.**

Gostaríamos que nossos filhos pequenos também se adaptassem à velocidade do milênio, pois agora todos esperam fascinados o que virá. Ainda que, além dos avanços tecnológicos, venha mais do mesmo: maior desconexão, um mundo cada vez mais competitivo, e menos tempo para esperar o desenvolvimento natural do bebê humano.

As tendências em matéria de educação o confirmam: os jardins de infância preferem crianças que tenham deixado a chupeta e a mamadeira, controlem esfíncteres, não chorem, não sintam falta da mãe e que se transformem em crianças autônomas o quanto antes. Os jardins de infância se tornam mais exigentes, oferecem cada vez mais serviços, para obter mais e melhores resultados. O inglês e a informática viram matérias curriculares a partir dos 2 anos. **A jornada integral é considerada um avanço.** Exige-se cada vez mais cedo que se leia e se escreva. As habilidades motoras e intelectuais dos pequeninos começam a ser consideradas definitivas para sua permanência no jardim. Prolongam-se as horas fora de casa, os pais chegam muito tarde, depois de exaustivas jornadas de trabalho, achando que as crianças compensarão a ausência dos pais com a hiperatividade.

É o contrário. Quando os pais trabalham muito, os professores e profissionais devem recomendar instituições menos exigentes, mais atentas ao carinho, ao contato humano, à atividade corporal, à diversão e ao ar livre. Quando os pais estão muito presentes em tempo e dedicação ou olhar exclusivo, então talvez as crianças estejam mais preparadas para instituições muito exigentes em relação aos resultados intelectuais.

Ao ocupar espaços institucionais, não podemos perder de vista a realidade emocional que cada criança vive no seio de sua família. Há crianças esgotadas, que não encontram repouso nem na escola nem no lar, uma vez que devem responder bem aos dois ambientes que conformam seu mundo. Ou seja, segundo as exigências do tempo que corre.

Estamos perdendo de vista a **natureza da criança humana**. São seres que precisam de contato, intimidade, brincadeira, momentos de "não fazer nada", de estar, simplesmente, no colo. Merecem que sejam respeitados seus ritmos de sono e de vigília, e de estar com o outro e permanecer, e usar chupeta, e ser mimados, e ficar à toa, e perder tempo. Enfim, merecem ser bebês. Ser criança.

Os adultos podem adotar a velocidade quando gostam ou lhes faz bem, mas impô-la às crianças leva-as a pagar um preço muito alto. A aflição para que cheguem mais depressa e mais longe sem saber muito bem aonde, para que saibam mais e estejam mais bem-preparadas para um futuro ameaçador, parece uma piada surrealista.

O futuro ou o êxito das crianças em uma sociedade competitiva **depende mais da estrutura emocional, do amor, do olhar, da proteção, da compreensão de seu ser criança e da brincadeira criativa** do que do inglês que possam aprender aos 4 anos. Ou da escola "extremamente prestigiada" que, por interesse econômico, abriu espaços para jardim de infância sem que tivesse conhecimento real das necessidades afetivas dos pequenos. Mais tarde — estou falando de alunos da escola primária e de adolescentes — os pais poderão optar por um colégio mais difícil, exigente e competitivo, que não ofereça riscos ao seu desenvolvimento. Mas quando se trata da escola maternal ou do jardim de infância, os pais, os professores e os profissionais da educação têm a obrigação de não enganar e não se deixar enganar. Uma criança pequena tem o direito de viver como criança, agitando-se entre fadas e duendes e transformando com sua varinha de condão em príncipes e princesas tudo que a cerca. As escolas maternais e jardins de infância deveriam acompanhar esses processos, informando aos pais que o jardim será maravilhoso se as crianças também puderem passar muito tempo em casa, em contato com a família, sem outra obrigação que não seja a de serem elas mesmas.

Para isso são necessários adultos que tenham vontade de se comprometer com o mundo interior ao qual serão levados, inevitavelmente, pelas crianças. Comprando menos brinquedos, assistindo menos televisão, brincando menos com o computador e pedindo às crianças que os ajudem a varrer a casa ou a pôr a mesa. Porque brincar de mãe com a própria mãe é pura magia.

A LOUCURA DAS FESTAS DE FIM DE ANO NOS JARDINS DE INFÂNCIA

Os pais e os professores já pensaram sobre a dimensão adquirida pelas festas de fim de ano?

É surpreendente que, quase sem distinção, escolas públicas ou particulares, escolas que trabalham com populações ricas ou de poucos recursos, com excelentes propostas pedagógicas e outras se assemelhem tanto no desespero de mostrar aos pais aquilo que as professoras são capazes de fazer com seus tesourinhos.

Devemos refletir, também, sobre o fato de que chegar ao final do ano implica a representação teatral de alguma coisa, e quase sempre usando fantasias que as crianças menores, invariavelmente, resolvem descartar segundos antes de subir no palco.

As professoras conseguem, com esmero e encanto, atravessar o evento com nervos de aço, uma vez que dão sua vida pelo brilho de cada pequeno. Terminar o ano pressupõe para as docentes entregar uniformes, preparar pastas, conceder entrevistas, além de ensaiar, fazer acertos com costureiras e adicionar um sem-número de horas extras de trabalho à sua folha de serviços para que o espetáculo das crianças atenda às expectativas dos pais e esteja à altura do prestígio da instituição.

E as crianças, o que acontece com elas? Algumas, desfrutam muitíssimo. Outras, passam por um estresse inimaginável para os adultos. Outras, urinam nas calças. Outras, ainda, choram no pior momento. Outras, ficam duras no palco, aterrorizadas pelas luzes e mortas de calor sob a roupa de arvorezinha. Algumas, se negam categoricamente a subir no palco, entre as explicações amáveis da professora e o pedido suplicante da mãe, que prefere não decepcionar o pai, que espera com a filmadora ligada. Há crianças que passam uma semana com dor de barriga. Há quem se desespere quando cai ou deixa cair uma pétala de papel crepom. Algumas, esquecem a música. Outras, se destacam por suas aptidões histriônicas, e são muito aplaudidas... Enfim, os flashes se superpõem e todos querem voltar para casa, torcendo como loucos para que o pesadelo acabe.

Prefiro minimizar a gravidade desses fatos, uma vez que essas encenações fazem parte da "normalidade". No final das contas, não é tão terrível assim atuar no fim do ano; todos o fazem, em todas as escolas. Por que haveria de se modificar algo?

A proposta é admitir a elaboração de **pensamentos autônomos.** Os adultos devem pensar em como gostariam de festejar o ponto máximo de um processo que compartilharam dentro de uma instituição. O que significa chegar ao fim do ano? O que — quem — estão festejando?

Em princípio, qualquer situação, que **não seja expor as crianças para consumo da vaidade dos adultos**, é bem-vinda.

Por que não organizar um churrasco, fazer uma quermesse com a participação de todos, contar histórias, dançar cirandas, ensinar canções, pais e filhos pintarem juntos, jogar bola, brincar com água, trocar experiências, fazer um piquenique? Por que os pais não oferecem um espetáculo às crianças, se fantasiando e fazendo uma surpresa? Os adultos podem decidir se querem expor ou não seu corpo ou habilidades expressivas.

Falo da submissão, disfarçada pela alegria e pelos aplausos, imposta a muitas criancinhas. Envolvidos pela ferocidade do festejo, os adultos não se dão conta de que essa não é a forma de brilhar que elas necessariamente preferem. A liberdade de pensamento consiste em admitir que se pense ou se sinta algo diferente daquilo que a maioria definiu como bom ou desejável. Lamentavelmente, as megafestas dos jardins de infância são "normais", de forma indiscutível.

As crianças menos ouvidas por suas famílias, menos levadas em consideração em sua condição de crianças, são mais vulneráveis na hora de aceitar maior exposição pessoal. Às vezes, as professoras se deixam fascinar pela facilidade com que algumas crianças se dispõem a representar. Sem ignorar que há criancinhas com dons e inquietações teatrais fora do comum, pode-se dizer que a maioria faz um imenso esforço para atender às expectativas dos mais velhos.

E sem benefícios pessoais de nenhum tipo, salvo o de se desnudar diante de uma imensidão de olhos alheios.

Crianças estressadas existem e fazem parte de nosso meio. Não sofrem apenas as que têm muitas atividades fora de casa, mas também as que se superadaptam às exigências desnecessárias de uma sociedade que não distingue mais entre uma festa infantil e uma festa para o consumo dos adultos.

Pensando em uma conexão emocional maior, podemos imaginar as festas como espaços ideais para o contato humano, pelo qual todos estão ávidos e carentes. Podem ser a ocasião para se conhecer, para corroborar o significado verdadeiro da escolha que fizemos para nossos filhos. Podemos pensar nas festas de fim de ano como um ritual, como um momento sagrado, do qual adultos e crianças merecem participar. São, também, a ocasião para observar nossos filhos sem julgá-los e repensar o que na realidade estamos escolhendo para eles.

O ESTRESSE DAS CRIANÇAS

O estresse deixou de ser reservado aos adultos. Pessoalmente, chama minha atenção, quando sou consultada por pais de níveis econômicos médio e alto, o grau de insatisfação e de falta de opções a que seus filhos são submetidos. Sobretudo devido à necessidade de frequentar colégios competitivos — e não estou colocando em questão o nível do ensino nem as exigências intelectuais dessas instituições, mas sim o grau de adaptação que elas requerem para deixar de lado quase tudo que uma criança precisa, a saber: as brincadeiras como elemento primordial no desenvolvimento das relações, a fantasia para a construção posterior do pensamento, a amorosidade e o carinho como sensações básicas de apoio ao crescimento. As escolas pedem provas de aptidão intelectual, algumas exigem provas de inglês, enquanto outras têm horários destinados ao ensino de computação. Vi em meu consultório crianças dizendo, literalmente: "Não gosto da escola porque não tenho tempo para brincar."

Os pais, atendendo a suas próprias inseguranças emocionais, acreditam que, ao escolherem e pagarem os melhores colégios, garantirão um futuro bem-sucedido para os filhos. Mas quando são pequenos, o resultado mais frequente é o estresse, pois há um tempo para tudo, e **a infância é tempo de brincar e fantasiar**, de proteção e da presença de adultos carinhosos. Esses elementos são suficientes para a construção de um bom esqueleto emocional, de maneira que, mais adiante, a criança conte com excelentes recursos afetivos para enfrentar o mundo das ideias, da matemática ou o que o futuro — inimaginável agora — exigir dele.

Quase todos os professores das escolas primárias e secundárias se queixam de ter sob seus cuidados crianças muito inteligentes, mas que não conseguem obter bons resultados. E sabem que essa situação diz respeito a bloqueios afetivos, não intelectuais. Portanto, a infância é o momento de desenvolver ao máximo as potencialidades afetivas e emocionais.

Assim como no contato com bebês — que, como dissemos em capítulos anteriores, requer tempo e disponibilidade —, no caso de crianças maiores de 3 anos ainda é tempo de oferecer tempo, tanto em casa como na escola maternal ou no jardim de infância.

Por outro lado, na hora de escolher a escola para uma criança pequena, vale a pena levar em conta sua personalidade — suas preferências, biorritmos, horários, rotinas. Às vezes, um mesmo jardim de infância convém a um filho, mas não a outro. São inumeráveis os pais que me consultam preocupados com crianças que não têm limites, mas logo vemos que elas passam o dia inteiro em uma escola muito exigente, na qual não se sentem à vontade, choram a cada manhã, e quando voltam para casa dão de cara com pais esgotados pelo trabalho e cheios de preocupações. De acordo com as possibilidades de cada família, é necessário levar em conta o que acontece com a criança e facilitar sua vida sempre que isso estiver a seu alcance. Somos muito rápidos quando se trata de negar qualquer coisa às crianças, sem parar para pensar que talvez elas precisem de algo muito simples.

Nas escolas primárias particulares de alto rendimento encontram-se muitas crianças com dificuldades de aprendizado, enviadas aos consultórios de psicopedagogas. Além das excelentes profissionais que estão trabalhando, encontro crianças esgotadas e pergunto o que elas gostariam de fazer. Lembro-me do caso de um menino de 9 anos, apaixonado por futebol e, aparentemente, um ótimo jogador, que, além de ser submetido a uma jornada completa, visitava uma fonoaudióloga, uma psicopedagoga e uma professora de reforço de inglês. Resultado: nenhum horário disponível para jogar futebol. Ele poderia ter um bom desempenho escolar com tão alto grau de frustração, considerando que era de uma família com bons recursos econômicos? Não é banal perguntar às crianças do que elas gostam. Teremos capacidade de nos conectar na idade adulta com nossos desejos se não pudermos ao menos nomear nossos gostos e preferências na infância?

A integridade emocional é construída na infância. O cansaço extremo tem a capacidade de destruir o campo afetivo das crianças. Elas merecem que nos perguntemos qual é o mundo afetivo que queremos para elas.

O CASO RODRIGO

Os pais de Rodrigo, de 1 ano e meio, me consultaram, preocupados com a questão da imposição de limites. O pai de Rodrigo mantinha na porta da geladeira uma coleção de ímãs de todas as partes do mundo, trazidos de suas viagens. Havia ímãs de todo tipo e cores: musicais, perfumados, com movimentos, de cerâmica, brilhantes etc. Mal a mãe abria a porta da cozinha, Rodrigo corria até os ímãs, para dar com o grito desesperado dos pais, um "não" cada vez mais enérgico. O pai estava decidido a fazer com que o menino compreendesse que estava proibido de tocá-los, e a mãe não sabia como convencê-lo. Entrar na cozinha já virara um pesadelo.

Expliquei-lhes que Rodrigo só queria compreender porque aqueles lindos ímãs eram tão valiosos para seu pai. Quanto mais importância lhes era dada, mais precisava ter acesso a eles. Por outro lado, as crianças pequenas, para "conhecer", precisam levar os objetos à boca (quando são bebês) ou, pelo menos, tocá-los com as mãos (entre 1 e 2 anos). Sugeri à mãe que, em vez de negar acesso aos ímãs, acompanhasse Rodrigo para que pudesse se aproximar deles, mas sempre sabendo que não podia quebrá-los. Aconselhei que concretamente lhe propusesse: "Rodrigo, vamos pegar este ímã vermelho? Eu vou ajudá-lo, vamos pegá-lo juntos... Devagar... Agora vamos colocá-lo de volta na geladeira. Não o deixe cair... Devagar..." "Agora vamos pegar este outro, ele toca música, é tão lindo! Deixe-o um pouquinho em sua mão... Vou colocá-lo de novo no lugar." Quando as crianças se aproximam de qualquer objeto, é porque precisam conhecê-lo, e basta que o olhem para que consigam apreendê-lo, como fazem os adultos. As crianças só precisam do acompanhamento ativo de pessoas maiores.

Em síntese, esta foi minha proposta: eu disse à mãe que reunisse paciência, até confirmar que, ao cabo de algum tempo, Rodrigo perderia o interesse pelos ímãs. Uma semana depois a mãe voltou ao consultório para me dizer que o exercício durara menos de cinco minutos. Rodrigo pegou alguns ímãs durante um tempo, e logo se desinteressou completamente do assunto, o que lhe permitiu voltar a usar a cozinha, deixando a porta aberta naturalmente.

Parece caricatural, mas aos pais não ocorrem essas coisas. Ficamos irritados com o comportamento de nossos filhos pequenos, às vezes, por causa da teimosia e da imaturidade com que nos administramos, nós, que supostamente somos adultos.

CAPÍTULO

10

Prazer das crianças, censura dos adultos

O controle natural dos esfíncteres e o autoritarismo dos adultos • O controle noturno dos esfíncteres • O caso Brígida • A sucção: prazer e sobrevivência • A água, essa doce sensação • Ao baleiro da esquina, com amor • Alimentação, crianças e natureza • Exigências e alternativas na hora de comer.

O CONTROLE NATURAL DOS ESFÍNCTERES E O AUTORITARISMO DOS ADULTOS

Se estivéssemos em uma ilha deserta com nossos filhos e contemplássemos o bebê humano com a mesma atenção com que observamos os animais, constataríamos que o **controle dos esfíncteres acontece muito mais tarde** do que nossa sociedade ocidental está disposta a esperar. Lamentavelmente, em vez de examinarmos com atenção como as coisas acontecem, elaboramos teorias que depois pretendemos impor com a esperança de que funcionem.

A cultura ocidental impôs a exigência de que os esfíncteres passem a ser controlados ao redor dos 2 anos de idade, e com isso esta questão se transformou em **um problema.** Se os padrões culturais tivessem decidido que o ser humano deveria começar a andar ao redor dos 9 meses, o ato de caminhar também teria virado um problema, dando margem ao aparecimento de discussões e de várias teorias sobre como incentivar as crianças a aprender a andar, com a inevitável preocupação dos pais de crianças de 12 ou de 14 meses que ainda não estivessem maduras para caminhar. Na realidade, sabemos, por simples observação, que, em média, o ser humano começa a andar com cerca de 1 ano.

Se observássemos sem preconceitos o processo natural de controle dos esfíncteres, ficaríamos diante da evidência de que as crianças humanas passam a realizá-lo depois dos 3 anos, algumas, inclusive, depois dos 4, sobretudo quando se trata de meninos.

No entanto os adultos vivem muito preocupados com esta questão. Não querem perder tempo. A criança diz "xixi" e acham imediatamente que está pronta. Diz "cocô" e acham que chegou a hora de se livrar de uma vez por todas das fraldas. E tiramos as fraldas! Isso significa que lhes arrebatamos o apoio, a proteção, a segurança, o contato, o cheiro, enfim, parte dela mesma, e como se não bastasse, acreditando estar ajudando a criança a crescer!

A criança mal nomeou algo que começa a existir para ela. As sensações de prazer provocadas pela evacuação têm um nome específico que a criança aprendeu com a mãe, e ela simplesmente repete esse nome. Avisa. Percebe. Retém. Expulsa. Aproveita.

Entre o reconhecimento de um funcionamento específico do próprio corpo e a maturidade neurobiológica para controlá-lo, é necessário um tempo, às vezes de um a dois anos! Inclusive, muitas vezes mais.

Tirar as fraldas porque "chegou o verão", decidir que, por já ter feito 2 anos, precisa aprender, são comportamentos violentos que indicam incompreensão da especificidade da criança pequena e da evolução presumível de seu processo de crescimento.

Cabe perguntar por que os adultos ficam tão ansiosos e se preocupam tanto com a conquista dessa habilidade, que, como acontece com outros aspectos do desenvolvimento normal das crianças, será alcançada na hora adequada, ou seja, **quando a criança estiver madura.**

Não se aprende a controlar os esfíncteres por repetição, como acontece quando se trata de ler e escrever. A criança adquire o controle naturalmente, quando está pronta, assim como aprende a andar e a usar a linguagem verbal.

Sejamos claros: as mães vivem às voltas com o xixi que escapa das fraldas, as cuequinhas e os macacões molhados, os lençóis e os colchões ao sol, as montanhas de calças para lavar, e vão acumulando rancor, tédio e mau humor, sentimentos decorrentes do fato de acharem que seus filhos deveriam aprender a se controlar e da crença de que seriam capazes de fazê-lo quando completassem 2 anos. Por outro lado, se deixarem as crianças em paz, depois dos 3 anos, até mesmo perto dos 4 (não podemos esquecer que cada criança é diferente), um dia simplesmente elas estarão em condições de reconhecer, reter, esperar, administrar sua vontade de ir ao banheiro, sem trauma e sem fazer rodeios em torno de adquirir autonomia para controlar os esfíncteres.

Chegam frequentemente a meu consultório histórias de crianças de 5, 6, 7 e 8 anos, e mesmo com mais idade, com problemas de enurese, o popular descontrole urinário, mais frequente à noite. É sempre a mesma coisa: tiveram suas fraldas retiradas quando estavam com cerca de 2 anos. Os casos de enurese são **muito frequentes**, mas não é habitual que fiquemos sabendo, pois não se fala disso. Em síntese: são segredos de família. Constatei ao longo dos anos que, quando as mães aceitam minha sugestão e voltam a recorrer às fraldas (expressões de horror), as crianças as usam durante o mesmo período de tempo que teriam necessitado a partir do momento da sua retirada (prematura) até aquele em que passaram a controlar os esfíncteres de maneira natural. Como se recuperassem exatamente o mesmo tempo que lhes foi tirado. E, então, o "problema" acaba.

Podemos comparar essa situação com a de um adulto que faz um curso-relâmpago de inglês. Depois de dez aulas, viaja aos Estados Unidos, percebe que consegue se comunicar com facilidade e se entusiasma. No terceiro dia, está um pouco cansado. Estranha o ambiente, perde o ônibus da excursão... E então se vê impossibilitado de pronunciar corretamente ao menos duas palavras em inglês de maneira inteligível. Ou seja, bastou a situação emocional se fragilizar para que a habilidade sustentada por um fio fosse desarmada.

O mesmo ocorre com as crianças, que para atender à demanda dos adultos fazem grandes esforços para controlar seus esfíncteres, mas, diante de qualquer dificuldade emocional — por menor que seja —, desabam pressionadas pelo esforço desmesurado, e o xixi escapa. Depois vêm as interpretações: "está acabando com meu tempo", "faz isso comigo de propósito", "ele sabe controlar, mas não quer". Estas afirmações ampliam as frustrações de todos, assim como a irritação e a incomunicabilidade.

Entendo a pressão social sofrida pelas mães. Há jardins de infância que não admitem que crianças usando fraldas frequentem as turmas de 3 anos. Alguns pediatras, psicólogos e outros profissionais da saúde — além de sogras, vizinhos e amigos bem-intencionados — dão palpites e se escandalizam.

Ao exigirmos que as crianças resolvam situações que não estão em condições emocionais ou não têm maturidade para resolver, estamos criando um problema. Parece-me que os adultos tentam travar inconscientemente os processos naturais relacionados ao prazer. Amamentar a cada três horas, como se tenta impor, acaba empobrecendo a lactação, que, ao se tornar "obrigatória", é destituída de seu aspecto prazeroso. Com o controle dos esfíncteres acontece algo parecido, uma vez que está ligado ao prazer de reter, aliviar, molhar, evacuar, sentir calor, umidade, suavidade. Faz parte de um processo de busca pessoal do prazer que remete às experiências mais íntimas de cada criança.

O controle dos esfíncteres é lento, como todos os outros processos relacionados à criação de um filho. É árduo para as mulheres transitar entre a velocidade do tempo em que vivem e a lentidão da criação. No entanto, quando tentamos acelerar os processos, logo aparecem as regressões, que, definitivamente, têm o dom de curar, representam um voltar a viver.

É possível driblar a pressão social com um pouquinho de imaginação. Hoje em dia as fraldas são descartáveis e anatômicas, o que permite às crianças brincar, ir a aniversários, à escola, sem ter de passar pela humilhação de se molhar por todos os lados. Há crianças que não querem ir ao jardim de infância, temendo a possibilidade de fazer xixi; algumas se tornam tímidas; outras, especialmente agressivas, molham todos os tapetes que encontram pelo caminho.

Uma vez inaugurado o problema do controle dos esfíncteres, instala-se a comunicação em idioma "xixi". A mãe pede xixi ao neném, o neném lhe dá xixi. "Você fez ou não fez xixi?" "Quer fazer xixi ou não?" Falam o tempo todo de xixi e cocô: é o tema das conversas. As mães se irritam ou ficam contentes, dependendo do resultado À noite, contam aos pais as novidades do xixi. Passam cerca de dois anos (entre os 2 e os 4) falando de xixi. Desse modo, a criança compreende que a mãe está disposta a trocar ideias sobre esse tema, um tema ao qual dá muita importância. Portanto, quando tiver algo a dizer, se expressará também no idioma "xixi".

Alguns pais questionam se não é uma contradição voltar a colocar fraldas, uma vez que foi tomada a decisão de tirá-las. Na realidade, ao longo da vida tentamos e voltamos a tentar, e, sempre que é necessário e saudável, damos marcha à ré. Mas basta dizer o seguinte à criança: "Achei que você estava pronta para controlar os esfíncteres, mas é óbvio que me enganei, porque você ainda não dá conta quando tem vontade de fazer xixi. Vou lhe colocar a fralda para que se sinta mais confortável; quando crescer um pouco, terá melhores condições de consegui-lo." Não é mais que bom senso. Às vezes, as tensões são aliviadas e, finalmente, os esfíncteres começam a ser controlados. Caso contrário, o problema se agrava, as crianças crescem e o controle dos esfíncteres se torna uma questão complexa, daquelas que nunca acabam.

Naturalmente, as crianças de mais de 6 anos não fazem xixi apenas em decorrência da retirada precoce das fraldas. Há outros motivos. Em geral, são uma soma de problemas emocionais, mau funcionamento familiar, casos de violência explícita ou implícita, abandonos afetivos etc. Mas os casos mais comuns são resolvidos quando se permite às crianças que usem fraldas com tranquilidade durante um período mais prolongado.

Além do mais, fazer xixi não é o mesmo que fazer cocô. Muitas crianças que controlam perfeitamente a urina querem usar fralda quando se trata de fazer cocô. É importante que, em vez de nos guiar por nossas próprias opiniões, ofereçamos o que estão pedindo, mesmo sem compreender o que acontece. Temos algum motivo para dizer não?

Outra confusão comum é uma que aparece quando chega o verão. Acho que partimos da premissa de que no verão é preciso lavar menos roupa, e isso confirma que a decisão de tirar as fraldas pertence ao adulto, não levando em conta as habilidades reais da criança. Basta o verão chegar e começam a pipocar os conselhos de que se deve aproveitar a oportunidade para suprimir as fraldas. Há crianças que fazem 2 anos em junho (inverno no hemisfério sul), então acreditamos que temos de "aproveitar" o verão e tirar a fralda com 1 ano e meio, porque, caso contrário, o controle de esfíncteres vai ser atrasado até o verão seguinte. Toda essa confusão é totalmente ridícula, ainda que seja muito comum.

Espero, humildemente, que um dia percebamos o **nível da violência a que submetemos as crianças**, pressionadas por exigências que não podem satisfazer e acabam se transformando em outros sintomas (angústias, terrores noturnos, choros desmedidos, doenças, apatia) — sintomas gerados pelos adultos sem que percebam.

Acompanhar nossos filhos é aceitar os processos de amadurecimento e crescimento.

E se sentimos que rejeitamos uma coisa ou outra, então devemos nos perguntar a respeito de nossas relações com nossos excrementos, nossos órgãos genitais e nossas regiões baixas, que nos produzem tanta aflição. Deixemos as crianças crescerem em paz. Um dia, quando o momento adequado chegar, controlarão seus esfíncteres, assim como um dia conseguiram se arrastar, engatinhar, caminhar, pular e movimentar habilmente suas mãos. Não há nada a mudar — a não ser nossa própria visão.

O CONTROLE NOTURNO DOS ESFÍNCTERES

O controle diurno nada tem a ver com o controle noturno. Muitos pediatras e psicólogos opinam que permitir a fralda à noite "confunde" a criança. Eu acho que todas as crianças entendem a diferença entre estar acordado e estar dormindo! Pessoalmente, constato que o controle consciente que uma criança pode fazer durante a vigília se desmorona enquanto dorme. Inclusive, às vezes, há uma diferença de um ou dois anos entre o sucesso do controle diurno e noturno. **Concretamente, não vale a pena suprimir as fraldas à noite enquanto continuarem aparecendo molhadas de manhã.** Simples assim. O controle noturno pode levar muito tempo para ser adquirido, e isso incomoda os adultos. Precisam, então, rever novamente o que os aborrece tanto. Hoje em dia existem no mercado fraldas semelhantes a calcinhas e cuecas que as crianças podem vestir sem ajuda. Isso lhes dá autonomia e, ao mesmo tempo, segurança para dormir em paz.

O CASO BRÍGIDA

Brígida é uma mulher forte e bonita, com uma pele impecável e um sorriso cheio de frescor. É mãe de dez filhos. Quando me consultou pela primeira vez, tinham entre 2 e 19 anos. Todos com enurese. Todos faziam xixi à noite. Todos.

Depois de falarmos sobre sua **biografia humana** e brevemente sobre a história de cada um dos filhos, comecei a perguntar sobre o funcionamento interno da família, levando em conta que o problema compartilhado por todos os irmãos poderia ser um fator de união. Como é óbvio, a família conversava o tempo todo sobre esse problema. Cada um lavava seus lençóis todas as manhãs e tinha a responsabilidade de pendurá-los cuidadosamente na lavanderia. Achei que até podia ser divertido.

Brígida é europeia e sua família de origem ficou longe. Casou-se com um argentino e, desde então, tem condições financeiras para se permitir viajar com certa regularidade. Propus-lhe que desse início a um processo de intercâmbio com os filhos baseado no relato de sua própria história, seus afetos, recordações e saudades. Enfim, desse início a uma nova forma de se comunicar. Seria como começar uma comunicação nova, diferente, uma vez que toda a comunicação intrafamiliar se baseava no xixi. Não é possível abandonar um tipo de comunicação sem substituí-lo por outro, coisa que só se consegue por meio de exercício constante.

Por outro lado, sugeri que conversasse com cada um de seus filhos, sobretudo com os adolescentes, propondo que todos tentassem usar fralda à noite, de maneira que o problema do xixi ficasse restrito ao âmbito privado de cada um. Sem a socialização dos odores, cada um com a própria urina, lidando com ela na intimidade, sem bate-papos na lavanderia da casa. As conversas deveriam girar em torno de outros temas, mais interessantes.

Quero esclarecer que quando Brígida veio me procurar já fizera todo tipo de consultas médicas ao longo dos anos, sem encontrar uma solução para o problema. Eu não compreendia os motivos dessa situação tão peculiar, mas quis começar a tentar fazer alguma coisa.

Surpreendentemente, todos os adolescentes e crianças aceitaram a ideia da fralda. Um ano depois os dois filhos mais velhos haviam conseguido resolver o problema e viajaram para estudar na Europa. Quando Brígida voltou para me contar o que acontecera, trouxe algumas fotos de toda a família tiradas durante umas férias em um hotel da costa atlântica argentina: era a primeira vez que podiam passar as férias em um hotel. A maioria usava fraldas, mas havia um ou outro filho que não precisava mais delas. Desde então Brígida me consulta uma vez por ano. Talvez não tenhamos tido a oportunidade de abordar uma série de problemas que teriam permitido compreender por que uma coisa assim acontecia naquela família, mas minha intenção, ao narrar este caso, extremamente caricato, é nos ajudar a tirar as máscaras. Vivemos cercados por um exército de crianças enuréticas, mas esses assuntos são tratados como segredo de família. Creio que apressar as crianças a controlar os esfíncteres é um dos principais motivos — embora não o único — que levam tantas crianças a retardar o controle e tantos pais a sofrer acreditando que algo está funcionando muito mal. O caso da família de Brígida talvez seja extremo, embora eu suspeite que haja mais de uma história semelhante.

A SUCÇÃO: PRAZER E SOBREVIVÊNCIA

A sucção, assim como o controle dos esfíncteres, perdura como necessidade vital durante um tempo prolongado. Esse período também é muito mais longo do que os adultos desejariam que fosse.

Incomoda-os, e eles desejam que termine, assim como as fraldas. A sucção é o primeiro instinto de sobrevivência e está presente em todos os mamíferos, permitindo-lhes obter alimento.

Como vimos no capítulo sobre lactação, é provável que o desenho original do ser humano tenha previsto uma amamentação mais prolongada, de três a cinco anos. Em nossa cultura ocidental esse período nos parece exagerado, sobretudo quando nossos filhos de 5 anos já sabem ler e escrever. No entanto, não param de sugar! Isto significa que, embora as crianças tenham amadurecido em outras áreas e deixado o peito materno há muito tempo, a necessidade de sugar continua presente.

As crianças resolvem a inegável necessidade de sugar de diferentes maneiras: dedo, chupeta, paninho, boneco. Claro que essa necessidade vai diminuindo de forma paulatina à medida que o bebê vai virando criança, mas é independente do tipo de alimento que estiver ingerindo. Algumas mães se queixam de o filho "usar o peito como se fosse chupeta". De fato, o peito propicia, acima de tudo, prazer e tranquilidade. Quando a criança é desmamada, começa a procurar conforto autonomamente. E para isso não precisa de ninguém; sacia-se por si só quando é deixada em paz.

Vale a pena refletir sobre as razões que levam os adultos a se irritarem tanto quando as crianças chupam chupeta ou o próprio dedo. Fustigam, ameaçam as crianças: "Não ponha o dedo na boca", "Largue a chupeta", "Você já é grandinho". No entanto, trata-se de um prazer pessoal que exclui o outro. Há momentos em que as crianças procuram um espaço de solidão e reclusão, e os adultos as incomodam afirmando que, **assim**, não podem ficar tranquilas. Pelo menos não com o dedo na boca.

Segundo a visão autoritária dos adultos, é possível suprimir a chupeta, assim como as fraldas, mas essa atitude não leva a criança a se livrar de sua necessidade de sugar, ainda não superada. Cada etapa que é vivida plenamente termina plenamente e evolui para outros interesses. Caso contrário, as necessidades não satisfeitas se deslocam e depois ficamos sem compreender a que falhas estão relacionadas. Por exemplo, vícios como o de fumar, a compulsão de comer, a dedicação insana ao trabalho ou os ciúmes desmedidos em certas relações afetivas nas quais "sugamos", desesperadamente, à procura do prazer — sem, no entanto, conseguir encontrá-lo por meio dessa reparação ilusória, uma vez que se trata de uma transferência inconsciente e tardia de necessidades primárias básicas que não foram satisfeitas. É preciso, simplesmente, deixar que a criança chupe tranquila. Porque é apenas uma criança, e lhe faz bem.

Todas as mães sabem como é desmedida a reação de pessoas da rua diante do fato de uma criança de 3 anos usar chupeta. Por isso, aderem ao sentimento de que "algo vai mal". No entanto, vale a pena refletir sobre as suspeitas pessoais quando alguém, neste caso a criança, consegue procurar o prazer por seus próprios meios. Talvez nos remeta a nossos problemas não resolvidos em relação à masturbação. Seja o que for, proponho que reflitamos, tentando descobrir o que nos incomoda tanto. Devemos partir do pressuposto básico de que o fato de uma criança pequena sugar não é apenas normal, como presumível.

É verdade que a maioria dos dentistas desaconselham firmemente o uso da chupeta, uma vez que ela seria a causa da deformação do palato. É um tema controverso. É possível que, em parte, seja real, mas é paradoxal que uma ferramenta tão poderosa como o sistema de sucção, fornecido pela natureza, possa nos prejudicar. Por outro lado, me parece notável que 100 por cento das crianças precisem de tratamento ortodôntico. Há palatos de todos os tamanhos e formas, diversidade semelhante a de olhos, cabelos e peles. A menos que os dentes estejam esteticamente muito tortos para os nossos padrões ocidentais, não consigo entender essa obsessão generalizada por dentes certinhos. Além do mais, não me consta que o uso da chupeta seja a causa dessas "deformações".

Quando vale a pena se preocupar com a sucção exagerada? Quando a chupeta inibe a criança a ponto de impedi-la de se comunicar com os demais. Quando fica sozinha com a chupeta vendo televisão e parece que o mundo não existe. Quando estabelece uma relação íntima com a chupeta e se abstrai da realidade. Esses casos não se resolvem pela proibição da chupeta, mas, pelo contrário, oferecendo-lhes **presença, comunicação e diálogo.** Quando o abandono emocional é muito grande, advém a necessidade de procurar prazer solitariamente. Por isso, nossos olhares devem se dirigir à necessidade original e não à maneira encontrada pela criança para aliviar suas dores.

Quando se oferece a uma criança que está vendo televisão com a chupeta na boca a possibilidade de brincar, ela sempre opta por brincar. Mas a proposta ativa deve partir do adulto, pois, certamente, essa criança já pedira antes, de maneira exaustiva, que alguém brincasse com ela, e diante das negativas que, sem se dar conta, os adultos habitualmente repetem, fez o que estava ao seu alcance. Em geral, os adultos têm sempre alguma coisa mais importante ou urgente para resolver; gostariam que a criança brincasse sozinha, mas sem chupeta. Isso é ficar duplamente sozinha. Quando a criança é extremamente retraída, precisa ainda mais da presença de um adulto que, com amor, volte a colocá-la no mundo do intercâmbio e da comunicação, da brincadeira e da fantasia criativa, e aí a chupeta perde seu valor. É imprescindível avaliar se é o caso de uma patologia ou, simplesmente, de uma criança que está sozinha e espera.

A ÁGUA, ESSA DOCE SENSAÇÃO

A água é a mãe. O bebê andou por ali durante nove meses, nadando em suas águas. A sensação sempre prazerosa de estar dentro da água é a de estar dentro da mãe. "A água nos permite voltar para casa", ao grande ventre original. A água nos ampara, nos acalma, nos abriga. E as crianças em particular têm dela uma recordação mais fresca e terna, uma vez que a vida intrauterina ainda é palpável. A água aquieta o tempo e o espaço, abafa os sons potentes, é feminina e envolvente, acaricia e protege. A água nos concede uma percepção física de bem-estar e uma sensação de liberdade. Submergir em um elemento no qual a força da gravidade é contrastada por outras forças fluidifica os movimentos e os pensamentos. De fato, o próprio mar nos conduz a uma maneira de pensar, amplia nossa visão do mundo, que surge aos borbotões como as ondas, é fonte de inspiração e nos leva a ouvir sons e ritmos afastados da agitação cotidiana, transportando-nos a estados de paz e de encontro com os espíritos.

O banho cotidiano é uma das obrigações maternais em que as mães navegam. A higiene é indispensável e merece cuidados semelhantes aos da alimentação. No entanto, é hora de mergulharmos de corpo e alma na água envolvente e de entrar em contato com a criança através da fluidez da água e da nudez dos corpos. É tempo de nos permitirmos nadar nas mesmas águas. Trata-se de uma viagem compartilhada ao mundo interior, durante a qual ambos vamos adquirindo confiança nos movimentos aquáticos, como bailarinos que exibem sua arte. A água nos afasta do tempo cronometrado e nos encontra mais além da experiência cotidiana. Deixamo-nos arrastar pelas ondas de nossa pequena banheira enquanto fazemos bolhas na barriga do bebê. A água ativa nossa imaginação, proporciona temperança e fé, algo de que tanto necessitamos no meio da tensão dos desencontros familiares. O ritual do banho compartilhado com o bebê não é filosófico, mas absolutamente vital, tanto para a realidade exterior como para a viagem interior que iniciamos algumas vezes sem perceber. Precisamos reconciliar, todos os dias, o mundo de nossos sonhos com o de nossa vida diária. A água atua como um líquido mágico que desmancha as tristezas, transformando esse momento em uma lavagem das impurezas de nossa alma ferida.

A água, o mais harmônico dos elementos, deveria fazer parte de nossa vida cotidiana. Quando a criança chora, quando não compreendemos o que acontece, quando estamos desconectadas de nossa essência, quando a irritação invade qualquer outro sentimento, podemos tirar a roupa e entrar suavemente na água-mãe com o bebê nos braços, para que ela nos proteja.

Não se trata apenas de "banhar o bebê", mas de pertencer, ambos, ao movimento da água. Quando perdemos a oportunidade de permitir que a água seja, desde o início, uma grande mãe protetora, ela se transforma logo em uma estranha obrigação. Quando as crianças já têm idade para se banhar sozinhas, em geral, não querem fazê-lo. As mães aproveitam o momento do banho para concluir as tarefas pendentes, uma vez que o consideram um espaço de tranquilidade. Por outro lado, para as crianças, é o momento em que perdem a mãe.

Os adultos sabem que, depois de terem entrado na água, espera-os uma luta semelhante para tirá-los da água. Recordemos que a água é a mãe, e uma vez que tenham entrado em contato com ela, não se despedem com facilidade, sobretudo se a mãe verdadeira estiver ocupada.

Costumo sugerir que o banho — tanto se a mãe toma banho com a criança como se a espera brincando ao redor — seja programado para um momento mais calmo do dia. Muitas vezes é mais uma tarefa realizada durante a preparação do jantar. É uma questão de organização. Brincar com a água, em vez de ver televisão.

Nestes últimos anos aconteceu "uma volta à água". Ficou em moda há alguns anos curar-se na companhia dos golfinhos e foi popularizada a "matronatação". Também há mais acesso a piscinas climatizadas o ano todo. Nos jardins de infância, deveriam ter espaços generosos de água adequados para brincar, inclusive quando faz frio. Em vez de fechar as torneiras para que não se molhem, seria interessante que se pudesse instaurar legalmente nas instituições momentos para brincar com a água o ano inteiro.

Nas aulas de natação para bebês, os profissionais apressam as mães para se retirarem da água quando as crianças já são capazes de ficar sozinhas. Creio que este é um ambiente excelente para que as mães e as crianças pequenas se relacionem corporal e emocionalmente. Não há pressa, mesmo que as crianças já saibam nadar. Nadar perto do corpo da mãe é uma experiência esplêndida, inesgotável, cheia de doces sensações.

As pessoas se comunicam melhor quando comem: as reuniões e festas são sempre acompanhadas de alimentos e bebidas, que nos dão prazer, nos relaxam e permitem um bom diálogo e o interesse pelo outro. Nos reunimos em um bar para conversar ou almoçamos para fechar negócios. Recebemos as visitas com uma comida gostosa ou compartilhamos uma bebida com os amigos. Comer não é apenas uma questão alimentar, mas uma forma de estar com os demais. De fato, há pessoas que não comem quando estão sozinhas, ou recorrem à companhia de um jornal.

As crianças procuram se comunicar e receber a atenção dos adultos para ingressar no mundo da gente grande, experimentar e decodificar os costumes familiares e sociais. Quando na família não existe uma modalidade de atenção e reconhecimento das necessidades específicas da criança, o pedido costuma ser concreto e incômodo: "Me compre um doce."

Ao comprar uma bala, o adulto consegue satisfazer imediatamente o pedido aparente, e a criança volta a ficar insatisfeita com a mesma velocidade com que comeu. Depois de trinta segundos, pede outra bala, porque o que na realidade ficou sem resposta foi a necessidade de comunicação profunda. A solidão não é tão amarga com algo doce na boca...

Por que os adultos resolvem as carências comprando doces? Porque é muito mais fácil dar uma bala do que parar para escutar e permanecer em contato real e profundo com a criança. Se pudessem formulá-lo, os pequenos pensariam em um possível truque: "Troco o pacote de balas por 15 minutos de brincadeira." Sugiro que façamos o teste de responder com nossa **presença** à demanda por doces. Isto requer paciência e um pouco mais de disponibilidade de tempo.

As mães costumam se queixar dos pedidos constantes de chocolates e bombons coloridos, a tal ponto que os baleiros se transformam em terríveis inimigos, que devemos evitar a cada virada de esquina, para que a criança "não os detecte". Não queremos entupi-la de doces, mas não temos recursos para enfrentar a explosão de gritos e soluços. A complicação surge quando negamos as balas, mas não oferecemos uma alternativa válida de comunicação, atenção, tempo e olhar verdadeiro para a criança em questão.

O problema não é comprar ou não o chocolate, mas transformar o chocolate em elemento que substitui a atenção pela satisfação. Quando a criança pede mãe e ganha um alfajor, o doce típico argentino, inaugura-se um alarmante circuito de comunicação. Mas são os adultos que podem decodificar o pedido, uma vez que a criança previamente pediu mãe e não foi atendida, depois pediu chicletes, e os obteve, e com isso pedir chicletes torna-se mais fácil do que pedir companhia.

O excesso de doces provoca outro confronto no lar, manifestado pelo pouco interesse que as crianças têm pela comida e pelo fato de se sentar à mesa. Estamos habituados a dirigir toda nossa preocupação ao que não foi ingerido, em vez de transformar o almoço ou o jantar em um momento privilegiado de reunião familiar. Raramente as crianças sentem interesse em ficar sentadas à mesa se não acontece nada de interessante. O hábito de compartilhar uma refeição é adquirido se os pais se comunicarem bem entre si, contarem coisas, comerem com prazer, construírem uma situação relaxada e alegre. Só então haverá momentos nos quais a criança se juntará ao grupo, procurando ficar em harmonia com o intercâmbio familiar, e comerá ao mesmo tempo que os demais. Naturalmente, sempre que não estiver cheia de doces.

Obrigar uma criança a permanecer sentada ou a comer tudo que está no prato é perda de tempo, um desgaste desnecessário de energia, pois a comida deveria estar associada ao prazer de compartilhar e não à censura. Para dar de comer a meu filho tenho de ter vontade de estar com ele.

No que se refere ao tipo de comida que servimos, deveríamos levar em conta a autonomia das crianças pequenas no ato de comer. O mingau ou o purê são os alimentos mais "anticriança" que conheço. Elas não conseguem manejar os talheres sem se sujar, e os adultos sofrem com o chão coberto de respingos. Poderíamos ser criativos (é verdade que isso requer um pouco mais de dedicação) e cozinhar verduras em forma de croquetes, pasteizinhos, tortas, bolos e tudo o que possam pegar com as mãos e comer com autonomia. Este é também um dos motivos pelos quais preferem os doces, as batatinhas fritas, o fast-food e quase todos os alimentos enlatados e da pior qualidade: porque sentem que são os donos da situação, podem comê-los como querem e, além do mais, conseguem comê-los enquanto brincam.

É útil que haja alimentos salgados e de boa qualidade acessíveis às crianças para que possam comê-los em diferentes momentos do dia, sem que isso aconteça necessariamente na hora estipulada pelos outros membros da família. Para as crianças, comer é parte das brincadeiras cotidianas; portanto, não é indispensável que comam sentadas à mesa e em horários fixos. Não estou sugerindo um descontrole total, mas que os hábitos sejam adquiridos por imitação e identificação. Se os adultos desfrutam do encontro à mesa, se conversam e lhes interessa estar com os outros, as crianças vão se integrando ao ritmo familiar sem se dar conta.

As mães que passam o dia inteiro sozinhas com uma única criança poderiam comer, sozinhas, algo saboroso que lhes desse prazer, e permitir que o filho ficasse a seu lado; assim, ele iria se adaptando a comer aquilo de que ela gosta. Isso é bem melhor do que ficar perseguindo a criança com uma colherzinha e se sentir frustrada por só ter conseguido enfiar em sua boca uma quantidade ínfima de comida!

A conexão pessoal nos ajuda a escolher com maior consciência o tipo de alimentos que oferecemos. Sem um mínimo de autonomia pessoal acabamos escolhendo o que as gôndolas dos supermercados apresentam: produtos lácteos como iogurtes, pudins e sobremesinhas que são guloseimas cheias de açúcar disfarçadas de produtos nutritivos, com cores atraentes e, muitas vezes, associadas a personagens da televisão. São produtos fáceis que os pequenos comem longe do olhar atento dos adultos. Porque as crianças não precisam do adulto para ingerir açúcar. **O açúcar é um excelente substituto da atenção.** Quando temos a intenção de reduzir a quantidade de açúcar que as crianças consomem, a melhor alternativa consiste em estabelecer relações com elas, interessar-nos por suas experiências e descobertas, arriscar-nos a entrar no mundo infantil e lhes dedicar **tempo.**

Servir de maneira atraente um alimento salgado, à base de cereais, verduras ou legumes, requer um mínimo de permanência e atenção para com a criança. Definitivamente, esta é uma atitude muito mais comprometida com a relação. E eu lhes garanto que funciona.

Observemos nosso entorno e vejamos quantas crianças consumidoras de grandes quantidades de lácteos e açúcar sofrem enfermidades crônicas, sobretudo relacionadas com o aparelho respiratório: resfriados, anginas, otites recorrentes, espasmos respiratórios, pneumonias (mesmo no verão) e alergias. Também costumam ser crianças mais nervosas e choronas. É uma pena que não relacionemos as enfermidades físicas e o comportamento das crianças com o que comem. Temos a possibilidade de melhorar nossa qualidade de vida apenas **permanecendo** um pouco mais de tempo com as crianças, e alimentando-as mais conscientemente.

Quando as crianças têm necessidades que os adultos não compreendem, costumam aproveitar nosso interesse pela comida para nos falar a partir desse ponto de vista sobre o que acontece com elas. Elas não conseguem verbalizar uma explicação exata, mas podem recusar o alimento, chorar na mesa, jogar os pratos ou incomodar quando os adultos querem comer tranquilos. É tarefa dos adultos **decodificar** a mensagem. Façamos o teste de elevar o pensamento, aguçar a percepção e a atenção e transformar o alimento material em gerador de comunicação e compreensão familiar.

Transformar-se em mãe é um salto brusco em direção à própria feminilidade. Quase sem nos darmos conta, nos alinhamos com a Terra, com as oferendas e com as colheitas. Embora muitas mulheres urbanas já nem reconheçam as estações do ano, não cheirem o pólen das flores nem tenham a possibilidade de tocar o orvalho, a natureza vivente de seus filhos lhes recorda que são a Terra, são o alimento e são os ciclos vitais. Por isso, vivenciam a possibilidade de oferecer alimento como uma tarefa feminina por excelência — e não só o alimento material, mas também o espiritual. Assim funcionam as mulheres.

Claro que para preparar e oferecer alimentos as mulheres precisam estar disponíveis, ou seja, devem ser capazes de parar alguns instantes para olhar, cheirar, escolher, prestar atenção, sentir e saborear. Precisam fazer uso de todos os sentidos, inclusive dos mais sutis, para recuperar forças, tempo, imaginação e amor a serviço dos demais.

Nestes tempos de fast-food e de distanciamento de nosso ser essencial, o tempo vai se transformando em um bem escasso, e não dispomos mais dele para ocupar-nos das necessidades básicas nem dos prazeres do corpo e da alma. Deixamos de prestar atenção na qualidade de nossas relações, de nossos afetos e de nossos sonhos e também na qualidade do que comemos.

Nessas condições anímicas, preparamos a comida: sem muito interesse e com vontade de terminar o trâmite. Por outro lado, a introdução de alimento sólido na dieta do bebê vem tingida de receitas pediátricas e são mais uma preocupação do que uma carícia da alma.

Não há dúvida de que o **leite materno é riquíssimo para o bebê humano**, doce como o mel e impregnado de todo o leque de sabores que a mãe ingere em sua alimentação cotidiana. Quando chega a idade da inclusão de alimentos sólidos, independentemente de que cada cultura considere "saudáveis" diferentes alimentos, há uma alarmante tendência de se oferecer às crianças produtos muito distantes da natureza.

A primeira reflexão aponta para a hipervalorização que, sem grandes méritos, o leite da vaca conquistou. Adequado para os bezerros, mas afastadíssimo das necessidades do bebê humano, o **Leite** (assim, com maiúscula, em negrito, porque é o rei da geladeira) conseguiu ocupar um lugar prioritário na cultura ocidental, apesar de nenhuma outra espécie de mamíferos o incluir na dieta adulta depois do período de lactação. Os humanos são os únicos a considerá-lo indispensável para o desenvolvimento das crianças e excelente para os adultos.

Se observássemos sem preconceitos, reconheceríamos que muitas crianças sentem uma rejeição natural ao leite de vaca, mas acabam cedendo diante da insistência dos pais.

Quase todas as dietas naturais concordam que o leite da vaca e seus derivados são tóxicos. Vale a pena relacionar a quantidade de leite e lácteos que as crianças ingerem com a frequência com que adoecem, em especial de problemas respiratórios: resfriados, anginas, otites repetidas, broncoespasmos e dificuldades derivadas do excesso de mucosidade são consequência direta da ingestão de leite de outras espécies.

É controvertido pensar em **não dar leite às crianças pequenas,** uma vez que em nossa cultura isso parece inadmissível. As gôndolas dos supermercados estão repletas de produtos lácteos com açúcar e desenhinhos, que as crianças podem comer sem muita atenção dos pais. **E essa é a armadilha: substituir a conexão profunda pela doçura superficial.**

Recordemos que, uma geração atrás, quem agora é adulto não sofria de otites intermináveis nem vivia a infância inteira tomado pelo catarro. Nessa época, o iogurte era azedo e o leite tinha nata. Ninguém morria de vontade de tomá-los. No entanto, hoje em dia há crianças que se alimentam quase exclusivamente de produtos lácteos sob a forma de "sobremesinhas" que, além de adoecê-las, permite que elas prescindam da presença da mãe ou de outro adulto para se alimentar.

Apressadas e exigidas pela vida moderna, as mulheres ficaram desconectadas de seu saber filogenético, e não lhes ocorre com que substituir o leite. Não sabem o que oferecer aos filhos na merenda nem com que encher a mamadeira. Talvez possa lhes ser útil pensar em aumentar a quantidade de alimentos salgados e reduzir os doces. Se as crianças têm fome às 17h, é a oportunidade ideal para servir o "suposto jantar" (por exemplo, uma torta de verduras). E na hora do "verdadeiro jantar" poderão se conformar com uma fruta. Por outro lado, se as empanturrarmos de biscoitinhos e leite, mais tarde não terão vontade de ingerir alimentos realmente nutritivos.

Quando as mães voltam vez ou outra à sua terra, ou seja, a seu instinto e a seu desejo ardente, preparam alimentos simples e muito pouco manufaturados: cereais como o arroz, o milho, o trigo, a aveia, a cevada; legumes (feijão, ervilhas, grão-de-bico) e verduras e frutas que chegam à nossa mesa assim como florescem na natureza. Tudo muito barato, com cores suaves, sabores simples e de fácil preparo.

Conectadas com nossas capacidades nutritivas naturais, estamos ciclicamente em relação com a comida e a bebida. Cozinhar e dar de comer é como dar calor e abrigo, com essa energia subterrânea liberada quando alimentamos o outro. Quero dizer que o ato de nutrir também revela a feminilidade ardente culminada de sensações agradáveis, e é o momento ideal para transformá-la em um ritual sagrado, que nos convida a comunicar, compartilhar a vida cotidiana e atingir o encontro humano.

A desconexão de nossos aspectos mais ligados à natureza nos leva a escolher para as crianças alimentos de pior qualidade: salsichas, drumettes de frango fabricados com dejetos de ave, palitinhos, salgadinhos, produtos para beliscar aromatizados artificialmente, empanados de "frango" ou de "peixe" congelados, empanados repletos de condimentos, açúcar em todas as suas formas, sobretudo em biscoitinhos com corantes, "sobremesinhas" com conservantes e açúcar... E refrigerantes, bebidas com gosto artificial, parecidas com remédios, mas geladas e borbulhantes... O mais interessante é que os adultos costumam ser mais exigentes com o seu paladar, mas oferecem às crianças o pior que há no mercado gastronômico. As redes de restaurantes de hambúrguer possuem os melhores brinquedos para as crianças: são limpas, modernas e seguras, aonde costumamos levar nossos filhos para passear, confirmando a prioridade que outorgamos à comida de plástico.

O que se supõe que deveríamos fazer, então? Nada em particular. Apenas nos determos por um instante, respirar fundo e deleitar-nos com o sabor de alguma recordação infantil. Sentar-nos de vez em quando à mesa, sem pressa nem condições. Sentar os menores no colo enquanto todos nós comemos. Preparar uma vez algo saboroso e simples.

Os sábios orientais dizem que uma gota de tinta chinesa em um copo de água suja não altera nada; por outro lado, uma gota de tinta chinesa em um copo de água clara suja tudo.

Percebo as crianças assim: como água clara, saudáveis e conectadas com a natureza. Talvez por isso rejeitem com facilidade os alimentos desnaturalizados: costumam vomitar com grande facilidade e se reencontram com o equilíbrio pessoal. Os adultos, por sua vez, são capazes de ingerir qualquer coisa e, com soberba, declaram possuir "um estômago de avestruz". Na realidade, nossa água está tão contaminada que já não se nota diferença...

As crianças nos chamam sem cessar para "voltar para casa" e reconhecer nossa ecologia pessoal, que elas compreendem, fundidas que estão com a natureza e com a saúde.

Mais além da ideologia alimentar de cada família podemos comer naturalmente. Com criatividade, cada mulher saberá transformar em um manjar dos deuses o mais rudimentar pedaço de pão.

EXIGÊNCIAS E ALTERNATIVAS NA HORA DE COMER

As crianças são treinadas, desde que nascem, a responder às exigências dos adultos. Mal saíram da barriga, já pretendemos que não se acostumem mal e que não reclamem peito, braços ou companhia mais do que o conveniente. Aprendem, desde o primeiro dia, a se frustrar, que a vida é dura e que se parece mais com a guerra do que com a tepidez e o perfume do amor.

Quando precisam de braços, encontram berço; quando precisam de contato, encontram solidão; quando precisam de comunicação, encontram distração. Com poucos meses, sem ainda conseguir endireitar as costas, recebem colheradas de um purê desconhecido: as cores são chamativas e as mãozinhas se afligem para tocar e brincar com o movimento e com a presença da mãe, ainda que o mecanismo para acionar a língua e dissolver aquela comida na boca não esteja desenvolvido.

Quando são capazes de permanecer sentadas em uma cadeirinha com ursinhos coloridos compreendem que o tempo é infinitamente longo e que os adultos perseguem um objetivo claro: precisam terminar de dar o alimento. Assim, cada refeição equivale a uma pequena guerra; é um momento de tensão e de saturação entre crianças e gente grande.

À medida que vão crescendo, a refeição vai se transformando em um suplício. Passa a ser a tela que tinge de preocupação todos os êxitos ou aspectos que as crianças podem desenvolver. E transferimos todas as frustrações ou temores pessoais às expectativas que construímos a respeito de nosso ideal de filhos, sem olhá-los de verdade.

É nesse âmbito que surge, na hora de comer, a exigência como atitude preponderante: o que deveriam conseguir, o que devem ingerir, o que é indispensável e o que não se discute. A exigência tem a ver com atingir uma meta que deve ser cumprida de acordo com certas expectativas valiosas para a pessoa que exige (neste caso, o adulto). E as crianças sabem que é muito importante satisfazê-las se quiserem ser amadas e aceitas. O interessante é que os adultos que exigem que a criança coma nem ao menos reconsideram as normas autoimpostas, tampouco avaliam o efeito que essa exigência produz na criança. E, para os pequenos, não é uma questão de querer ou de teimar; o fato é que, às vezes, não estão em condições emocionais, de maturidade ou de comunicação para responder à demanda, tal como é apresentada.

Quando, dentro de nossos parâmetros, o fato de a criança comer se transforma em preocupação primordial do adulto, é difícil aceitar que talvez coexista uma negativa sutil ou categórica por parte do pequeno. No entanto, assim funcionam os desejos: um propõe e o outro pode aceitar ou não. Por outro lado, a exigência não abre espaço para o desejo do outro.

É interessante notar que as crianças mais exigidas e mais pressionadas vão perdendo a capacidade de saber o que querem. Tão acostumadas a responder ao desejo do outro, elas se perdem na própria busca. Não reconhecem a fome, não sabem escolher os alimentos, nem sentem prazer ao saboreá-los. Muitas terminam padecendo das desordens alimentares tão em moda hoje em dia, ou, então, veem o empobrecimento de sua sensibilidade, vitalidade e procura profunda. Exigir certa conduta sem levar em conta a atmosfera emocional da criança é algo devastador e destrutivo para todo o seu ser.

É levando em conta esse tipo de queixa por parte dos pais e observando as desordens alimentares das crianças que podemos tentar interrogar a respeito das prioridades e das ideias preconcebidas que os pais conservam sem ter tido a oportunidade de se questionar sinceramente sobre o que mais lhes importa, por quê e para quê. Muitos adultos contam apenas com as referências da própria infância, e não podem imaginar a "mesa familiar" de outra maneira que não seja estando obcecados pelo que as crianças comem ou deixam de comer. É uma oportunidade para avaliar o clima de respeito mútuo imprescindível para compartilhar o gosto pela comida (entre outras coisas) a partir de um espaço autônomo e livre.

Seria ideal que os adultos tentassem construir um ambiente de bem-estar, comunicação e crescimento, uma vez que todas as relações humanas causadoras de tensão alcançam os piores resultados. Também vale a pena revisar nosso funcionamento familiar rotineiro, o cansaço de adultos e crianças e as necessidades específicas de cada um. Refiro-me, em especial, a pensar com autonomia quando as crianças têm necessidade de se alimentar ou quando é o momento ideal para se sentar à mesa. Pode variar bastante em cada família, conforme os horários, a idade das crianças, o ritmo familiar ou a elaboração da comida. Não há receitas infalíveis. Mas poderemos propor que cada família invente diversas maneiras de comer com alegria se nos permitirmos ser criativos a respeito dos movimentos familiares e se nos liberarmos de estruturas de pensamento rígidas nas quais há uma única maneira de fazer as coisas corretamente.

Por outro lado, as crianças pequenas precisam **comer brincando**, assim como os adultos precisam comer conversando (mais as mulheres do que os homens, é verdade). Não separam o comer do se divertir. Neste sentido, poderíamos facilitar a brincadeira, oferecendo alimentos que possam manobrar com desenvoltura e autonomia quando ainda não são hábeis com o garfo ou com a colher. Por exemplo: croquetes, bolos, empanadas e tudo o que possa ser cortado em pedacinhos, sejam carnes ou vegetais. Dessa maneira os pequeninos experimentam o sabor com o tato, e se ocupam de brincar enquanto os adultos se ocupam de comer e conversar, em vez de ficarem nervosos com a colherzinha cheia de purê e apressá-los para que terminem logo.

A pergunta que os pais formulam é a seguinte: como as crianças vão se acostumar a ter bons modos na mesa, esperar, comer sentados e acabar a refeição? Aos poucos. Na medida em que, sentadas à mesa, aconteça algo interessante. Se os adultos e os irmãos mais velhos conversam, se relacionam, se interessam uns pelos outros, há alegria e camaradagem... Ninguém vai querer perder isso, por menor que seja!

Quando são muito pequenas, às vezes é preferível dispor de um tempo exclusivo para dar de comer às crianças e depois sentá-las — se quiserem — à mesa familiar, onde poderão compartilhar alguns minutos e depois descer e brincar ou correr por perto, enquanto os irmãos maiores ou os adultos comem em relativa paz. Porque as mães também precisam comer quando têm fome!

A refeição é um ritual sagrado, e como tal é o momento ideal para aprender a se encontrar consigo mesmo e com os demais. Não há fórmulas mágicas para que as crianças aprendam a comer, mas, se oferecermos um espaço harmonioso para os adultos, as crianças saberão reconhecer a doçura e o calor do amor familiar.

Quando os pais me consultam a respeito de dificuldades de alimentação das crianças, costumo me interessar pela harmonia familiar, os momentos de encontro e o diálogo que são capazes — ou não — de gerar. Não me surpreendo quando constato crises profundas no relacionamento do casal, e, sobretudo, crises pessoais no processo de busca interior da mãe ou do pai.

Quando as crianças apresentam dificuldades na ingestão de alimentos, é a oportunidade ideal para fazer-nos algumas perguntas, reduzir o ritmo de nossa vida cotidiana, compartilhar um piquenique, ainda que seja na varanda, e aproveitar a luz de alguma estrela para colocar em seu justo lugar o amor por nossos filhos que desejamos renovar.

CAPÍTULO

11

Comportamentos familiares na hora de dormir

Uma questão de sobrevivência • Transtorno do sono ou ignorância sobre o comportamento previsível do bebê humano? • A noite e os bebês do nascimento aos 3 anos • No compasso das opiniões • As crianças com mais de 3 anos que acordam à noite • Procura-se um separador emocional (para ler com o homem) • As crianças também querem dormir.

UMA QUESTÃO DE SOBREVIVÊNCIA

Todos os filhotes de mamíferos, de todas as espécies, sabem instintivamente que, para que os predadores não os comam, têm de estar protegidos pelo corpo materno ou por toda a manada, sobretudo quando estão dormindo, ou seja, quando não podem se defender. É uma questão de sobrevivência. É inato.

Portanto, para abordar os inconvenientes que os bebês e as crianças que não querem dormir sozinhas geram, é preciso aceitar que se está forçando algo que vai contra a lei de sobrevivência. Em consequência, os resultados disso serão catastróficos, porque atentam contra a própria natureza humana.

As discussões são muitas: quando se retomará a intimidade do casal, isso não pode acontecer, outras crianças dormem a noite inteira sem incomodar etc. Efetivamente, é possível organizar fóruns internacionais com discussões sem fim. Mas a realidade é sempre a mesma: **uma criança encostada ao corpo materno, ou seja, protegida e a salvo, dorme. Uma criança que está em alerta, não dorme.** Não há argumentos. Tudo mais serão elucubrações entre adultos, mas as crianças continuam nascendo em todas as partes do mundo, em todas as culturas, sob todos os climas e em sociedades diferentes, todas sabem que precisam da proteção do corpo dos adultos para dormir em paz.

TRANSTORNO DO SONO OU IGNORÂNCIA SOBRE O COMPORTAMENTO PRESUMÍVEL DO BEBÊ HUMANO?

Há poucas situações tão incômodas como as noites interrompidas pelo choro de uma criança. Talvez pela impossibilidade de ignorá-

-lo, o choro noturno tornou-se a modalidade preferida pelas crianças pequenas para detectar nossas debilidades e temores.

Uma criança que acorda muitas vezes durante a noite nos obriga a nos interrogarmos sobre nós mesmos. Costumamos nos irritar e implorar que não nos incomode, quando, na verdade, esse comportamento desperta o essencial, aquilo que está adormecido em nosso ser interior.

A questão da qualidade do sono é muito delicada justamente porque revela situações de que não suspeitávamos. As mães costumam estar desesperadas, pois acham que o bebê deveria dormir; sentem-se pressionadas quando outras pessoas dizem que a criança está muito apegada a elas ou tomam seu tempo. Essas opiniões não levam em conta o **bebê e a mãe reais**, nem as necessidades e linguagens específicas dessa díade em particular. A noite pode ser excessivamente longa ou muito quieta para o universo do bebê, e as mães que estabelecem um contato franco com seus filhos sabem disso. De fato, quando permitem que o bebê ou a criança pequena desperte, seus esforços não lhes parecem tão exaustivos, porque não carregam a culpa de uma situação que estariam administrando mal.

O bebê desperta para procurar **alimento, braços, calor, presença, segurança**, e à medida que vai construindo seu próprio eu passa a alongar o período de sono, ou seja, consegue prolongar sua autocontenção, desde que a mãe também tenha construído um respaldo emocional interno suficiente. Por outro lado, na medida em que o bebê — toda vez que desperta — nos encontra imediatamente, ou seja, se ele sente logo o calor do nosso corpo e os seios envolventes e abundantes, saberá que está totalmente seguro. Que não há perigo. Que pode dormir em paz. Assim, crescerá seguro e talvez em poucos anos tenha tal confiança que poderá dormir sem nossa presença, pouco a pouco.

A idade em que as crianças começam a dormir direto, sem acordar, varia bastante. Querer determinar a idade em que elas "deveriam dormir" não deixa de ser uma intenção autoritária e carregada de preconceitos, uma vez que cada caso reflete realidades emocionais particulares, que nem sempre podem ser entendidas a partir de uma visão puramente intelectual. O fato de um bebê dormir a noite inteira não é, necessariamente, positivo — habitualmente, é uma adaptação do bebê que lhe custará caro —, embora possamos convir que seja mais cômodo para o adulto.

Quando as crianças não dormem, queremos soluções imediatas. No entanto, o que significa o fato de uma criança não estar dormindo bem? As respostas atendem a parâmetros muito pessoais. É importante abordar o tema do sono diferenciado com cuidado, levando sempre em conta a idade da criança em questão.

A NOITE E OS BEBÊS DO NASCIMENTO AOS 3 ANOS

Assim como desconhecemos os terrenos acidentados da psique feminina, dificultamos o desenvolvimento normal dos partos e ignoramos que todos os mamíferos se apegam à própria cria, adotamos filosofias autoritárias que estabelecem o que cada bebê deveria fazer para ser considerado "normal". Há, concretamente, em nossa sociedade, uma tendência alarmante de **afastar o máximo de tempo possível as crias do corpo da mãe.** A ideia, muito arraigada, é a de que não devem ficar muito tempo no colo, para que não se acostumem mal. Ou, então, na ótica compreensível da mãe, "não posso ficar muito tempo com meu bebê no colo porque não me sobra tempo para fazer nada". Pois bem, se observarmos qualquer outra espécie de mamíferos, constataremos que o contato corporal é permanente e nenhuma fêmea deixa sua cria ao longo de todo o período de amamentação e até que alcance suficiente autonomia.

Em uma sociedade que defende a própria espécie, homens e mulheres deveriam cerrar fileiras para que a mãe pudesse delegar todas as tarefas que não fossem as de cuidar e estar permanentemente atenta ao bebê. Por outro lado, como vimos em capítulos anteriores, a desestruturação psíquica da mulher puérpera a lança em um mundo de sensações sutis, onde fica entregue a regressões desconhecidas e diante de uma única tarefa: a de estabelecer um contato absoluto com a dimensão "mãe-bebê" que acaba de estrear. Ou seja, a mãe recente não deveria fazer outra coisa a não ser manter seu bebê nos braços. Nem de dia nem de noite.

O que foi exposto nos leva a formular algumas perguntas relativas aos casos em que o bebê acorda muitas vezes à noite: o que é acordar muito? Uma vez, duas vezes, três vezes, a cada cinco minutos? O bebê dorme melhor quando está nos braços da mãe? Acorda toda vez que o colocamos cuidadosamente no berço? É preciso deixá-lo chorar para que se acostume?

Embora cada caso seja particular — este não pretende ser um guia para pais desesperados; queremos, apenas, sugerir linhas de reflexão; vale a pena, em primeiro lugar, **verificar se as necessidades básicas do bebê humano em questão foram satisfeitas.** Teremos surpresas: quase nenhum bebê ocidental é mantido nos braços durante um tempo suficiente. Quase todos precisam de mais calor, mais abrigo, mais contato corporal, mais conexão, mais atenção, mais disponibilidade emocional. As mães, acreditando que agem corretamente, escapam para o mundo exterior — o do trabalho, das ideias, do dinheiro, das preocupações cotidianas — e tomam decisões a partir do que consideram correto. em vez de agir por intuição.

Quase sem exceção, quando as mães escutam seu coração, admitem que sentem imenso prazer em dormir abraçadas à criança. No entanto, depois se entusiasmam com a ideia, embora não deixem de perguntar o que vai acontecer depois, querendo saber se a criança jamais aprenderá a dormir sozinha. Acontece que **ninguém pede aquilo de que não precisa.** As crianças suficientemente acolhidas evoluem em relação às suas necessidades básicas assim que tenham superado e adquirido a maturidade necessária. Por outro lado, muitos adultos permanecem imaturos e pedem no tempo presente que alguém os coloque no colo, lhes dê atenção e os tratem como se os considerasse a coisa mais importante do mundo. O que não foi atendido na infância fica pendente para o futuro.

Quero salientar que, se deixássemos as mães em paz com seus bebês, dormindo como achassem mais agradável — a dois, a quatro ou a oito em uma mesma cama, certamente o problema dos bebês insones quase não se manifestaria. O bebê **deve pedir** a presença da mãe ou da figura materna, pois isso é sinal de vitalidade e saúde.

Por outro lado, quando os bebês passam a maior parte do dia em um moisés, mesmo quando dormem placidamente, essa experiência é, para eles, a de **ausência da mãe.** São esses os bebês que mais reclamam a presença dela durante a noite. Por isso, a primeira recomendação é manter o bebê no colo o tempo todo, sustentado por uma tipoia ou uma mochilinha adequada. É provável que o bebê que tenha recebido muita atenção da mãe durante o dia aceite dormir mais tempo separado durante a noite. Os bebês não confundem o dia e a noite. Simplesmente, à noite suas mães estão em repouso, ou seja, disponíveis.

Também pode ser útil saber como dormem os bebês em outras sociedades. Ficaremos surpresos com o grau de desproteção e desamparo que pretendemos adotar na educação de nossos filhos.

Sei que a maioria das mães vive muito pressionada pelas opiniões dos maridos, dos médicos, dos psicólogos, que acham que não é normal o bebê reclamar tanto. E aí passam a procurar uma solução para o problema, quando, na realidade, se trata de um bebê de 6 meses ou de 1 ano que acorda à noite porque é bebê e precisa de sua mãe. É importante deixar claro que não se trata de **nenhuma patologia**. As mães querem dormir, mas quando compreendem que seria de se esperar que, nos dois primeiros anos de vida, o bebê acordasse e que, portanto, não há nada a resolver — a criança não está com fome, seu leite não é imprestável e não há sinais de que seja incapaz de exercer seu papel de mãe —, relaxam e, em geral, em pouco tempo o bebê adota um ritmo razoável. **A noite é um oceano na escuridão.** É importante que as mães, em fusão emocional com o bebê, acompanhem seus processos sem prejulgar a partir do olhar racional do adulto.

Para conseguir passar noites tranquilas é indispensável rever o comportamento familiar, uma vez que os problemas noturnos são a representação dos aspectos mais ocultos da nossa alma. É muito frequente as mães não estarem em condições de cuidar por completo do bebê, porque precisam cuidar da fragilidade emocional do homem. Se o companheiro é um homem infantil e carente, quando o bebê desperta reclamando presença, se produz o caos. Há uma luta por obter atenção materna entre o pai da criança e a criança. Logo, não é possível maternar. Assim, o despertar de um bebê se converte em uma situação insustentável. Mas observemos que o desequilíbrio está nos adultos, não na criança, que simplesmente tenta sobreviver.

Por outro lado, quando a família funciona de maneira equilibrada e o pai apoia emocionalmente a mulher puérpera, o choro do bebê é visto como parte da realidade pontual. O pai facilita a fusão, o contato permanente, mesmo que tenha de pagar o preço de dormir longe da mulher algumas noites. Porque não acontece nada quando se compreende que há prioridades que em curto prazo se modificarão de maneira substancial. Por isso, não tem tanta importância quantas vezes um bebê acorda à noite, e sim o custo emocional que representa para a mulher satisfazer a ideia que o homem construiu em sua imaginação a respeito do fato de ter uma criança em casa. É necessário ter generosidade e amplitude de critérios. Se os homens deixassem as mulheres tranquilas para cuidar o máximo possível de seus bebês, haveria menos brigas na cama. A respeito das mudanças na vida sexual, eu sugiro que releiam o capítulo sobre a mulher puérpera.

NO COMPASSO DAS OPINIÕES

A noite é um tema controvertido. Dormir bem ou mal influi significativamente na qualidade do estado de espírito que se terá no dia seguinte. Os palpites bem-intencionados estão na ordem do dia. Os conselhos variam, desde o aquariano “não se preocupe, durma sempre com o bebê" até o mais extremo: "deixe-o chorar que não acontece nada." As mulheres se sentem em um túnel sem saída, achando que sua inteligência ficou estacionada em uma época remota e que suas qualidades se desvaneceram; têm a sensação de estar fazendo sempre algo incorreto ou que prejudicará a criança.

A melhor opção é considerar que cada caso é único e depende, em parte, da liberdade interior com a qual a maternidade é assumida, sem esquecer que, por outro lado, está submetida ao funcionamento familiar. Vale a pena fazer algumas perguntas a nós mesmos, como, por exemplo: o casal se constituiu a partir de que acordos? Quem sustenta emocionalmente quem? O que se pode pedir ao outro na vida de casal? Quais são os espaços psíquicos compartilhados? Que nível de diálogo pode ser atingido? Que história primária nos sustenta? Há pessoas importantes ao redor que possam nos ajudar?

As opiniões não importam. Cada casal conta apenas com certo nível de acordo ou desacordo para se relacionar e, portanto, ser capaz de criar crianças no seio da família que está construindo. Depende da disposição que cada um tenha para se interrogar. Só depois de parar para pensar e abrir espaço para os questionamentos prioritários valerá a pena se debruçar sobre a informação valiosa a respeito da natureza da **fusão emocional** entre um bebê e sua mãe. Também é necessário entender que é fundamental dispor de apoios emocionais que permitam penetrar em tal fusão e, paralelamente, aprender a gerar estratégias para se deixar cuidar.

Para um sono relativamente pacífico, toda mãe precisa receber cuidados e ser apoiada pelo outro, uma vez que a energia e o cuidado em relação à criança absorvem absolutamente todo o seu potencial. Talvez a dimensão desse fenômeno só seja compreensível para as mulheres que passaram por esse estado.

Por outro lado, há situações pontuais que explicitam a procura de soluções. É muito frequente as mães dormirem ao lado dos filhos. Não é certo nem errado. É uma realidade cristalina, uma vez que, diante da falta de apoio e da companhia de outro adulto, a díade organiza não apenas a fusão, mas também o apoio mútuo, chegando, em geral, a um equilíbrio satisfatório. A menos que as opiniões autoritárias ameacem a mãe com os preconceitos que tamanha insolência terá sobre o bebê, o que terá o dom de deixar as mães desamparadas, assustadas e ainda mais sozinhas. Em minha experiência, vi muitas mães solteiras perderem o equilíbrio saudável quando passaram a acreditar que era indispensável tirar o bebê da cama porque poderia ser confundido com um objeto sexual ou outro tipo de considerações aceitáveis que se transformaram rapidamente em geradoras de crise emocional.

As opiniões são inócuas quando a emocionalidade da mulher é sólida e apoiada em afetos firmes, mas podem ser muito destrutivas quando se trata de mulheres frágeis ou sozinhas. É algo que todos deveriam levar em conta antes de abrir a boca. Os conselhos costumam satisfazer mais as pessoas que os emitem do que aquelas que os recebem, pois estão relacionados a experiências pessoais que, naturalmente, são válidas para cada um, não para todos.

Há mulheres sozinhas que, embora dominem perfeitamente sua situação pessoal, buscam apoios afetivos ou sociais externos: no trabalho, na família, no círculo de amigos, nos interesses pessoais, artísticos, políticos. Por outro lado, há muitas mulheres que, embora casadas, estão cercadas de esquemas familiares que dirigem seus cuidados ao homem. Nesses casos é mais difícil que a mulher reconheça a necessidade de procurar apoio fora do casal. Quando a criança chora, a mulher procura acalmar o homem, em vez de tranquilizar a criança e a si mesma, amparada e acolhida por alguém.

Quando as noites são insuportáveis, não vale a pena procurar receitas. No entanto essa é uma ocasião ideal para rever os comportamentos básicos do casal e da família que construímos. As mães devem procurar se cercar das condições necessárias para permitir que as crianças tenham acesso ilimitado ao corpo materno, pois esse é o **desenho do ser humano** enquanto mamífero. Elas podem lutar contra sua essência, se gostam disso ou se lhes faz bem, mas perderão todas as batalhas, uma após outra, pois estarão se afastando de sua função específica nesse momento concreto da vida, a favor do desencanto e do sofrimento desnecessário.

AS CRIANÇAS COM MAIS DE 3 ANOS QUE ACORDAM À NOITE

Quando começa o processo de separação emocional, que situamos ao redor dos 3 anos, a criança passa a perceber o mundo que está além das fronteiras do corpo da mãe. Em geral, nessa idade, a maioria das crianças dorme placidamente a noite inteira, permitindo que as mães recuperem a liberdade. No entanto, há crianças que continuam acordando, e fazem pedidos às vezes insólitos para os pais, valendo-se da capacidade recém-adquirida de se expressar verbalmente. Nesses casos, recordemos que ninguém pede aquilo de que não precisa.

Agrupei os casos mais frequentes em três grandes tópicos, para tentar uma abordagem de possíveis aberturas, sem pretender esgotar aqui o leque de vivências e significados profundos que cada filho traz à consciência da mãe. São os seguintes:

As crianças que buscam o tempo perdido com a mãe.

As crianças que livram a mãe de ter de responder sexualmente ao homem.

As crianças que protegem a mãe de sua solidão, sua angústia ou sua violência.

No primeiro caso, me refiro às mães que trabalham muitas horas fora de casa, ou, então, que ficam em casa, mas não dedicam ao filho um tempo de atenção exclusiva. As crianças que precisam de uma qualidade diferente de presença, de olhar atento, de tempo sem pressa, são as que sabem que encontram a mãe à noite, quando está irritada, mas está presente. São aquelas crianças que pretendem **recuperar o tempo perdido**. Inconscientemente, isto pode até ser prazeroso para a mãe, se ela não ficar morrendo de culpa e reconhecer que se trata de um momento privilegiado no qual seu contato com a criança pequena é total. Ela também se reconforta com o encontro, em um tempo livre de horários, em um fluxo de sensações e sem ter de dar explicações a ninguém.

Quando aceitamos que ambos precisam de um tempo mínimo indispensável de contato e permanência, pois sem isso o campo emocional da criança é ferido, podemos supor que será necessário ampliar esse contato durante o dia para que a noite não venha a ser o momento preferencial para o encontro. Concretamente, a mãe poderá ir modificando a maneira de se relacionar com o filho, integrando-o ao máximo à sua vida ativa durante o dia. Assim, a criança poderá construir uma mãe interna suficiente para que durma melhor à noite. Da mesma maneira, a mãe precisa se impregnar do bebê interno suficiente, constituído pelo bebê real que é seu filho e, além disso, pelo bebê interno que ela mesma foi e que agora se ativa, se repara e revive.

Entendo que é muito difícil para uma mulher admitir que tenha problemas de conexão emocional. Também é árduo satisfazer sempre as crianças que sentem uma necessidade imperiosa da presença da mãe. As mulheres que trabalham têm muitos compromissos e interesses pessoais, e o dia tem menos horas do que elas gostariam que tivesse. Por outro lado, há mães que não conseguem se entregar totalmente à fusão emocional. Resultado: quando crescer, a criança reclamará o que não lhe foi dado no passado. Então acorda.

Há mães que trabalham longas horas fora de casa e voltam para casa com a intenção de dar atenção à criança. No entanto, o telefone toca sem parar, é preciso ir às compras ou têm de ir à reunião de última hora do condomínio. Às vezes, é revelador relatar com riqueza de detalhes como se desenvolveu, por exemplo, uma quarta-feira, e depois repetir a mesma história a partir da visão das crianças. Tentemos contar quantos minutos dedicamos exclusivamente ao contato com a criança pequena. Para nossa surpresa, constataremos que não é necessariamente a obrigação de ir trabalhar que nos desconecta dos filhos, e sim a falta de treinamento para a permanência em vínculos intensos.

Na vida cotidiana há situações que podemos melhorar e tornar mais suaves. O banho é um momento ideal para o repouso e para o contato, mas normalmente as mães correm para preparar o jantar enquanto a criança brinca na banheira. Deveríamos nos oferecer também a possibilidade de ficarmos sentadas no quarto das crianças pelo menos meia hora por dia. Não é indispensável brincar, mas é necessário estar totalmente disponível. E se trabalhamos muito fora de casa, durante os fins de semana deveria ser prioritário recuperar o contato corporal e ficar com as crianças durante um tempo ilimitado.

Para as mulheres que não trabalham fora de casa talvez seja mais complicado classificar o tempo que de fato dedicaram à criança, pois elas têm a sensação de ter lidado com o filho as 24 horas. Para esses casos, a melhor sugestão pode ser a organização. Organizar cada momento do dia, **agendando**, inclusive, os momentos das brincadeiras ou dos passeios. Perceberemos que não são tantos como acreditávamos. O trabalho doméstico consome nossa energia e, mesmo que o efetuemos na presença das crianças, não estaremos conectadas com a mesma "frequência de onda" que elas requerem. Além do mais, encontrar espaços pessoais, de introspecção e de busca da própria verdade parece um ato de magia impossível de realizar no meio da cozinha, da arrumação das camas e diante da tábua de passar roupa. Costumamos afundar e nos perder com mais frequência do que quando trabalhamos fora de casa. Nesses casos, apesar de termos passado todo o dia com nosso filho, a vivência da criança é a de **ausência da mãe.**

Invariavelmente, à noite a mãe está quieta. Não há mais nada urgente a fazer. A mãe se irrita quando a criança chama por ela, mas está muito perto, é carinhosa, oferece seu corpo quente, inunda tudo com sua respiração profunda, se espreme na caminha minúscula e adormece.

As crianças em busca de presença efetiva são inteligentes, pois não se resignam quando não obtêm o que sabem que é imprescindível à sua vida. Porque estamos falando de necessidades básicas de uma criança humana.

Com relação às crianças que com sua presença nos salvam de responder sexualmente ao homem, surgem situações muito diferentes e complexas. A partir da chegada de um bebê, a sexualidade do casal se modifica, embora ninguém tenha vontade de conversar sobre isso. As mães que amamentam seus filhos exercem uma intensa atividade sexual. É imprescindível que tanto o homem quanto a mulher compreendam e reconheçam que **a atividade sexual está centrada na lactação e na maternidade**; a libido ficou concentrada nos seios e não resta muito mais. É o momento de procurar novos modelos internos de se relacionar amorosamente, de encontrar companhia mútua e compreensão, de estarem um e outro satisfazendo as necessidades reais e pontuais desse momento, que são muito diferentes. É hora de **feminilizar a sexualidade**, talvez não priorizando necessariamente as relações genitais, a penetração, a atividade, o ritmo enérgico, e sim deixando florescer as qualidades femininas de ambos. É um novo mundo a descobrir.

São sensações complexas, pois as mulheres ficam espantadas quando constatam que o desejo sexual parece estar transtornado, necessitando mais do que nunca da presença amorosa do homem, do corpo que apoia, das carícias sem fim e do abraço masculino. Como as mulheres costumam sentir que estão em falta e que não é normal o que está acontecendo, não revelam ao homem a verdadeira situação emocional que estão atravessando, possivelmente porque não a compreendem totalmente.

Não se fala disso. Mas existe. Falta tanta informação adequada referente às mudanças no comportamento sexual das mulheres depois do parto e durante a criação dos filhos que as mulheres fazem o que acham ser correto, normal ou mentalmente saudável. Porque em algum ponto suspeitam que enlouqueceram, que padecem dificuldades que, quando não são anormais, são, no mínimo, muito malvistas ou indignas de pessoas tão inteligentes como elas.

A questão é que têm pendente uma montanha de conversas com o companheiro sobre o que está acontecendo com elas, sobre suas necessidades, as mudanças na libido, que não compreendem, a vontade de serem olhadas ou acariciadas, o não se sentir à vontade com o próprio corpo, não ter vontade de ter relações sexuais com penetração obrigatória incluída, sem encontrar o momento, a forma ou as palavras exatas para gerar diálogos de aproximação, de conhecimento e de intercâmbio com a pessoa amada.

Então, gritam por socorro por meio do fio invisível que as une ao filho. A conexão fusional entre uma mãe e um filho pequeno sempre funciona. A criança acode ao chamado e chora antes que ocorra ao homem tentar uma aproximação com a intenção de fazer sexo.

Os homens, nesses casos, intuem que estão fora de algum acerto, mas não compreendem com exatidão o que há dentro desse acerto e o que estão perdendo. Está claro que o pedido foi deslocado. Em vez de conversar sobre as necessidades e os desejos pessoais de um e de outro, acabam falando sobre os caprichos da criança que não dorme ou da fralda que talvez seja necessário trocar. É evidente que a criança é "usada" pela mãe Não é a criança que incomoda; ela é incomodada.

De repente, a criança chora. Trazemos a criança para nossa cama e, aí, não podemos fazer amor. Alívio para a mulher e frustração para o homem. Inauguramos, assim, outro tema deslocado, preocupando-nos com o problema da criança que acorda, em vez de conversar com franqueza sobre o que está acontecendo. Reconhecer o que acontece com a gente é o primeiro passo na busca da verdade, porque nos remete às perguntas fundamentais. Aproxima-nos de nosso ser verdadeiro; nos torna sinceros.

Aparentemente, a vida sexual do casal está transtornada por causa da criança; no entanto é necessária muita sinceridade consigo mesmo para abordar o que na verdade acontece. As mulheres sofrem na própria pele as mudanças, talvez em escala maior do que os homens. Então, em vez de descartar o que acontece conosco, urge compartilhá-lo com os homens, se desejamos chegar a compreender melhor os processos internos que se desencadeiam com a maternidade. Não importa o que aconteceu com as vizinhas. Importa o que acontece com cada mulher.

Nesses casos, também é imprescindível rever os acordos prévios do casal, pois, se a única pessoa que deve ser satisfeita for o homem, não haverá forma de oferecer à criança aquilo de que genuinamente ela precisa. Para as mulheres esta é uma excelente oportunidade de rever a relação sexual, para que decidam se, mais amadurecidas, querem encontros mais humanos, mais profundos, mais amorosos. Enquanto não se atreverem a colocar na mesa o que desejam experimentar, as crianças gritarão, livrando-as de qualquer compromisso que não queiram assumir.

Já a respeito das crianças que protegem as mães de suas angústias, também existe uma infinidade de situações complexas. As mães que estão sozinhas (seja concretamente sem marido ou em sua vivência interna) contam com um filho que, ao acordar, lhes diz: "Não tenha medo, eu estou aqui." São crianças que com sua presença constante protegem a mãe de sua solidão. Dizem, sem cessar: "Estou aqui e não vou abandoná-la, nem de dia nem de noite."

Frequentemente, é impossível transformar a realidade, mas pelo menos podemos reconhecer o que acontece conosco. Não é nem bom nem ruim. As mães de fato pedem a companhia e a proteção a seus filhos, pois são os seres mais próximos. Aparentemente, a criança chora alegando ter medo de dormir sozinha. Seria interessante cuidar também de nosso medo da solidão, da cama vazia, do frio e da escuridão. Quanto mais inconscientes forem nossas angústias e temores, mais complexo será reconhecer nossa sombra no choro da criança. O corpo da criança nos reconforta, recordando-nos que não estamos tão sozinhas no mundo. Que somos dignas de ser amadas.

Naquelas famílias em que a violência é o meio de comunicação predominante, são gerados mal-entendidos e o corpo da criança atua como couraça de ferro para a mãe. Isso acontece quando o homem se relaciona através do poder (econômico ou social ou tem uma personalidade muito agressiva ou ameaçadora) e, de alguma maneira, desvaloriza a mulher. Quando, para completar, ela conta, por sua vez, com baixa autoestima, proveniente da própria história, pode se vingar valorizando-se através das constantes queixas do filho. Ela se torna indispensável tanto de dia como de noite, portanto, precisa ser exigida para ser alguém importante. O problema é que a criança impertinente suscita mais reações violentas do homem, que considera desmedidas suas insônias noturnas, e assim vai se ampliando a espiral de solidão, incompreensão e ignorância, onde os adultos se escondem enquanto não se decidem a se perguntar: "quem sou?", "do que preciso?", "o que está acontecendo comigo?".

A noite é o momento ideal para o despertar da sombra. Ela se sente mais à vontade na escuridão, infiltrando-se por meio das angústias adormecidas, dos temores e dos afogos. Os trovões e os ruídos rangem vigorosamente nas trevas, permitindo que o inconsciente se libere. A tarefa primordial consiste em perceber se há um pedido verdadeiro da criança ou se há um pedido da mãe formulado através do filho.

É necessário não esquecer que o importante não é que a criança durma, uma vez que o despertar representa apenas o sintoma por meio do qual iniciaremos um percurso de busca pessoal. Esse incômodo permite aos pais promover um questionamento pessoal e possibilita que subam um degrau em direção ao encontro com eles mesmos. Só através da introspecção sincera conseguiremos deixar as crianças dormirem em paz.

PROCURA-SE UM SEPARADOR EMOCIONAL (PARA LER COM O HOMEM)

O que está havendo com as crianças maiores de 3 anos, queridas, protegidas, amadas, cuidadas, que ganham colo, crianças cujas mães se encarregam de sua própria sombra e se questionam sem parar e que, no entanto, acordam à noite?

Recordemos que a tendência feminina indica a fusão e a tendência masculina indica a separação. De fato, as mães ficariam eternamente com a criança nos braços se os pais não as reclamassem como fêmeas e se não levassem os filhos ao mundo exterior. Por volta dos 3 anos a criança dá início ao processo de separação emocional. Este fenômeno também é vivido paralelamente pela mãe, que sente que recupera um espaço psíquico disponível. Nesta fase as mulheres voltam a ter projetos pessoais, reconquistam a criatividade abandonada e passam a dispor de mais energia. Desfrutam as horas em que a criança está no jardim de infância, consideram o tempo um bem precioso e com frequência... engravidam de novo!

Tal como vimos no capítulo sobre o papel do pai, esse é o momento ideal para que o pai coloque sua energia masculina a serviço da separação emocional, dizendo: "Esta mulher é minha." E também determinando: "Você vai dormir a noite inteira porque eu quero ficar sozinho com mamãe." A díade mãe-criança precisa, nessa etapa, que o poder masculino promova a separação emocional. Às vezes, pode ser interessante que o pai intervenha.

As crianças, mesmo as amadas e apoiadas, acordam à noite quando o pai é alheio a tudo o que diga respeito às crianças. São os casos em que o pai não se mete nas questões das crianças, porque delegou por completo à mulher os assuntos relacionados com a criação dos filhos, ou não concorda com a forma como ela os educa, ou, então, direcionou toda a sua energia ao mundo exterior: trabalho ou realização pessoal.

Recordemos que os desencontros amorosos dos adultos não deixam as crianças dormir. Se de fato nos importa que a criança durma e nos deixe dormir, é necessário assumir a verdadeira história que está se desenrolando na vida do casal.

Portanto, o pai deve colocar as coisas em ordem, e para isso será necessária sua intervenção efetiva. Isto significa que depois que a criança completa 2 anos é imprescindível que o pai atue em favor da separação emocional no que diz respeito à fusão original em que se encontram mãe e filho. E isso não tem a ver com colocar limites, gritar mais alto ou impor castigos. Ao contrário, se refere ao fato de procurar recuperar a mulher para si. Não se trata apenas de boa vontade. Trata-se de reconhecer com sinceridade o quanto lhe importa se envolver na relação amorosa com sua mulher, qual é a importância que esse vínculo tem para ele, o quanto a deseja e quanto está disposto a apostar no casal.

Quando ele deseja recuperar sua mulher mais que tudo no mundo, é sua tarefa vincular-se mais estreitamente com a criança, incluir brincadeiras ou cumplicidades para crianças um pouco maiores e acompanhar a criança até a cama. A mãe pode ter boas intenções, mas a fusão emocional a impede de sentir a separação noturna como algo contundente e necessário para ela mesma. Logicamente, é imprescindível que seja pactuado um acordo básico entre os pais acerca da necessidade compartilhada de voltar a se apropriar das noites. Do contrário, todas as tentativas serão em vão. Nesses casos as mães terão de se esforçar para permitir que o pai entre em ação, sem desqualificar a maneira masculina de exercer o papel.

Os pais que inicialmente estão **envolvidos na fusão** da díade mãe-bebê apoiando a introspecção e o transcorrer pausado são os que de melhor forma conseguirão intervir na separação emocional porque o vínculo com a mulher está fortalecido.

Quanto melhor apoiador emocional foi, melhor divisor emocional será.

Nessa etapa o homem tem duas tarefas: recuperar a mulher para si e levar a criança para fora. Refiro-me ao escritório, ao ateliê, à prática de esportes, à compra de ferramentas, a transformar a criança em companheira de estrada, se relacionando com outros homens. No caso das meninas também há aventuras bem diferentes das domésticas: testam com o pai a intrepidez, os riscos físicos e as fronteiras mais distantes. Não é necessário que os pais brinquem com as crianças; ao contrário, são os pais que colocam as crianças no mundo adulto. Assim, cada um vai ocupando o lugar que lhe corresponde na família, adequando-o à idade. Quando a família entra em disfunção durante o dia, ainda que não nos demos conta, identificamos o problema à noite. Por isso, a questão não passa por fazer algo para que as crianças durmam, e sim em compreender o que está acontecendo de verdade.

Quero realçar ainda que só através de um desejo sincero e profundo de recuperar o tempo exclusivo do casal será possível fazer com que uma criança com mais de 3 anos durma em paz. A coisa que uma criança mais merece é ter um pai e uma mãe felizes. Por isso, é necessário ocupar-nos seriamente da qualidade de nossos vínculos.

AS CRIANÇAS TAMBÉM QUEREM DORMIR

Quando nos interessamos pela questão das crianças que acordam à noite, deparamos com o que é uma realidade muito frequente para a maioria dos pais com filhos pequenos. No entanto costuma ser mantida como segredo familiar que é comentado em voz baixa com alguns mais próximos, porque os pais têm a sensação de não estar fazendo as coisas direito.

Os preconceitos sociais agem uma vez mais em prejuízo das crianças. Antes de condenar é necessário perguntar e conhecer todos os detalhes do funcionamento familiar; ou seja, os acordos, as dificuldades, os amores ou desamores, abandonos, necessidades não satisfeitas, ignorância, solidões... para estar em condições de ajudar as famílias que se sentem esgotadas, porque não dormem.

Em meu consultório costumo dramatizar perguntando o que a criança quer para dormir em paz. Em geral, quer presença. Sugiro aos pais que comecem oferecendo à criança o que ela pede, mas sem contar a ninguém, como se fosse um pacto secreto, pois estarão transgredindo todas as normas e fazendo tudo o que não se deve fazer. Quando deixam de lado os conselhos e os preconceitos sobre o certo e o errado, os pais, imediatamente, resolvem o problema, porque se tornam mais receptivos a qualquer tipo de pedido da criança e porque aprendem a dar ênfase ao que é importante de verdade

As crianças também querem dormir em paz. Só precisam que os adultos abram a cabeça e o coração e não tenham tanto medo de deparar com os próprios problemas.

CAPÍTULO

12

Crianças violentas ou crianças violentadas?

Algumas reflexões sobre a violência: ao conhecimento de si mesmo • Violência ativa e violência passiva: um guia para profissionais • O caso Roxana • Crianças agressivas: reconhecendo a própria verdade • As crianças oriundas de famílias violentas • Crianças que sofreram abusos emocionais ou sexuais: abuso entre crianças • A negação salvadora: o caso Rubén e o caso Leticia • A visão profissional.

ALGUMAS REFLEXÕES SOBRE A VIOLÊNCIA: AO CONHECIMENTO DE SI MESMO

O nível de violência que cada um de nós exerce em relação a si mesmo ou em relação ao outro é diretamente proporcional ao desconhecimento de si mesmo. Quando não exercitamos o questionamento profundo, a introspecção e a busca de um lugar pessoal no mundo, nos afastamos do nosso eixo personalíssimo. A partir daí, nos irritamos com os demais, com o mundo, com o companheiro, com os filhos, com o trabalho, tentando acreditar que são eles os agentes de nossa insatisfação primária. Quando não encontramos respostas imediatas para nosso desamparo, a sofreguidão aumenta e, portanto, os maus-tratos. A violência é apenas um patamar mais alto das diferentes formas de maltratar o outro, uma vez que acreditamos que assim conseguiremos saciar nossa antiga fome de amor.

Todos os adultos carregam histórias infelizes em algum lugar do coração. É verdade que há um abismo entre a solidez da estrutura emocional das pessoas que desfrutaram de uma mãe amorosa e atuante e a daquelas que sofreram com uma mãe infantil e incapaz de apoiar alguém, muito menos a criança que foram. Esta é a primeira grande pergunta que precisamos nos formular para saber como nos posicionarmos no mundo. A conexão interior e a sinceridade pessoal com que nos perguntarmos são a chave para voltarmos a parar sobre nosso próprio eixo. Ou seja, a essa altura não importa mais tanto a história real que vivemos, mas o conhecimento e a consciência que podemos desenvolver a partir de nossa história. Isso depende absolutamente de cada um de nós. Não podemos atribuir culpa a ninguém.

Para maior compreensão, podemos usar o seguinte exemplo: para cultivar frutas e verduras, dependemos, em parte, de um solo fértil e úmido. Nesse caso, quase qualquer semente que pretendamos cultivar florescerá sem maiores dificuldades e recolheremos o fruto com alegria. Pelo contrário, se o solo for árido, o surgimento dos frutos dependerá de nosso trabalho, dedicação, estratégias, inteligência e empenho. Nesses casos, os frutos terão um sabor e uma textura especiais e farão parte de um tipo de produtos especialmente procurados e reconhecidos. Algo assim acontece com as histórias de amor ou desamor que vivemos na infância. Podemos provir de famílias férteis ou áridas, mas para conseguir desenvolver nosso potencial dependemos, sobretudo, da consciência e da determinação pessoal.

Quando não estamos habituados a pensar sobre nós mesmos nem a escarafunchar nossa interioridade, o mundo se torna hostil. Quando esperneamos como crianças mimadas para obter o que ninguém mais pode nos oferecer, perdemos quase toda a capacidade de olhar para o outro. De fato, muitos de nossos filhos foram gerados por pais que nunca foram tratados como crianças e procuram amparo como se ainda o fossem. Quando não o obtêm, se irritam, com uma consciência maior ou menor, gerando violência explícita ou sutil, física ou emocional.

Fabricamos inimigos de toda espécie tentando escapar da própria hostilidade reprimida, e, portanto, alheia à nossa consciência. E assim projetamos nos demais (inclusive em nossos filhos desobedientes) os aspectos de nossa personalidade que nós mesmos desprezamos. É preciso ter muita coragem para mergulhar nas trevas da própria sombra em busca do inimigo interno. Essa é uma maneira viável de abordar a violência. Devemos examinar minuciosamente os mil e um subterfúgios a que recorremos para negar nossos egoísmos e traços cruéis e também para compreender como criamos, inconscientemente, um psiquismo dado a conflitos e perpetuamos as inúmeras variedades de violência.

Considerando o que foi dito, podemos afirmar que quase todas as crianças são vítimas de algum tipo de violência exercida pelos adultos. **O abandono emocional é violência: é a violência do desamparo. A incapacidade de reconhecer as necessidades básicas emocionais das crianças é violência. Recusar abraço e proteção é violência. Não entrar em conexão emocional com as crianças é violência. Não olhá-las é violência. Exigir que se adaptem desmedidamente ao mundo dos adultos é violência.**

Preferimos acreditar que a violência só é exercida pelos outros: aqueles que não alimentam as crianças, que as induzem a pedir esmolas, que as violentam, que as enviam às guerras. Fazemos parte de uma sociedade que mata, naturalmente, a própria cria, mas a sociedade é cada um de nós. Simplesmente quero insistir que a violência se manifesta por um imenso leque de modalidades, e que, às vezes, quando é muito sutil ou pouco explícita, não a reconhecemos como tal.

Por exemplo, nas famílias em que todos são amáveis e falam em voz baixa, mas as crianças se acidentam com frequência, é custoso reconhecer e legitimar o comportamento violento. Os pais minimizam as necessidades explícitas de seus filhos: eles querem jogar futebol, mas frequentam colégios extremamente exigentes e não têm tempo para isso; estão felizes em uma escola, mas os pais acham que precisam ser transferidos para um mais severo; adoram as artes, mas nunca ocorre a seus pais levá-los a um ateliê artístico; enfim, mesmo que explicitem suas necessidades, os adultos não as levam em conta. Não olhar e não reconhecer as especificidades do outro também é uma forma de violência.

A violência se manifesta por um esquema circular: começa quando uma pessoa desconhece a si mesma. Vamos exemplificar: essa pessoa pode ser um pai que foi humilhado pelo próprio pai quando era criança e não recebeu o amparo da mãe. Então, transfere sua insatisfação primária e se irrita com sua mulher por qualquer motivo que lhe desperte insegurança pessoal. Essa mulher, que desconhece absolutamente a si mesma, pois também tem uma história de infância marcada pela orfandade e solidão, tenta se livrar das humilhações do marido e repreende o filho por qualquer travessura. A criança, atordoada pelos gritos e carente do olhar e da compreensão de seus pais, vai à escola, onde uma menina frágil cruza seu caminho, pronta para apanhar. O diretor do colégio convoca os pais, culpando-os pela agressividade da criança. O pai se irrita com a esposa e a acusa de ser incapaz de educar o filho de ambos, e por aí vai.

Quero esclarecer que **as crianças são sempre vítimas**, devido à sua condição de crianças e por não terem possibilidade alguma de sair do circuito de violência em que estão imersas. Naturalmente, muitas crianças se transformam, por sua vez, em algozes de qualquer criatura um pouco mais fraca que cruze seu caminho, porque este é o modelo de relação que aprendem a cada dia. Frequentemente, as instituições de ensino voltam a vitimá-las, porque não dispõem de um conhecimento adequado a respeito do funcionamento circular da violência e dos mecanismos existentes para o desenvolvimento de um trabalho com as famílias em questão. Outras vezes, a escola fica confinada no circuito, sendo vítima da violência da criança e de toda a sua família (por exemplo, quando recebe crianças sujas ou febris, quando a mãe mente sobre o que acontece em casa, tentando se safar e construir alianças dentro da família), fato que deixa uma professora bem-intencionada na primeira linha de combate, encarregando-se sozinha de um funcionamento complexo que não pode resolver de verdade, pois não dispõe de recursos para isso.

VIOLÊNCIA ATIVA E VIOLÊNCIA PASSIVA: UM GUIA PARA PROFISSIONAIS

A palavra violência tem um significado diferente para cada pessoa. Qualificamos uma situação como "violenta" quando a pessoa ou a família que a provoca ultrapassa os limites de nossa tolerância. Aquilo que eu posso considerar uma demonstração insignificante de hostilidade pode ser visto por outro como uma agressão insuportável. Objetivamente, há diferentes níveis de maus-tratos, mas não podemos perder de vista que os qualificamos também de acordo com nossas experiências pessoais.

Costumamos ficar assustados quando nos relacionamos pessoal ou profissionalmente com famílias violentas. É interessante observar que, às vezes, as pessoas envolvidas não reconhecem que sua realidade é violenta. Isso acontece porque seus limites de tolerância não foram ultrapassados, ou seja, navegam dentro de cânones conhecidos e aceitos como válidos. Uma pessoa proveniente de uma família em que os gritos e as ameaças faziam parte do cotidiano tenderá a acreditar que bater nos filhos faz parte das normas vigentes, que é assim que se deve educá-los. Em muitos casos, o vínculo primário com a própria mãe está impregnado, consciente ou inconscientemente, de recordações extremamente violentas. Portanto, o amor está ligado à violência. Quando, sem participar da realidade emocional do indivíduo em questão, julgo que uma mulher não deve permitir que seu marido grite com ela, estou lhe dizendo *a priori* que fique sem amor — ou sem aquilo que ela conhece por ora como amor. É preciso respeitar os tempos, os processos e a capacidade de evoluir de cada um. O pedido da pessoa que sofre é condição essencial para que possamos dar início ao acompanhamento do processo de busca da própria verdade e, a partir daí, gerar mudanças. Insisto em afirmar que o pedido de ajuda abrange a genuína intenção de dar início a um processo de introspecção e questionamento profundo. A violência diminui a cada pergunta pessoal e aumenta com a projeção das brigas ou dos sofrimentos pessoais não reconhecidos.

Para melhor compreensão, dividiremos a abordagem das famílias violentas em dois grandes grupos:

1. Famílias violentas ativas e explícitas (golpes, gritos, ameaças etc.).

2. Famílias violentas passivas (violência emocional ou verbal).

O primeiro caso nos parece grave, mas, pelo menos, podemos reconhecer rapidamente o funcionamento familiar. Não há dúvida sobre o caráter violento do intercâmbio. A tarefa do profissional é tentar compreender o circuito de violência estabelecido pelos códigos de comunicação, inicialmente no casal e, mais tarde, depois que aparecem as crianças, na família. Refiro-me a um circuito porque todos estão envolvidos. Um exemplo caricatural: o pai bate na mãe, que, por sua vez, bate nos filhos, que batem nos colegas de escola. Prevalece a sensação de que não há solução possível.

Pessoalmente, tento desarticular o circuito de violência familiar começando pelo eixo do sistema, que, no meu modo de ver, **é sustentado pela mãe.** Embora seja vítima da violência conjugal, ela é, por sua vez, a pessoa que **sustenta o funcionamento familiar**. Se fosse capaz de reconhecer a violência e se tivesse a genuína intenção de se livrar dela, conseguiria, desde que tivesse apoio, romper o sistema.

É indispensável saber que adquirir consciência a respeito de um determinado mecanismo que provoca dor transforma cada um em responsável. Aquele que contar com ajuda para reconhecer e compreender os trâmites da violência terá em suas mãos a decisão de modificar algo substancial em sua vida e na de sua família. Também deve estar disposto a perder, levando em conta que será uma travessia com muitas perdas no caminho. Às vezes, perdem-se dinheiro, posição social, um casamento e, sobretudo, a imagem que os demais têm a seu respeito.

A posição de vítima é ambivalente, uma vez que se resguarda em certa comodidade. No entanto, é indispensável trabalhar, em cada caso, com a responsabilidade pessoal. Se criarmos um espaço de confiança, atenção e acompanhamento, talvez a mãe agredida consiga gerar um mínimo de introspecção que lhe permita se perguntar: **"O que eu quero?", "O que preciso?", "Como formulo meus pedidos?", "Com quem posso falar com sinceridade sobre o que está acontecendo comigo?", "Quais são os benefícios que obtenho?".** O profissional tem como função persuadir a mulher a se manifestar na primeira pessoa do singular, uma vez que, frequentemente, a queixa predomina e parece que a violência só é exercida pelo outro. Em primeira instância, é muito benéfico traçar o mapa do funcionamento circular dos maus-tratos mútuos, porque, assim, cada um consegue se ver agindo e também gerando situações violentas, para espanto da suposta "vítima".

A violência explícita funciona através de situações grotescas. Embora tenhamos a tendência de nos horrorizar, em parte somos beneficiados pela crueza da realidade e a inegável situação de falta de respeito e de crueldade em relação aos mais fracos. Podemos agir imediatamente de acordo com nossos critérios morais ou ideológicos. No entanto, a urgência de salvar uma criança situada no último elo da corrente de violência não deve nos impedir de compreender a totalidade do esquema violento.

Ainda que pareça insólito, às vezes a última vítima pode ser a instituição (a escola, por exemplo) que acolhe a criança. As crianças maltratam outras crianças e os pais maltratam a escola, levando o pequeno em péssimas condições, sem fraldas, sujo, faltando a reuniões de pais, deixando o número de um telefone onde é impossível localizá-los quando a criança adoece, e por aí vai. A instituição que acolhe uma criança para salvá-la pode fazer parte do circuito de violência familiar e ocupar, finalmente, o lugar da vítima, o que deixa todos confusos em relação ao exercício de suas funções.

Nos consultórios de psicólogos, psicopedagogos e terapeutas, os profissionais também são maltratados pelas pessoas violentas: quando, por exemplo, faltam a uma consulta sem avisar ou não cumprem os compromissos estabelecidos de comum acordo. É indispensável aos profissionais reconhecer e decidir se devem permanecer dentro do círculo da violência ou se afastar dele, porque só olhando de fora é possível trabalhar em prol de vínculos mais saudáveis.

No caso das famílias em que a violência não se manifesta abertamente, mas, da mesma maneira, "feridos são deixados pelo caminho", os profissionais deveriam afinar sua percepção e não acreditar apenas naquilo que seus olhos veem. Estou me referindo a famílias nas quais as crianças vivem sofrendo acidentes, a crianças muito agressivas e, inclusive, a crianças muito contidas, asmáticas ou alérgicas.

É necessário ficar atento para ver se a realidade das crianças que agridem outras crianças ou que agridem a si mesmas expõe uma verdade que contradiz o relato consciente dos pais. Às vezes, se trata de um pai generoso, do ponto de vista econômico, que não atende as necessidades emocionais de sua mulher, que, por sua vez, dispõe de poucos recursos internos para tomar conta dos filhos. Abandonar afetivamente o outro também é violência. E, no caso das crianças, tem um efeito devastador. Refiro-me, também, às famílias em que nem a mãe nem o pai reconhecem seus conflitos pessoais, que podem se referir ao presente ou a situações antigas. Relegamos à sombra todas as vivências presentes ou passadas que nos provocam dor, angústia, tristeza ou desesperança. E elas agem a partir dali, projetadas em qualquer sensação incômoda que a criança nos provoque.

É desconcertante para o profissional pensar em uma realidade violenta quando está diante de uma criança muito agressiva e de uma mãe estilo "doce de leite", a mulher suave e encantadora que tem uma família que funciona, aparentemente, de maneira equilibrada. Nesses casos é necessário gerar um nível de confiança que permita acompanhar uma aventura de busca pessoal, possibilitando que o outro encare as experiências que lhe provocaram raiva, irritação ou o humilharam. A partir do reconhecimento dessas situações primárias será possível, às vezes, interpretar a realidade emocional oculta que a conexão sutil das crianças pode refletir.

É extremamente difícil alterar de maneira substancial o nível de agressividade das crianças abordando a questão exclusivamente a partir do aspecto funcional, lhes pedindo que "não batam". Devemos compreender que se trata apenas de manifestações desajeitadas e desesperadas que as crianças usam, às vezes, para responder às agressões que sofrem ativamente, e, outras, como representação da agressão passiva de seus pais sob a forma de abandono emocional.

Lembremos que os meios usados pela criança para exercer sua violência não têm muita importância. **Quem dá início ao circuito**

violento são os adultos, ou porque o incorporaram na infância ou porque estão totalmente afastados de sua própria essência e ainda não se questionaram nem minimamente pela perspectiva de um adulto maduro. As pessoas repetem em círculo as situações primárias como se fosse uma agulha passando invariavelmente pelos mesmos pontos danificados de um disco arranhado. Podemos evoluir quando conseguimos transformar o círculo em uma espiral de cura. Isto só se consegue por meio de um trabalho sincero de abertura da consciência.

O CASO ROXANA

Roxana veio me consultar porque Facundo, seu filho de 4 anos, fazia xixi na cama. Em pouco tempo descobrimos que Lucas, de 7 anos, também tinha algumas dificuldades: se acidentava com frequência, era empurrado por seus colegas de escola, era inseguro e pouco sociável. Por outro lado, Facundo chorava muito, não conseguia se adaptar ao jardim de infância e seus pedidos pareciam impossíveis de satisfazer. Sem me estender, posso lhes dizer que Roxana era uma mulher muito inteligente, uma psicóloga bastante ativa e empreendedora. Aos poucos foi revelando aspectos que deixavam patente que merecera poucos cuidados durante a infância: seu pai era rico, mas usava os sete filhos para proveito pessoal. Roxana lembrava que, embora tivesse muito dinheiro, ele os obrigava a remendar seus sapatos, a irem sozinhos de ônibus desde muito pequenos para a escola e a passarem as férias trabalhando para ele sem obter nenhum reconhecimento. Não guardava recordações de nenhum gesto carinhoso por parte da mãe. Falamos sobre a entrega obrigatória da mãe a esse pai cruel.

Roxana se casou com um homem muito bom, chamado Raul. Mais tarde descobriu que era muito infantil: não conseguia manter seu emprego, apesar de ter títulos universitários, e se apoiava em Roxana tanto econômica como emocionalmente. Quando Lucas nasceu, Roxana não pôde cuidar dele, pois era a única que ganhava algum dinheiro. Quando Facundo nasceu, aconteceu a mesma coisa, não pôde sequer amamentá-lo, sempre ocupada e preocupada com o trabalho. Depois de alguns encontros, concordamos que Roxana precisava que alguém cuidasse dela, expressão que seu campo emocional praticamente desconhecia. Desprotegida como sempre estivera, tinha poucas possibilidades de apoiar e cuidar de seus filhos que, enfraquecidos e carentes de atenção, caíam, se machucavam ou apanhavam de outras crianças.

À medida que Roxana foi adquirindo consciência de sua situação emocional, começou a pedir cuidados básicos ao marido, e se surpreendeu ao constatar que aquele homem era incapaz de fazer qualquer coisa nesse sentido. Por sua vez, foi aprendendo a se deter, observar seus filhos, ouvir suas necessidades, recuperar o tempo perdido e permanecer mais tempo com eles.

Isto representava para Roxana um aprendizado árduo, sobretudo porque se sentia fraca e muito sozinha para atender às necessidades sutis de seus filhos sem a ajuda de alguém.

Nesse ponto aconteceu uma coisa insólita: a violência sutil ou passiva de Raul, manifestada por sua incapacidade ou desinteresse de proteger sua mulher e seus filhos, foi ativada. Diante da demanda explícita de sua esposa, que lhe pedia um apoio básico para criar os filhos, transformou-se em um indivíduo violento que ameaçava, batia e descarregava sua fúria sobre a família. Deixou de ser um homem manso que não conseguia fazer nada e passou a ser um homem com uma agressividade reprimida que explodia sem controle. Essa situação assustou a todos, mas depois permitiu ir confirmando e compreendendo os mecanismos violentos que agiam sem que ninguém percebesse. Roxana tentou, ao longo de cinco anos, superar essas crises através de terapia de casal, consultas a especialistas em violência, conversas com parentes e amigos, com a esperança de que viessem a se ajudar mutuamente. E deu de cara com um obstáculo insuperável: seu marido rejeitava absolutamente qualquer ajuda que o levasse a questionar algum aspecto de sua própria vida, para não mencionar seu profundo desinteresse pelos demais e a intenção de se proteger colocando-se, sempre, no papel de vítima, pensando apenas em suas necessidades, em sua desgraça e acusando Roxana de ter enlouquecido.

Embora me abstenha de relatar muitos detalhes dessa história, interessa-me sublinhar esse fenômeno de ativação da violência quando os códigos de comunicação são alterados. A violência pode ser visível ou não, mas age com a mesma intensidade. Nos casos em que não a "vemos", é necessário "acender a luz". Esses mecanismos são muito comuns nos processos de divórcio, quando se ativa a violência que já existia ao longo do casamento, mas só se torna visível durante o conflito ou a mudança de códigos. Nenhuma briga que ocorre durante o divórcio é muito diferente dos desacordos que se manifestaram no casamento.

Na família de Roxana a única coisa visível era o fato de as crianças se acidentarem frequentemente, pois tanto o pai como a mãe eram dois tesouros quando se tratava de trocar palavras, e nada levava a suspeitar que pudessem adotar atitudes violentas em relação aos filhos. Quero salientar que a mãe dava sua contribuição ao abandono emocional dos filhos, ocupando a parte que cabia ao marido no sustento da casa. Devemos ter em mente que o abandono também é violência.

CRIANÇAS AGRESSIVAS: RECONHECENDO A PRÓPRIA VERDADE

A manifestação da violência por meio de mordidas, tapas, pontapés e outras atitudes hostis parece impossível de ser superada quando acreditamos que o objetivo é fazer com que a criança pare de bater. Trata-se, frequentemente, apenas de uma transferência viável a um terreno incômodo e, portanto, perceptível aos adultos, pois ninguém gosta de ser machucado.

Em linhas gerais, podemos dizer que as crianças muito agressivas são crianças que querem saber o que está acontecendo. Mas, então, o que precisam saber? Nem mais nem menos do que a verdade. A verdade pessoal de sua mãe.

Vimos no capítulo "As crianças e o direito à verdade" que as crianças, enquanto seres fundidos com o campo emocional da mãe, fazem parte de tudo o que acontece no universo materno. Mas se a mãe não nomeia o que acontece, as sensações e percepções são vividas de maneira confusa. Por outro lado, quando a mãe ou a figura materna explica com palavras simples o ponto central de sua verdade, as crianças sempre se tranquilizam, porque os adultos não estão contando nada de novo, mas apenas permitindo que **as crianças organizem o que já sabiam.**

Não compreender, não saber, não relacionar uma situação a outra gera tanta impotência que provoca irritação. As crianças que batem, mordem, se agitam nas cadeiras ou machucam outras crianças estão pedindo, desesperadamente, que lhes seja dito algo que tenha sentido lógico.

O problema é que **a verdade** não é fácil de ser encontrada, porque precisa de uma **procura pessoal.** Um exemplo: Joaquín tem 4 anos e bate nas crianças do jardim de infância. Não obedece a sua mãe e a todos que dizem que ele é uma criança terrível. A mãe se separou do marido quando Joaquín tinha 2 anos, agora ela vive com outro homem, com quem tem um bebê de 8 meses. A mãe dá muita atenção aos filhos, é psicopedagoga e tem experiência com crianças, além de ser paciente, encantadora e inteligente. Eu pergunto se ela chegou a contar a Joaquín por que havia se separado do pai dele, se chegou a lhe contar que está apaixonada por seu marido atual. Pergunto, também, se Joaquín tem ideia de seus sentimentos, preocupações e angústias. Acontece que Joaquín nunca recebeu uma explicação adequada. Joaquín faz o que pode. A mãe pede que ele pare de bater. E Joaquín navega no mar da falta de conhecimento. A única coisa que reclama é um parâmetro que o localize, e esse parâmetro é a **palavra mediadora** da mãe, contando-lhe sua verdade, que sempre é a verdade do coração. Não há nada mais pertinente para dizer às crianças. Continuando com o exemplo, deveria ser assim: "Quando me apaixonei por seu pai, eu não sabia o que queria da minha vida. E sou agradecida a ele porque, juntos, conseguimos concebê-lo. Depois percebi que queria um homem diferente para mim. E encontrei Mario, com quem me sinto muito bem e compartilho o mesmo jeito de viver. Estou muito apaixonada por ele, e também amo você e Lucas. Sinto culpa por ter dado a Lucas uma família que não pude lhe oferecer quando você era bebê, mas foi o melhor que pude fazer. Eu sei que, às vezes, é difícil para você ficar na casa de seu pai, mas para mim também é difícil vê-lo saindo."

Poderíamos dizer, então, que, quando não percebemos que as crianças são impactadas por nossa realidade emocional, estamos demonstrando que não as levamos em consideração. E essa também é uma forma de violência, pois não reconhecemos o que acontece conosco e, menos ainda, o que, consequentemente, acontece com nossos filhos. As crianças se irritam, mas os adultos se irritam com mais intensidade.

Os adultos também são agressivos quando tratam as crianças com indiferença, ou quando não atendem suas necessidades básicas, por ignorância ou falta de experiência. Colocamos, puxamos, sacudimos, deitamos as crianças; pressionamos suas costas para que não se levantem da caminha e as entregamos a braços desconhecidos. Elas têm um corpo pequeno, que manipulamos enquanto é possível. Não conversamos com elas. Não as consideramos como seres com capacidade de compreender e de interagir com os demais. Exigimos que se adaptem aos horários intermináveis dos adultos. Ficamos ausentes longas horas, sem explicação adequada... Enfim, usamos uma série de recursos relativamente violentos, considerando nossas vantagens físicas e intelectuais. Isso produz modelos de maus-tratos que eliminam qualquer possibilidade de estabelecer comunicação com o outro. O sistema desrespeitoso usado pelo adulto em seu relacionamento com as crianças retorna de maneira análoga: as crianças batem. A agressividade das crianças não é normal nem anormal, é apenas um sistema possível de intercâmbio. Quando esse modelo nos questiona ou não gostamos dele, em vez de atribuí-lo à "idade" ou ao fato de que "os homens precisam lutar", devemos rever nossos modelos de comunicação e ver se os adultos também acabam se machucando. As pessoas adultas podem ser muito cruéis, sobretudo se não têm o hábito de exercitar o olhar em busca das próprias verdades.

AS CRIANÇAS ORIUNDAS DE FAMÍLIAS VIOLENTAS

O que fazer quando suspeitamos de violência familiar?

Em primeiro lugar, devemos admitir que a criança agressiva é apenas um elo de uma cadeia de humilhação e desamparo. **Toda criança abusiva é uma criança abusada.**

Em segundo lugar, procurar alguma maneira de se aproximar honestamente do adulto que esteja mais disposto a reconhecer o funcionamento familiar violento e queira receber ajuda.

Em terceiro lugar, não condenar o adulto, porque precisamos construir uma relação de confiança para depois, solidariamente, fazer perguntas que o conectem à sua própria história emocional. Ser solidário não é ser aliado. As pessoas violentas são as mais treinadas para fazer alianças e, se não nos dermos conta disso, perderemos qualquer possibilidade de trabalhar a favor de todos.

É frequente que os pais não reconheçam neles mesmos traços de violência e se surpreendam quando seus filhos brigam na escola, mordem, machucam outras crianças ou as submetem a manipulações caprichosas quando se transformam em líderes negativos (os que dividem para reinar). Nessas situações, não vale a pena chamar os pais a cada semana para culpá-los pelo fato de seus filhos desestabilizarem os grupos; em vez disso, devemos lhes oferecer ferramentas sólidas que permitam gerar alguma troca. A mais contundente consiste em afirmar com palavras claras que se trata de um funcionamento circular de violência familiar, que pode ser explícita ou não, mas que é imperativo desarticulá-la se desejamos chegar a soluções concretas.

E as soluções concretas começam em casa, ou seja, procurando um profissional que ajude o adulto a questionar sua própria história emocional: que cuidados recebeu, se suas necessidades primárias foram reconhecidas e satisfeitas quando era criança, que escolhas fez na adolescência e na idade adulta e com que grau de consciência, que desejos fundamentais ainda estão esperando sua vez e, sobretudo, qual é a capacidade desse adulto de encarar o espelho de seu coração e se perguntar o que quer e o que pode oferecer.

Sem essas interrogações pessoais básicas as crianças serão, indefectivelmente, vítimas das dívidas pendentes dos adultos, uma vez que transferimos para as crianças as brigas que não assumimos e descarregamos nelas a origem de todos os nossos males. É cômodo enviar as crianças a intermináveis consultas psicopedagógicas; em síntese, são elas que ficam expostas, enquanto os adultos se refugiam na ingenuidade do "eu cuido dela, mas ela é muito nervosa".

Cada vez que uma criança age com um nível de violência que machuca em alguma medida o outro, é hora de nos perguntarmos sobre nossa violência interior. Da mesma maneira, quando uma criança machuca a si mesma (acidentes frequentes, asma, falta de ar) ou quando é vitimada frequentemente por outras crianças, também precisamos repensar com urgência o papel que desempenhamos em relação à ignorância de nossa violência e em que medida a exercemos.

É claro que precisamos de ajuda específica. Por isso, é necessário procurar profissionais idôneos que não adocem nosso espírito minimizando as agressões de nossos filhos e afirmando que "é a idade" ou que "os meninos são brutos mesmo". É claro que é necessário ter certa agressividade para viver, como o estímulo, a força, a coragem, a ação... Mas são os adultos que devem perceber quando essa agressão se transforma em maus-tratos, ou seja, quando alguém acaba machucado (inclusive emocionalmente). Temos tanto medo de penetrar nos terrenos arenosos da violência que preferimos fazer de conta que não é para tanto.

No entanto creio que não podemos nos dar o luxo de fazer como os avestruzes, porque muitas crianças correm perigo. Lamentavelmente, quando a evidência das marcas físicas denuncia que algo está acontecendo, já perdemos muito tempo. Vale a pena elevar nosso pensamento e não acreditar apenas no que nossos olhos veem, mas também nos encarregar de lidar com a dor que produzimos.

Para pensar em um acompanhamento destinado a detectar o circuito de violência em determinada família é necessário que pelo menos uma pessoa adulta desse núcleo esteja disposta a encarar seus demônios. A princípio nossa tarefa deve ser centrada em perguntas simples a respeito dos modelos de intercâmbio adotados pela família de origem. Depois nos dedicaremos às emoções que surgem de tais recordações: o abandono emocional, a falta de cuidados, a solidão na infância, o desamor etc. Aí, iremos comparando os modelos que a pessoa repete, localizando-se em algum lugar do circuito violento, sem deixar de reconhecer a responsabilidade que lhe cabe em cada decisão de sua vida adulta. Nossa tarefa será centrada, também, em cuidar do indivíduo que se consulta, porque estaremos nos transformando em seu imprescindível companheiro de viagem. Assim mesmo nos assombrará o nível de fragilidade e desamparo que surgirá, passando, inevitavelmente, por nossas debilidades mais ocultas.

CRIANÇAS QUE SOFRERAM ABUSOS EMOCIONAIS OU SEXUAIS: ABUSO ENTRE CRIANÇAS

As crianças abusadas emocionalmente abundam entre nós. Em geral, são filhos de mães e pais muito infantis que as usam para se beneficiar e satisfazer os próprios vazios emocionais, que sangram desde a infância. São mães e pais pouco conscientes e sem capacidade de diferenciar entre até que ponto o adulto precisa ser reparado e a realidade da criança, que não tem por que saldar com a própria vida as contas pendentes.

Nesse sentido, se afinássemos o pensamento, poderíamos afirmar que a maioria das crianças é abusada emocionalmente, uma vez que os adultos, em vez de satisfazer as necessidades das crianças, colocam-nas diante da obrigação de satisfazer as próprias necessidades emocionais primárias. Esta situação é muito peculiar no caso das mães solteiras (efetivamente solteiras ou emocionalmente solteiras) ou de casamentos com pais muito fracos, ou desinteressados do funcionamento familiar, ou em casais em que o desamor e a incompreensão são comuns e correntes. Então, a mãe se refugia, inconscientemente, na presença de um filho que tenta satisfazê-la a qualquer custo. Nessas circunstâncias, ele se vê obrigado a se retirar do lugar de filho que merece cuidado para desempenhar o papel de mantenedor e responsável pelas vicissitudes da vida de sua mãe. Também podemos considerar crianças abusadas aquelas que são emocionalmente abandonadas, ou seja, que não têm à sua disposição adultos que queiram atender às necessidades básicas e específicas de seu ser criança.

Dentro desse amplo leque de situações individuais há muitas crianças que padecem o desamparo e a violência mais intensa que pode ser praticada em relação a seu ser essencial: o abuso sexual.

Sabemos que quase todos os casos de abuso sexual acontecem intramuros, ou seja, dentro de casa, e são levados a cabo por adultos com quem há um laço de fato: pais, padrastos, tios, primos, avós, vizinhos que frequentam a casa etc. Isto significa que **o abuso precisa do aval do adulto responsável**, em geral, a mãe, que olha para o outro lado fingindo que não sabe. Os profissionais que costumam atender famílias em que circula o abuso sexual sabem como é difícil conseguir que um parente denuncie tal prática, porque a família inteira "cerra fileiras", mascarando o segredo familiar.

Nos raros casos em que as crianças conseguem relatar de forma breve uma situação incompreensível para elas, mas confusa e dolorosa, a única premissa é acreditar nelas. A pior atitude que um adulto — especialmente a mãe — pode ter é a de desmerecer o relato desajeitado da criança que tenta pedir ajuda, sem saber o que dizer, o que contar, o que pedir diante do abismo do incomensurável. Creio que a incredulidade daquele que ouve esse pedido de auxílio o salva de ter de acreditar que o horror existe. Não encontro outra explicação lógica para a dificuldade que os adultos têm de ouvir a criança que relata o que acontece com ela.

Mais uma coisa a ser levada em conta: o abuso sexual de crianças é uma conduta, ou seja, não acontece uma vez por casualidade. É um sistema estabelecido na família em que outros membros se "salvam" para não serem muito vitimados. É imprescindível compreender que é necessário desativar todo o sistema de funcionamento familiar, pois não se trata de um único fato concreto. Naturalmente, a família violenta se ampara no segredo familiar, e ali se fecha a comporta, deixando a criança abusada (e acusada de ser a geradora de todos os males) aprisionada em um túnel sem saída.

Como saber se uma criança é vítima de abuso sexual?

É uma pergunta enganosa, porque acredito que não há, praticamente, maneira de desconhecer que isso está acontecendo. Quando somos a professora, o médico, a vizinha, a assistente social ou o amigo, não há forma de não percebermos. A menos que também estejamos precisando salvar a nós mesmos, ainda que custe mandar à morte o mais fraco (a criança). É evidente que o abuso sexual é a violência mais extrema de todas e não poderia acontecer se não houvesse uma família violenta que o sustente. Nunca é um fato isolado, mas apenas uma válvula de escape (a mais perversa), por onde afrouxa a violência que, sob diferentes formas, circula no âmbito familiar. Quero destacar que essa violência pode ser explícita ou não, pois "acontece nas melhores famílias". E não haverá remédio eficaz se não retomarmos o caminho do conhecimento pessoal. Seja qual for a ferramenta de que os profissionais disponham, só poderemos ajudar se não nos enganarmos e se, de alguma maneira, dirigirmos nossa atenção à cegueira dos adultos, um mal que não permite que eles reexaminem as próprias carências. É necessário tirar do anonimato o que acontece e conseguir se aproximar honestamente de um adulto envolvido no abuso que possua alguma capacidade de abrir seu coração no meio do deserto.

Há outra forma de abuso sexual que é mais difícil de reconhecer: o abuso de uma criança por outra criança. A criança que abusa (que, naturalmente, é uma criança abusada, não necessariamente em termos sexuais) se vinga em crianças emocionalmente mais fracas. Primeiro, monopolizando a liderança negativa, decidindo quem pode brincar ou não, expulsando aqueles que não se submetem a seus caprichos e castigando com sua desaprovação os desleais. Às vezes, são meninos que deslumbram seus companheiros com atitudes decididas. Cercado por essa admiração que conseguem criar ao seu redor, podem obrigar outra criança a submeter-se a práticas corporais que tampouco manejam com segurança. De qualquer maneira, procuram satisfazer um prazer pessoal baseado no poder que obtêm sobre a criança obediente e insegura.

Nesses casos, as crianças abusadas, obrigadas a fazer com seu próprio corpo ou com o corpo da criança admirada algo que não compreendem, costumam contar com timidez o que acontece com elas ou tentam fazer com que o adulto perceba quando está acontecendo. É desnecessário dizer que só contam com a esperança de que a mãe, o pai ou a pessoa que cuida delas não desmereça seu relato. Porque, para que uma criança abuse de outra criança, também são necessários adultos que olhem para o outro lado.

É indispensável ouvir seriamente o relato das crianças, mesmo que seja confuso ou ilógico. E também levar em conta nossas próprias percepções, a saber: quando ou com quem as crianças estiveram quando voltam angustiadas ou muito excitadas, se frequentam grupos altamente competitivos onde se privilegia o "patotismo" em vez da solidariedade, como certas crianças se adaptam a diversos níveis de exigência e rendimento etc. Não há força maior do que a procura da própria verdade, guiada pelo amor dos pais. As crianças abusadas por adultos ou por crianças são, basicamente, **expostas**, ou seja, não cuidadas suficientemente.

A NEGAÇÃO SALVADORA: O CASO RUBÉN E O CASO LETICIA

Vimos que as crianças são vítimas da violência e da imaturidade de seus pais ou das pessoas que cuidam delas e, em tal condição, atravessam a infância como podem. Pessoalmente, tenho comprovado um fenômeno reiterado nos indivíduos que foram vítimas de violência física ou emocional na infância: **a negação** como sistema de salvação emocional. Trata-se de negar algo que acontece e que **a consciência aceita e nega ao mesmo tempo**, em uma espécie de loucura intangível. Para a criança, **aquilo que acontece na realidade não está acontecendo.** Porque, se ela aceitar que aquilo de fato acontece, **enlouquecerá**. Curiosamente, esse funcionamento vai sendo ativado ao longo da vida, inclusive em situações extremamente banais. Vou relatar brevemente dois casos.

Rubén se queixa à mulher de que ela não atende seus amigos quando eles vêm jantar em casa. A esposa, desencaixada, com um bebê nos braços, afirma que desde o nascimento do bebê ela se desvela cozinhando, dando atenção e servindo todos os amigos e parentes dele que apareçam no lar. Mas Rubén não registra os jantares e almoços servidos, como se realmente não tivessem existido para ele, embora tenha participado de cada um. No aniversário da mulher, a melhor amiga de Rubén lhe traz um bolo de presente. Ele se emociona comentando com a esposa como Viviana foi gentil ao lhe fazer tão grata surpresa. Acontece que desde a adolescência, a cada ano, sem exceção, Viviana lhe prepara e traz seu bolo preferido. Só que Rubén não registra. Embora pareçam exemplos ingênuos, as situações em que a **realidade é vivida e negada ao mesmo tempo** são tão frequentes como a violência exercida contra as crianças. Rubén é um engenheiro que passou sua infância entre as surras que seu pai lhe dava com a fivela de um cinturão e a depressão de sua mãe. Foi submetido a ameaças brutais e espancamentos, isso em uma família na qual o intercâmbio só era possível por meio da agressão e da falta de respeito. Rubén sabe que tem péssima memória, é distraído e tem dificuldades de se relacionar de maneira fraternal com os demais. Interessa-me realçar que ele vive a maioria das situações cotidianas, ao mesmo tempo em que as nega.

Outro caso: Leticia é uma empresária brilhante, reconhecida por sua habilidade nas finanças, assina acordos e contratos econômicos de grande envergadura. Mas, de maneira surpreendente, não registra o que assinou, portanto, realiza operações financeiras sem levar em conta o que foi pactuado. Quebra. Pede uma consulta e acertamos diversos horários que nunca chega a cumprir. Quando lhe explico que não posso dispor de outros horários, pois as mudanças de última hora complicavam toda a minha agenda e ela já marcara oito vezes sem conseguir comparecer, se espanta, uma vez que não tinha nenhum registro de ter me pedido tantas alterações. Leticia foi violentada sistematicamente por seu pai a partir dos 5 anos. Não recorda de quase nada.

Esta negação da realidade nos salvou no passado. Quando algo muito doloroso e incompreensível nos acontecia, nossa consciência o negava para poder suportá-lo. Essa dinâmica é muito frequente nos casos de abuso sexual ou em outros casos de sofrimento extremo na infância. O indivíduo ao se tornar adulto não recorda de nada. De fato, há muitos adultos que atravessam longos anos de tratamento psicoterapêutico sem nunca recordar qualquer coisa que se refira ao abuso sexual. O trauma original não revelado continua, assim, se perpetuando, em sofrimentos incompreensíveis.

Porém, o mais impressionante é que a negação se perpetua em outros âmbitos, estabelecendo-se como funcionamento cotidiano. Concretamente, cada vez que alguma coisa **acontece**, ao mesmo tempo **não acontece**. A negação que nos permitiu sobreviver durante a infância se converte em uma armadilha sem saída para o adulto, que acredita poder construir a realidade dentro de seu caprichoso castelo de vidro. Isso provoca muito sofrimento em quem sofre desse mal e entre as pessoas próximas, que convivem com a "loucura" de não saber a que se ater. Quem não registra o que objetivamente acontece e se permite a leitura imaginária de tudo o que acontece tem graves dificuldades que interferem em sua vida profissional, social e afetiva. Por exemplo, no caso de Rubén, sua esposa tem a sensação de que não consegue nunca satisfazê-lo, pois não depende do que ela lhe ofereça e sim da "amnésia" permanente sofrida por ele. As discussões também são infrutíferas, porque o trauma está situado na violência passada, na criança interior que sofre e se perpetua inconscientemente no adulto atemorizado.

A VISÃO PROFISSIONAL

As pessoas que, valendo-se de sua profissão, se dedicam ao intercâmbio e ao acompanhamento dos processos de busca da verdade e do crescimento espiritual deparam volta e meia com os diversos graus de violência que todos nós geramos. Aquilo que tentam curar no outro também é parte do que pretendem curar nelas mesmas. Não vejo outro modo de se envolver sinceramente, sobretudo no que se refere a situações tão delicadas como as consequências da violência explícita ou implícita.

Quando tratamos de crianças que foram ou são vítimas da violência familiar, nossa própria criança interior deseja socorrê-la. Talvez cada um de nós consiga reparar antigas feridas com cada criança que recebe ajuda. Tratar a questão violência nos obriga a abandonar a ingenuidade na qual adormecemos. Gostamos do que é belo, mas é imprescindível conhecer o oposto. O sofrimento das crianças ou os comportamentos agressivos nos interpelam, ou, pelo menos, nos levam a pensar em nossas partes sombrias.

Há muito a fazer, muito a compreender e muito **amor para dar.**

Situando-nos com honestidade a partir de nossos espaços mais frágeis e nos despojando da soberba do saber profissional, seremos, provavelmente, mais eficazes e mais críveis. Não há nada mais poderoso do que a verdade. E nada tão gratificante quanto a possibilidade de trabalhar em prol do crescimento de todos.

CAPÍTULO

13

As mulheres, a maternidade e o trabalho

Maternidade, dinheiro e sexualidade • A confusão de papéis nos trabalhos maternos • As instituições educacionais • Em busca do ser essencial feminino.

MATERNIDADE, DINHEIRO E SEXUALIDADE

"Ser mulher", "ser feminina" e "ser mãe" podem coincidir em determinados momentos de nossa vida, mas vale a pena pensar sobre as diferenças fundamentais entre esses aspectos de nossa identidade.

Ser **maternal** implica abnegação, tolerância, amor incondicional, entrega, doçura, paciência, compreensão, altruísmo... Todas qualidades necessárias para que as mulheres sejam capazes de criar filhos. De fato, essa é a época em que elevam à sua maior potência essas virtudes adormecidas, para que explodam no lugar adequado, ou seja, enquanto ninam eternamente a criança em seus braços. Esse "ser maternal" se expande por seus corpos em períodos muito definidos da criação, relacionados diretamente com a criança, de modo a garantir a sobrevivência da espécie. São esses chamados interiores e a resposta maternal que permitem à criança obter os cuidados e o descanso espiritual necessários para atravessar a infância em paz.

Lamentavelmente, a cultura tergiversa com interesses próprios o devir de nossas funções, levando o inconsciente coletivo a confundir a especificidade do "ser maternal" com o significado abarcador do "ser mulher" e até mesmo do "ser feminina", como se fossem a mesma coisa. Mas não são. De fato, para ser mulher não é necessário ser abnegada nem professar um amor incondicional por cada pessoa ou situação que se apresente... Embora seja exatamente esta a confusão instalada na sombra social... Parece que as mulheres devem ser amáveis, doces, tolerantes etc., em qualquer circunstância social ou profissional.*

---

* Alguns conceitos foram extraídos do livro *O sexo oculto do dinheiro*, Clara Coria, Ed. Rosa dos Tempos, 1996.

Quando acreditamos que para ser mulher precisamos contar com as virtudes da maternidade, construímos nossa identidade pessoal tendo como base essas crenças. Assim, crescemos, estudamos e escolhemos uma profissão. Depois, pretendemos trabalhar, instalando-nos em vínculos profissionais a partir da tolerância, do amor incondicional, da paciência, da compreensão — qualidades excelentes para a criação dos filhos, mas não indispensáveis para administrar um negócio, fazer transações comerciais, construir edifícios ou levar adiante uma ação judicial.

Quando construímos nossa identidade confundindo ser mãe com ser mulher, torna-se intolerável defender um interesse pessoal, uma vez que o amor maternal é incondicional e altruísta. Como poderíamos nos permitir ganhar dinheiro, ter ambições financeiras, atribuir um preço a nosso trabalho, reivindicar o que achamos justo e, pior ainda, desfrutar e usufruir do dinheiro ganho se isso atende a interesses pessoais? O que está em jogo é uma **quebra profunda** da nossa identidade, construída ao longo de séculos em uma cultura na qual o homem circula no âmbito público e a mulher, no privado. O dinheiro, a tomada de decisões e o sexo livre estão confortavelmente arraigados no inconsciente masculino. Isto é mais verdadeiro do que acreditamos.

De fato, quase todas as mulheres podem refletir sobre a dificuldade recorrente que têm para definir o valor de seus honorários — no caso das profissionais autônomas, para receber dinheiro, reivindicar o dinheiro devido e, inclusive, desfrutar pessoalmente o dinheiro ganho. Nos casos em que as mulheres ganham uma boa quantia de dinheiro, costumam usá-lo nas despesas domésticas, aquele dinheiro invisível que faz o lar funcionar. Por outro lado, o homem, frequentemente, faz o dinheiro brilhar comprando um carro, uma casa ou pagando as férias familiares. Não é a quantidade de dinheiro o que está em jogo, mas a administração, a decisão e a autonomia com que é manipulado.

No universo das "profissões psi", a maioria das mulheres, mesmo as muito preparadas e eficazes, trabalham de graça. Os serviços de psicopatologia dos hospitais são repletos de psicólogas, psicopedagogas, fonoaudiólogas, conselheiras e psicólogas sociais que trabalham de graça. Raras vezes algum homem exerce essas profissões nas mesmas condições. Na prática dessas profissões, unem-se, inconscientemente, o interesse genuíno pelo bem-estar dos outros e o amor e a dedicação necessários ao desempenho dessas atividades. Assim, levamos a identidade à falência: se me importa, se dou a vida por isso, se acredito profundamente no que ofereço, se me envolvo emocionalmente com os pacientes... Se sou uma mãe para eles... Parece-me ofensivo cobrar dinheiro quando também circula o amor.

Essa equação inconsciente, mas comum a quase todas, se magnifica nos casos de mulheres que exercem trabalhos maternais: a mais caricatural é a situação das docentes. A professora é uma segunda mãe, e todos conhecemos os salários das mestras — pelo menos na Argentina. A sociedade inteira estima que a educação é um assunto das mulheres-mães-professoras-o-que-é-a-mesma-coisa. Portanto, como se realiza dentro da esfera maternal, não há dinheiro envolvido.

Essa confusão é permanente e fere de maneira sutil a autoestima de cada mulher, prejudicando os esforços emocionais para ultrapassar o âmbito privado, permitindo, assim, que outras pessoas possam se beneficiar da alma de cada mulher em crescimento.

Essa situação compartilhada merece ampla reflexão e aliança das mulheres, pois precisamos de treinamento e conhecimento no que se refere à administração do dinheiro, da qual estivemos excluídas durante toda a história do patriarcado. As mulheres operárias começaram a ter acesso ao trabalho remunerado há apenas um século — a partir da Revolução Industrial — e as mulheres das classes médias e altas começaram a aparecer há apenas uma ou duas gerações. É uma coisa muito nova na cultura feminina. Trabalhar e ganhar dinheiro não é algo tão simples.

As mulheres costumam ser pudicas quando se trata de falar de dinheiro, estipular preço, exigir pagamento, cobrar o que acreditam que corresponde a um trabalho ou serviço disponibilizado.

Como se tratasse de prazer sexual — fato íntimo a respeito do qual não se atrevem a falar em público, esse hábito de não falar de dinheiro evita o suposto contato das mulheres com o vil metal ou, ao menos, a exposição de sua relação com ele. Nesse sentido, as mulheres ficam infantilizadas, fazendo de conta que trabalham, ainda que de fato, trabalhem sem ganhar dinheiro. Isso é chamado de treinamento, estudo, amor, caridade, mas não podem chamá-lo de trabalho. Trabalho é serviço ou produto fornecido em troca de remuneração.

Espantosamente, isso não acontece com os homens. Eles têm outras dificuldades, mas não se sentem culpados pelo mero fato de ganhar dinheiro, nem têm problemas em atribuir um preço a seus honorários. Talvez, ao se tornarem adultos, se sintam mais reticentes no campo emocional, espaço em que as mulheres se sentem mais à vontade.

Quando — a partir do papel profissional — incursionamos na administração familiar do dinheiro, torna-se possível decifrar a violência implícita, o medo, a falta de acordos, a baixa autoestima, o desamparo, a incomunicabilidade, o poder, a insegurança e a escassez de recursos pessoais nos quais estamos submersos. O dinheiro é o modelo de intercâmbio que inventamos para nos relacionarmos em nossa sociedade. Será necessário relaxar, conhecê-lo e treinar para exercer livremente nosso ser pessoa no mundo. É imprescindível que as mulheres comecem a refletir entre elas e depois os homens e as mulheres entre si, porque isso que acontece conosco, realmente acontece. Há uma infinidade de determinações que continuamos a obedecer sem nos dar conta, e que nos deixam expostos ao desamor e à falta de cuidado de uns em relação aos outros.

A administração do dinheiro não é um assunto menor; pelo contrário, é uma manifestação direta de nossos funcionamentos primários, transferidos para nosso comportamento adulto na sociedade. Para sermos mães capazes de criar filhos em liberdade, apoiando seu crescimento emocional autônomo, precisamos, primeiro, nos transformar em mulheres maduras. O dinheiro pode se constituir em um bom mestre.

A CONFUSÃO DE PAPÉIS NOS TRABALHOS MATERNOS

Desenvolver uma profissão relacionada com o cuidado das crianças requer maior destreza e capacidade para distinguir o que se refere ao trabalho e o que tem a ver com a tarefa materna. Uma coisa é o compromisso emocional ou o amor que oferecemos no vínculo com cada criança e, outra, é o intercâmbio de dinheiro, o horário de trabalho e os acordos profissionais.

É especialmente previsível a confusão no caso das professoras, sobretudo as dos jardins de infância, que estão no meio de circunstâncias ambivalentes, onde está em jogo o amor pelas crianças, além do dinheiro que se ganha em troca do serviço. Claro que a soma de dinheiro é tão irrisória que as livra da contradição.

Fixar um preço para o trabalho materno coloca em risco nossa identidade, uma vez que não suportamos estabelecer um preço pelo amor, pela abnegação e pelo cuidado das crianças. Toda a sociedade acha que as mulheres devem se ocupar da questão da educação; portanto, é coerente que praticamente não haja dinheiro envolvido. A ideia coletiva é a seguinte: "Com esse dinheiro você tem o suficiente para comprar uma besteirinha." No entanto, tanto no papel de docente como em outras profissões, em que a educação é o eixo, quando o dinheiro não avaliza a competência profissional, sua função é tergiversada. É importante saber que em países desenvolvidos a docência é uma profissão muito bem-remunerada.

Creio que um dos motivos pelos quais a docência está tão desprestigiada é a identificação das docentes com as figuras maternas, em vez de ampliar sua identificação com o papel profissional (isto não significa deixar de serem amorosas, carinhosas e compreensivas). Por sua vez, as docentes precisam de mais preparo para abordar as problemáticas familiares, para reconhecer nas crianças suas partes de "crianças-mães" ou "crianças-famílias", para aprimorar o conhecimento sobre os vínculos, a comunicação e o intercâmbio nas relações afetivas, para se tornar verdadeiras guias tanto para os pais como para as crianças. Quando está fora de casa, a criança não precisa de uma segunda mãe, mas sim de uma mulher madura que compreenda totalmente como funciona sua realidade familiar.

Quando são maduras, as mulheres que exercem o papel de professoras conseguem se distanciar para observar e compreender, permanecendo carinhosas e protetoras. Quando são imaturas, mergulham em uma mistura de desejos próprios e alheios, confundindo suas fantasias de mãe com suas fantasias de mestras. Existe também uma infantilização generalizada projetada sobre a maioria das professoras de jardins de infância, que esperam corresponder ao modelo de menina bonita com tranças que entoa canções. Os pais gostam que as professoras sejam lindas, jovens, que beijem as crianças. No entanto, nada disso contribui para a evolução familiar da criança, nem para a compreensão do funcionamento familiar de cada um. Tampouco são essas as condições necessárias para que se constituam em guias para os pais. Ser professora requer uma exaustiva busca profissional relativa à própria feminilidade e à própria maternidade (sejam mães ou não na vida real).

Para se ocupar profissionalmente das crianças — ou seja, por meio de uma função reconhecida e valorizada pela sociedade — é necessário recorrer a todos os conhecimentos deste mundo, abandonando os refúgios onde costumávamos nos esconder de nós mesmas. Podemos deixar profundas marcas na alma das crianças que temos sob nossa responsabilidade para a exploração do espírito, desde que reconheçamos em nós mesmas a habilidade de sermos criativas, iluminadas, naturais e fogosas. Fora de casa as crianças seguem aqueles que são capazes de semear palavras e ideias, juntar raízes, contar fábulas e desenvolver a sabedoria intuitiva.

Ser mãe é diferente de ser guia. Podemos desempenhar os dois papéis, em âmbitos diferentes e em troca de reconhecimentos muito diferentes.

AS INSTITUIÇÕES EDUCACIONAIS

Na Argentina, a maioria das escolas maternais e jardins de infância têm excelentes projetos pedagógicos. O padrão acadêmico e de pesquisa pedagógica para o nível inicial é muito alto. No entanto, têm, por sua vez, um profundo desconhecimento das **necessidades básicas do bebê e da criança, e uma ignorância carregada de preconceitos a respeito da fusão emocional presumível com a mãe** e o entorno próximo. As exigências de adaptação e as imposições massificadas, baseadas naquilo que determinam que seja o normal ou anormal, atendem muito mais a critérios intelectuais do que à observação rigorosa de cada criança e do desenvolvimento emocional possível em cada família.

Há aspectos que são administrados de maneira espantosamente semelhante em todos os jardins, pobres ou ricos, públicos ou privados, uma maneira que nada tem a ver com a linha pedagógica, e sim com o **desconhecimento do universo do bebê** e da criança humana. O controle de esfíncteres é uma exigência massificada na turma de 3 anos (em muitos jardins, é a condição primordial para admitir as crianças). Conheço poucos jardins que questionem ou coloquem em dúvida essa exigência. Como todas as instituições funcionam de modo similar, há situações que não são mais discutidas, pois são consideradas verdadeiras. Algumas escolas maternais e jardins de infância, embora ofereçam, aparentemente, caminhos alternativos, não o fazem no que se refere a questões tão básicas como o conhecimento do campo emocional de cada criança em particular. Eles precisam vender o que acreditam que os pais comprarão. Tentam responder às fantasias de inserção social dos pais, sem levar em conta a realidade emocional de cada criança.

Chama poderosamente minha atenção que as crianças acabem se adaptando às instituições, em vez de essas instituições se adaptarem à realidade emocional das crianças. Cada vez com maior frequência recebo em meu consultório mães estressadas com filhos estressados. Em algumas ocasiões sugiro que tirem simplesmente a criança da escola porque é o que **a criança pede**, e proponho que levem em consideração a adoção de um ano sabático, porque seu filho de 4 anos está esgotado. Jornadas completas, aulas de computação ou de inglês... Algumas crianças resistem, outras, não. Sem tempo para brincar ou fantasiar, desconectadas da própria imaginação, depois adolescentes desinteressados, tornam-se adultos afastados de seus desejos mais íntimos. O único estímulo deveria ser o de atender à fantasia criativa e à exploração exterior e interior.

Uma criança oriunda de uma família emocionalmente protetora e possuidora de pais disponíveis talvez reúna melhores condições de frequentar um colégio intelectualmente exigente. Mas quando os pais passam muitas horas trabalhando fora de casa, não há lugar nem espaço para o repouso emocional. Normalmente, as coisas funcionam ao contrário: quanto mais os pais trabalham, mais acham conveniente mandar os filhos para o melhor colégio. Pretendem, assim, que uma criancinha de 2 anos se adapte ao modelo bem-sucedido fantasiado por eles. Neste sentido, a pedagogia, às vezes, está mais a serviço dos resultados esperados pelos progenitores do que a serviço da felicidade e da integração com a alma da criança em questão.

O ingresso precoce da criança na escola, que aparenta ser a tendência e a solução possível para o exército de mães que trabalham fora, deveria estar a serviço de uma harmoniosa constituição do ser essencial. Além disso, deveria dar prioridade à busca individual, ao respeito aos interesses genuínos de cada criança, aos tempos, à brincadeira e à criatividade.

Mas a escolha do jardim ou escola dos filhos tem a ver com a abertura de consciência, o grau de liberdade interior e o interesse genuíno em oferecer aos nossos filhos um caminho de procura do invisível. As mães em liberdade e movimento são as que estão em melhores condições de oferecer aos filhos espaços abertos ao desenvolvimento pessoal. A ingenuidade é uma desculpa frequente, mas a responsabilidade continua sendo nossa. Por outro lado, as instituições educacionais vão crescendo a partir dos pedidos deslocados dos pais, que projetam sonhos não realizados nos filhos. Sonhos que pouco têm a ver com a missão específica desse ser diferenciado que é a criança.

A consciência com que as mães contam para se movimentar pelo mundo abrange a maneira como colocam seus filhos no mundo exterior. A maioria das escolas maternais e jardins de infância segue padrões submetidos à fantasia de êxito dos adultos, e não à exploração da alma. Creio que cabe às mulheres se olharem atentamente e se perguntarem depois o que pretendem semear na consciência dos filhos. Fazer de conta que lhes oferecemos o melhor é muito fácil. Pagar muito dinheiro por um colégio, aumentar as horas de aulas de judô, natação, inglês ou computação pode ser desejável, à medida que estejam reconhecidas e satisfeitas as necessidades básicas de proteção, ócio, descanso, comunicação e vínculo.

Pensando nas crianças do nascimento aos 7 anos, posso afirmar que suas **necessidades emocionais devem ser satisfeitas prioritariamente.** Uma vez construída uma estrutura afetiva sólida, logo aparecerão os interesses intelectuais ou esportivos genuínos, que os pais atentos poderão ajudar a desenvolver. O interesse e a paciência necessários para olhar aquela criança em particular correspondem a uma maturidade do adulto que não projeta nos filhos seus próprios desejos, mas sim os libera de sua sombra, permitindo que aquela criança desenvolva sua missão na Terra como ser único e diferenciado.

Olhá-la e acompanhá-la, guiá-la e lhe oferecer recursos são atitudes que requerem tempo, introspecção e silêncio. O tempo é indispensável para evitar que os espaços sejam preenchidos com a pressa de concluir as obrigações. **A introspecção é necessária porque não posso olhar livremente para o outro se não olhar, primeiro, para mim mesmo.** Finalmente, o silêncio tem mais conteúdo que os longos discursos, e nos possibilita fazer as travessias com mais consciência.

Quando escolhemos instituições a partir das quais nossos filhos se projetarão no mundo, devemos recorrer mais a nossa compreensão do universo das crianças, que seguirão aqueles que se ocuparem delas, e menos ao prestígio social que tais lugares poderão nos assegurar. Esta decisão requer que os pais tenham maturidade emocional suficiente para não serem tentados pelo refúgio da aparência. Costumamos colocar nossos filhos em lugares muito exigentes para que eles realizem os sonhos que nós não conseguimos concretizar. É indispensável optar por aquilo que será útil a seu desenvolvimento harmonioso em vez de tentar que compensem nossas frustrações anteriores.

EM BUSCA DO SER ESSENCIAL FEMININO

Às vezes, começamos a vida em águas contaminadas e, então, nossa energia vital e inocente é obstruída e nossa criatividade e busca pessoal são gravemente prejudicadas. Refiro-me a abandonos emocionais na infância, maus-tratos, falta de amor, pais infantis ou ausentes, pobreza ou tristezas intangíveis. Depois voltamos a reencontrar essa sombra no meio das crises vitais, exatamente quando parece ser o pior momento para que as recordações ou as experiências desagradáveis aflorem, como se fossem reais.

A idade adulta não permite apenas que nossas recordações aflorem: também nos oferece a certeza da existência de outras potencialidades, reclusas em nosso âmago, à espera do momento em que lhes daremos oportunidade de se revelarem. São lugares preexistentes, prontas a serem preenchidos por nossos desejos mais genuínos e para construir nosso espaço no mundo. Por isso é necessário saber que esses lugares existem em nossa psique e esperam o sinal de nossas decisões conscientes, pois só assim os fatos se transformarão em realidade.

Ao longo de todos esses anos que passei atendendo a mulheres que procuram respostas pessoais foi aumentando minha sensação da existência de uma **imensa alma feminina**. É como se fosse uma energia construída **por todas as mulheres** que vão e vêm, envolvidas em problemas que diferem apenas na aparência, mulheres que compartilham a necessidade imperiosa de abrir a torrente da criatividade e deixar fluir. Sempre há vida vibrando ao redor das mulheres, embora a maioria viva histórias muito restritas, mandatos sociais arcaicos e tenha o hábito de continuar chorando as dores da infância.

Quero dizer que, partindo de um olhar superficial, as mulheres, frequentemente assustadas diante dos desafios do mundo adulto, se dão a conhecer por meio de romances pessoais desprovidos de interesse e demasiadamente repetidos. Mas, assim que constroem uma rede de confiança e solidariedade, surge o brilho da criatividade original e a vontade de começar a fazer algo, qualquer coisa, para cintilar como pérolas diante da perplexidade delas próprias.

Em geral, eu me entusiasmo incitando-as a começar, a se abrir, a se erguer e a se apropriar dos espaços vazios, em vez de tentar preencher os espaços dos demais. Em nossa vida corriqueira temos o hábito de tapar os buracos de todo mundo e não enfrentarmos nosso próprio vazio e, depois, a imensidão das possibilidades que esse mesmo abismo nos oferece. Quando nos tornamos mães, garantimos nossa distração, pois sempre haverá motivos para nos ocupar dos demais, desobstruindo a passagem de nosso rio bloqueado. No entanto, os filhos precisam de mães criativas, plenas, caminhando em sua busca pessoal, uma vez que o significado que cada mulher encontra em sua própria vida lhe permite dar um significado à vida dos demais.

Para sermos criativas precisamos de tempo. O tempo é um bem sagrado, e as mulheres devem aprender a cuidar dele, pois defendem o tempo dos demais e não o próprio. Também devem cuidar de suas pequeníssimas paixões, ocultas em algum momento de ócio, abandonadas em uma incômoda gaveta e compartilhadas apenas entre confidências silenciosas com alguma mulher que seja cúmplice de suas travessuras. Festejamos as paixões dos demais, mas não reservamos as nossas para desenvolvê-las em um futuro incerto, talvez porque acreditemos que não são tão importantes nem tão apaixonantes.

Há mulheres que chegam a meu consultório desgastadas, perdidas e sem ânimo, sentindo que nada mais vale a pena. Quando suspeito, por intermédio de seus olhos cristalinos, que seu fogo interior ainda vibra, costumo lhes pedir que fechem os olhos, coloquem as mãos no coração e façam um pedido louco, impossível, impronunciável. Então seus sorrisos exalam uma nuvem de diamantes e, suavemente, surgem palavras doces, plenas de desejos concretos, de frases acalentadas durante anos e de pensamentos exatos. Eu os anoto com rigor, pois são o tesouro de cada mulher.

Depois, combinamos que esse é o objetivo de nossos encontros: simplesmente levar a sério esses esboços de desejos e potencializá-los. Devemos procurar juntas estratégias que permitam que esses sonhos se transformem em realidade, tendo o cuidado de não sermos castigadas por nós mesmas diante de tamanho arroubo de liberdade. Deixamos a imaginação voar, fazemos projetos, admitimos os encontros casuais, deciframos as mensagens e nos espantamos diante da torrente de energia que volta a circular.

Algumas se atrevem. O profissional que as acompanha deve prometer cuidado. Precisam, também, conhecer os riscos de antemão: o maior é o desconforto. Em geral, devem estar dispostas a abrir mão desses espaços conhecidos e aborrecidos, nos quais, volta e meia, desempenham o mesmo papel sem que ninguém repare nelas, nem sequer elas mesmas. Tornam-se invisíveis como a maior parte de seu trabalho, invisíveis como os esforços desmedidos despendidos para satisfazer os demais: filhos, maridos, vizinhos e professores. Nesse ponto é pertinente reconhecer que o invisível tem suas vantagens, porque ninguém nos molesta nem nos empurra ao encontro de nós mesmas.

Trata-se de uma decisão pessoal: permanecer nos espaços infelizes, embora conhecidos, ou, então, decidir averiguar "quem sou", "o que tenho para oferecer nesta vida", "qual é a minha missão". Para isso é necessário se tornar visível pelo menos de vez em quando. Creio que estes são os pedidos que de maneira deslocada as mulheres formulam quando consultam terapeutas ou pessoas que estejam em condições de lhes mostrar um rastro do caminho. É possível que reconheçam que são incapazes de assumir o compromisso de se encarregar de sua própria busca: nesses casos, é saudável esperar.

Nessa busca do "eu sou", ter filhos pode facilitar o percurso de algumas mulheres, na medida em que viverem uma **maternidade consciente** e criarem seus filhos com autonomia interior. Por outro lado, a maternidade leva algumas mulheres a se perder definitivamente, infantilizadas e ocupadas com os afazeres da criação dos filhos, construindo um mundo doméstico e trancando-se a sete chaves por dentro.

Definitivamente, acredito que muitas mulheres estão perdidas por dentro, mas não têm motivos suficientes para permanecer nesse estado. Poderíamos arriscar um pouco mais: somos protegidas pela Lua, pela terra, pela água e pelo vento. Um redemoinho de vitalidade gira em nossos corpos, e nossos filhos dependem, em parte, da explosão de nosso coração, da alegria infinita e do sentido profundo que encontrarmos no fato de vagar por este mundo com nossas almas femininas.

Epílogo

A experiência de acompanhar — em uma posição terapêutica — as mães é tão diversificada e enriquecedora que ultrapassa a tradução, de modo linear ou narrativo, de tais vivências. Espero que as mulheres que percorreram as páginas deste livro a partir do "ser mãe", em vez de se sentirem culpadas (posição confortável na qual nos situamos com facilidade e autoilusão) passem a se sentir mais criativas, mais envolvidas na busca de seu próprio destino. E, no que se refere àquelas que o leram do ponto de vista de suas atividades profissionais, espero que lhes permita submergir na capacidade pessoal de se sintonizar com os estados regressivos e fusionais das mães. Porque, enfim, se trata disso. De trabalhar com a feminilidade em seu momento de maior potência. E nada melhor do que outra mulher em relação fusional com uma mãe em busca de ajuda. Insisto em resgatar o feminino que vibra em cada uma de nós quando temos interesse em trabalhar com mães de filhos pequenos. Do contrário, identificadas com o poder masculino, daremos conselhos, ditaremos sentenças e redigiremos guias impecáveis e completos sobre como ser uma boa mãe. Sabemos que há uma montanha de livros escritos tendo como base, de forma consciente ou inconsciente, o olhar masculino.

Há muitas profissionais da saúde e da educação desempregadas, muitas mulheres das classes média e alta que se cansaram de trabalhar de graça em hospitais, sem saber como dar vazão a sua capacidade profissional. Por outro lado, há um exército de mães desesperadas esperando encontrar referenciais externos que coincidam com os referenciais internos, pois sentem que aquilo que acontece com elas nunca coincide com o que é certo. Em essência, fazê-los coincidir deve ser a função das profissionais que trabalham em prol dos vínculos humanos, nomeando, se solidarizando e legitimando essas vivências maternais tão particulares e tão pouco aceitas pelo "lado de fora". Neste sentido, há muito que fazer.

Pensando na condição das mulheres como gênero, nasceu minha instituição, no início dos anos 1990, que dirijo e que desenvolve suas atividades com base na cidade de Buenos Aires. Segue funcionando a Escola de Formação Profissional na qual treino **quem quiser** aprender a metodologia da construção da **biografia humana** (explicada detalhadamente em outros livros publicados, sobretudo em *A biografia humana*). Minha equipe de profissionais (todos formados pela minha escola e em permanente treinamento comigo) atende consultantes de todas as partes do mundo, graças à maravilha da internet e do Skype. Este livro procura atualizar a visão que sigo construindo ao longo dos anos, orientando minha bússola interna com a intenção de estabelecer na sociedade cada vez mais lugares de encontro e de intercâmbio. Capacitar mais profissionais no acompanhamento da travessia aos mundos ocultos da psique.

Logicamente, necessitamos ir ao encontro de nossa própria sombra para, depois, acompanhar cada mulher a navegar pela própria sombra, dentro da personalíssima construção de seus vínculos. Temos de aprender a abordar, sem preconceitos nem ideias predeterminadas, como cada indivíduo sobreviveu à sua infância, como organiza seus acordos afetivos, os apoios, a compreensão do cenário familiar, as crises vitais, a irrupção dos filhos como desencadeantes aparentes das rupturas de casal, a repetição dos modelos internos de relação, as terapias resolutivas e as nem tanto; enfim, todo o ordenamento consciente e inconsciente das redes afetivas. Porque o surgimento dos filhos rima muito mais com crescimento do que parece.

Esta visão me sustenta e me guia na convicção de pensar que nós, mulheres, somos os **pilares do futuro.** Temos a obrigação de ser cada vez mais conscientes para manter vínculos de respeito mútuo, e, então, poder criar filhos em um sistema amoroso. Porque, no final das contas, tudo o que nos acontece é por falta de amor.

Este livro foi composto na tipologia Classical Garamond BT,
em corpo 11,5/15,6, impresso em papel off-white,
no Sistema Cameron da Divisão Gráfica
da Distribuidora Record.